CINQ
SECONDES

Du même auteur

L'*Anti-livre* (coll.), Éditions de l'Étoile magannée, 1972.

Raconte-moi Massabielle, Éditions d'Acadie, 1979 ; coll. « 10/10 », 2010.

Le Récif du Prince, Boréal, 1986 ; coll. « Boréal compact », 1988.

Les Portes tournantes, Boréal, 1988 ; coll. « Boréal compact », 1990.

Une histoire de cœur, Boréal, 1988 ; coll. « Boréal compact », 1992 ; coll. « 10/10 », 2009.

Les Ruelles de Caresso, La Courte Échelle, 1997.

Un train de glace, La Courte Échelle, 1998.

Le Cirque bleu, La Courte Échelle, 2001.

Les Soupes célestes, Fides, 2005 ; coll. « 10/10 », 2009.

La Vraie Histoire de la série Les Lavigueur – *Les carnets de l'auteur et le scénario*, Stanké, 2008.

JACQUES
SAVOIE
CINQ
SECONDES

Libre Expression
Une compagnie de Quebecor Media

Catalogage avant publication de Bibliothèque et Archives nationales du Québec et Bibliothèque et Archives Canada

Savoie, Jacques, 1951-

Cinq secondes : une enquête de Jérôme Marceau
(Expression noire)
ISBN 978-2-7648-0761-3
I. Titre. II. Collection: Expression noire.

PS8587.A388C56 2012   C843'.54   C2011-942620-X
PS9587.A388C56 2012

Direction littéraire : Martin Bélanger
Révision linguistique : Céline Bouchard
Couverture : Axel Pérez de León
Grille graphique intérieure : Chantal Boyer
Mise en pages : Hamid Aittouares
Photo de l'auteur : Sarah Scott

Cet ouvrage est une œuvre de fiction ; toute ressemblance avec des personnes ou des faits réels n'est que pure coïncidence.

Remerciements
Nous reconnaissons l'aide financière du gouvernement du Canada par l'entremise du Fonds du livre du Canada pour nos activités d'édition. Nous remercions la Société de développement des entreprises culturelles du Québec (SODEC) du soutien accordé à notre programme de publication. Gouvernement du Québec – Programme de crédit d'impôt pour l'édition de livres – gestion SODEC.

Les Éditions Libre Expression
Groupe Librex inc.
Une compagnie de Quebecor Media
La Tourelle
1055, boul. René-Lévesque Est
Bureau 800
Montréal (Québec) H2L 4S5
Tél.: 514 849-5259
Téléc.: 514 849-1388
www.edlibreexpression.com

Dépôt légal – Bibliothèque et Archives nationales du Québec et Bibliothèque et Archives Canada, 2012

ISBN 978-2-7648-0761-3

Distribution au Canada
Messageries ADP
2315, rue de la Province
Longueuil (Québec) J4G 1G4
Tél.: 450 640-1234
Sans frais: 1 800 771-3022
www.messageries-adp.com

Diffusion hors Canada
Interforum
Immeuble Paryseine
3, allée de la Seine
F-94854 Ivry-sur-Seine Cedex
Tél.: 33 (0)1 49 59 10 10
www.interforum.fr

À Pascale et Pierre-Emmanuel

La thalidomide

Jérôme Marceau était un homme discret. Enquêteur au Service de police de la Ville de Montréal, Section des homicides, sa réserve était légendaire et le rendait en quelque sorte indétectable au radar. Il n'avait pas d'amis connus. On le surnommait Aileron à cause de son bras atrophié, séquelle de la thalidomide, un somnifère mis au point au début des années soixante et qui avait pour effet secondaire de diminuer la nausée matinale chez les femmes enceintes. Après sa commercialisation, une colonie de manchots et d'à-moitié-membrés avait vu le jour dans les pouponnières d'Europe et du Canada. Le somnifère fut immédiatement retiré des tablettes, mais le mal était fait. La guerre avait été livrée *in vivo* et avait fait dix mille victimes. Dix mille petits mutilés. Jérôme Marceau était de ceux-là. Ce «défaut de fabrication» portait cependant ombrage à un autre de ses signes distinctifs. Il était mulâtre. Jérôme affichait un bronzage permanent doublé d'une chevelure ondulée qui, à première vue, lui donnait des airs de Maghrébin ou de Créole. Une particularité qui en effaçait une autre en quelque sorte. Son petit bras flasque attirait immanquablement les regards, faisant ainsi oublier sa couleur.

Jérôme Marceau s'en tirait d'ailleurs plutôt bien. Malgré ce moignon, il était un premier de classe. Sur le plan professionnel, en tout cas. À quarante-sept ans, il comptait douze années de service aux homicides et avait une réputation enviable, en dépit de son incapacité à défoncer une porte ou à dégainer promptement une arme. On se demandait comment il avait fait pour gravir les échelons et devenir l'adjoint de Léveillée, l'enquêteure chef que tout le monde appelait simplement Lynda. Et surtout, pourquoi il avait préféré conserver son pupitre dans cette grande salle où traînaient habituellement les enquêteurs, plutôt que d'accepter le bureau fermé auquel son grade lui donnait droit. Depuis, on se méfiait de lui, et certains disaient qu'il espionnait pour le compte de Lynda. On prétendait qu'il collait aux fesses de ses collègues pour ensuite répéter ce qu'il avait entendu à la patronne. Mais ces accusations s'estompaient lorsque l'un ou l'autre des enquêteurs avait besoin de renseignements. Malgré les railleries et les boutades dont il faisait l'objet, autant à cause de son bras que pour la couleur de sa peau, Jérôme était une inépuisable source d'informations pour ses collègues enquêteurs. Lorsqu'il relevait l'écran de son ordinateur portable, il trouvait toujours ce qu'on lui demandait de chercher. Et même plus.

Aileron était un crack en informatique et une seule main lui suffisait pour naviguer dans le cyberespace. Pendant que son bras éteint pendait le long de son corps, sa main gauche et ses cinq doigts travaillaient pour deux. Il jouait du clavier comme peu savent le faire. Et là où il excellait surtout, c'était dans le bris de codes. N'importe quel code. Tous les codes. Avec une facilité déconcertante, et même si c'était tout à fait illégal, il s'introduisait dans les banques de données les mieux protégées. C'était sa rédemption, sa revanche contre son incapacité à percer des coffres-forts ou à déboulonner des portes. Autant son bras diminué, ses doigts symboliques et sa peau incertaine soulevaient les sarcasmes, autant son talent au clavier suscitait l'admiration.

Tom O'Leary, le plus jeune et le plus ambitieux des enquêteurs du service, faisait régulièrement appel à son savoir-faire. Et jamais il n'était déçu. Voulait-il connaître le dernier numéro composé sur le portable d'un homme interpellé la veille, il avait la réponse dans la demi-heure. En moins de temps qu'il ne fallait pour le dire, Aileron pouvait télécharger l'empreinte génétique d'un ressortissant ouzbek, immigrant illégal retrouvé mort dans un conteneur du port de Montréal, et le comparer avec celui d'un terroriste recherché dans le pays voisin, le Kazakhstan. Pendant des heures, son regard acéré écorchait les écrans qui s'alignaient sur son plan de travail. Les doigts de sa main gauche toujours en alerte, il s'enfonçait toujours plus loin dans un monde qui s'apparentait aux catacombes. Un monde où il se sentait mieux que dans le réel.

Jérôme Marceau aimait tout ce qui était souterrain en général et le métro en particulier. Il y avait travaillé pendant une quinzaine d'années en début de carrière. Les passages obscurs de la ville, ceux qui sont empruntés par le grand public tout comme les réseaux de service, n'avaient pas de secrets pour lui. Le «sous-urbain», avec ses portes sans poignée, ses accès dérobés et ses passages qui relèvent du privilège, il l'avait exploré mieux que personne. La ville sous la ville était immense et très mal connue, tout comme l'informatique, se plaisait-il à dire. Il y avait selon lui un lien direct entre le Montréal souterrain et le chaos babylonien de l'informatique. Évidemment, ce rapprochement n'intéressait personne. Pour Nick Corriveau, la cinquantaine avancée, doyen de l'équipe et chauve comme le désert, ce genre de réflexion était pure poésie. Lui et O'Leary considéraient Jérôme comme un chien de poche, comme le caniche de Lynda. Cependant, il n'était pas le seul à faire l'objet de railleries aux homicides. Lynda Léveillée avait droit à sa part de mesquineries elle aussi. C'était une femme née dans un corps d'homme. Rude, sans manières, certains prétendaient qu'elle était lesbienne, d'autres qu'il s'agissait d'un homme. Une transsexuelle opérée. Ce dont personne ne doutait toutefois, c'était qu'elle avait de la poigne. Et il en fallait diablement pour diriger cette équipe d'indisciplinés, d'ambitieux habiles et de manchot. Lorsqu'elle avait pris la direction des homicides, O'Leary, l'arriviste, et Corriveau, le vieux routier, s'étaient donné six mois pour avoir sa peau. Manque de chance, le taux de criminalité avait brusquement chuté. La nouvelle enquêteure chef en avait pris tout le crédit. Depuis, elle était devenue indélogeable. La guerre des motards s'était déplacée vers les tribunaux, les mafieux avaient cessé de s'entre-tuer et les gangs de rue, occupant le vide laissé par les deux premiers, faisaient beaucoup plus de casse que de morts… Pour l'instant.

Lynda Léveillée avait donc le vent dans les voiles. C'est sans doute pourquoi elle avait choisi ce moment pour les surprendre tous. Un vendredi de novembre, comme ça, sans crier gare, elle annonça par voie de mémo qu'elle se mariait et qu'elle partait en voyage de noces. Jérôme l'apprit juste avant qu'elle ne s'envole vers l'Asie avec l'élu de son cœur. La nouvelle le touchait plus particulièrement, puisqu'il allait prendre *illico* la direction du service. Tout s'était passé très vite. Un coup de fil alors qu'elle faisait ses valises. Une conversation où elle avait dit d'emblée :

— Ça doit être une première dans les annales de la Ville. À ma connaissance, il n'y a jamais eu de personne de couleur à la tête des homicides.

Jérôme avait fait mine de ne pas entendre. Il n'eut même pas le réflexe de lui demander si elle avait épousé un homme ou une femme. De toute façon, il n'aurait pas osé. En réalité, cette fantaisie de la patronne, assortie d'un voyage de noces à l'autre bout du monde, avait scié Jérôme. Il ne lui connaissait pas ce genre d'extravagances. D'autant que personne du service n'avait été invité au mariage. Qu'il le veuille ou non, il allait devoir se résigner à jouer les patrons pour les trois semaines suivantes. O'Leary et Corriveau ne manqueraient pas de lui rendre la vie dure, ce serait un combat de tous les instants pour arriver à s'imposer, mais ç'aurait pu être pire. Traditionnellement, la dernière semaine de novembre et les deux premières de décembre étaient les plus calmes du calendrier. On n'avait relevé qu'un meurtre à la même période, l'année précédente. Ces chiffres, Jérôme n'avait même pas eu besoin d'allumer son ordinateur pour les trouver. C'est Lynda elle-même qui les lui avait communiqués au cours de leur brève conversation téléphonique. L'enquêteure chef avait minutieusement choisi le moment de son départ.

Ce voyage de noces, aussi inattendu que mystérieux, avait enflammé le moulin à rumeurs. On ne parlait plus dès lors que de l'orientation sexuelle de la patronne. Corriveau, le plus expérimenté mais aussi le plus tordu des membres de l'équipe, estimait que Lynda ne s'était pas mariée. Il prétendait qu'elle avait tout inventé pour prendre des vacances en paix. Pour prendre le large avec une copine sans qu'on lui pose de questions. Quant à O'Leary, ces histoires d'amour ne le préoccupaient guère. Plus sournois, il voyait dans ce coup de théâtre une possibilité d'avancement. L'occasion de révéler enfin l'incompétence d'Aileron. L'adjoint de la patronne était selon lui une pute, une erreur de parcours, un avatar, et cela n'avait absolument rien à voir avec la couleur de sa peau. En l'absence de Lynda, il ferait enfin la preuve de son talent limité, et bientôt son fauteuil serait libre. Pour cela, il suffisait d'attendre le meurtre suivant. Le dernier, le trente-huitième, s'était produit au début d'octobre. Malgré les statistiques, il y en aurait sûrement un autre avant le retour de Lynda.

* * *

Tous les mardis, Jérôme Marceau déjeunait avec sa mère sur la Rive-Sud de Montréal. En fait, il venait dîner chez elle, mais elle insistait pour dire que c'était un déjeuner. Florence Marceau était une oie blanche qui avait des manières. C'était une femme menue et frêle dont la peau était dépourvue de toute pigmentation. On imaginait mal qu'elle fût la mère naturelle de l'enquêteur café au lait. Mais c'était pourtant le cas. À soixante-quinze ans bien comptés, retraitée depuis un moment déjà, elle formait avec Jérôme un duo mère-fils inusité. Un duo qui avait ses habitudes, auxquelles il ne fallait surtout pas déroger. Bien qu'il ait pris la relève de sa patronne quatre jours plus tôt, il lui avait été impossible de déplacer, et encore moins de reporter leur « déjeuner » hebdomadaire.

Ce matin-là, avant de se rendre chez sa mère, Jérôme rencontra l'enquêteure Isabelle Blanchet, une recrue qui venait lui porter ses lettres de créance. Son embauche était une idée de Lynda. Elle lui envoyait du renfort, sans doute, en prévision de son absence prolongée. Blanchet venait de passer quatre ans à la Sécurité et au Contrôle souterrains, la SCS. Le fait qu'on ne dise aucun mal d'elle après son passage dans les catacombes de la ville était en soi la meilleure des recommandations. Elle était blonde, menue et allumée, et Jérôme apprécia d'emblée sa vivacité d'esprit. Ils discutèrent une heure et promirent de se revoir après le « déjeuner ». Pour la police, les tunnels, le métro et les passages tous azimuts du Montréal obscur étaient en quelque sorte un club école, où l'on se faisait les dents avant de remonter à la surface. Les ambitieux étaient légion dans ces corridors sombres où il était plutôt rare qu'on dise du bien des autres. Et pourtant, on en disait de l'enquêteure Isabelle Blanchet. Pendant son passage à la SCS,

Blanchet avait mené des enquêtes difficiles sans jamais connaître l'échec. Mais le plus beau de l'affaire, c'était qu'elle soit aussi une *nerd*. Elle et Jérôme s'étaient tout de suite entendus. Ce dernier avait vite conclu que pendant l'absence de Lynda, ce serait elle qui prendrait le relais à l'informatique tandis qu'il jouerait au patron. Blanchet était un véritable cadeau du ciel. Son arrivée lui permettrait de consacrer plus de temps à O'Leary et Corriveau, les deux coqs du service. Au bout d'une heure, ils avaient fait le tour des dossiers. Plus rien ne l'empêchait de se rendre chez Florence.

Jérôme aurait pu emprunter la voiture de service de Lynda pour aller à Longueuil, mais il opta pour la voie souterraine. Ça irait beaucoup plus vite. À partir des locaux des homicides, rue Saint-Antoine, il se rendit au palais de justice en parcourant un interminable corridor. Des juges, des avocats et certains accusés empruntaient quelquefois ce passage pour quitter discrètement le tribunal. Plus loin, un autre couloir, suivi de dédales innombrables, ouvrait une brèche jusqu'à un autre palais, celui des congrès. De là, il suffisait de prendre le métro, d'effectuer une correspondance à Berri-UQÀM, et à midi pile, sans jamais avoir mis le pied dehors, il était chez sa mère, de l'autre côté du fleuve.

— Bon, bon, d'accord! lança Florence en l'accueillant. Je dois reconnaître que tu es ponctuel!

Ce qui aurait pu être un compliment cachait en fait une pointe de déception. Elle aurait voulu que son fils soit comme les autres. Qu'il ait une femme, des amis! Elle ne lui en tenait pas rigueur. C'était sa faute. C'est elle qui avait pris ce poison de somnifère. Depuis, elle cherchait constamment à se racheter. Voilà pourquoi ce mardi, avant qu'il ne prononce un seul mot, elle lui annonça qu'elle avait trouvé une manière de lui faire gagner de l'argent. Beaucoup d'argent.

— Ah bon! Et comment je vais faire ça?

— J'ai lu les Mémoires de la D^{re} Frances Kelsey. C'est de là que m'est venue l'idée.

— Kelsey? Jamais entendu parler.

À entendre sa mère, la docteure en question avait trouvé le moyen de mettre fin à ses tourments. Jérôme s'avança dans le grand appartement, heureux qu'elle s'intéresse à autre chose qu'à ses obsessions habituelles. De la grande fenêtre du salon, il regarda le fleuve noir, dardé de gros flocons de neige mouillée. On annonçait de la pluie verglaçante depuis la veille. À force de circuler par les voies souterraines, il lui arrivait parfois de perdre le contact avec le temps qu'il faisait.

— Aux États-Unis, on vient de l'introniser au National Women's Hall of Fame.

— Et qui est cette femme?

Ravie d'avoir capté son attention, Florence l'invita à s'asseoir à table. Elle avait préparé une salade de tomates et d'avocats en entrée. Pendant qu'elle touillait la salade qu'il dévorait des yeux, elle laissa tomber:

— La D^{re} Kelsey travaillait à la Food and Drug Administration, en 1960. Elle venait tout juste d'être engagée. On ne prenait pas les femmes tellement au sérieux à cette époque-là. Et encore moins lorsqu'elles se présentaient comme scientifiques!

Il la questionna entre deux bouchées:

— C'est une féministe?

17

Elle se garda bien de répondre.

— Son premier boulot à l'agence a été d'étudier la demande d'homologation d'un nouveau type de somnifère développé en Allemagne et déjà vendu dans certains pays européens et au Canada. C'est le géant pharmaceutique William S. Merrell qui cherchait à obtenir cette homologation. Mais la D^{re} Kelsey s'y est opposée. Les recherches sur le médicament et ses effets secondaires lui paraissaient incomplètes. Elle s'était entre autres rendu compte que le somnifère n'avait aucun effet sur les souris de laboratoire…

Jérôme ne mangeait plus. Ce préambule très instructif n'était qu'un détour pour en arriver à son sujet de prédilection.

— La Merrell souhaitait utiliser un nom différent pour commercialiser le somnifère aux États-Unis : on l'aurait appelé le Kevadon. Ailleurs dans le monde, on l'appelait simplement la thalidomide.

— Maman !

— Ne m'appelle pas maman ! Tu dois savoir…

— Je sais déjà !

— Laisse-moi seulement…

Elle ne pouvait pas s'en empêcher. Chaque fois qu'ils se voyaient, Florence éprouvait le besoin de parler de la thalidomide. C'était ainsi. Et chaque fois, elle trouvait de nouveaux détails, de nouvelles études. Cette fois, c'était les Mémoires de Frances Kelsey. Il se remit à manger.

— La D^{re} Kelsey s'est battue comme une dingue pour retarder la mise en marché de la thalidomide aux États-Unis. Le risque lui paraissait trop grand. En fait, elle était rongée par le doute. Et avec raison. Au même moment, une épidémie de phocomélie éclata en Allemagne, en Angleterre et ici au Canada!

Les nuages s'étaient assombris au-dessus du fleuve. La tempête annoncée prenait son élan. Jérôme continua de manger tandis que sa mère reprenait, plus convaincue que jamais:

— En fait, l'intérêt du livre, c'est qu'elle prouve que les Canadiens, les Allemands et les Anglais n'ont pas fait leur travail. Ils sont coupables de négligence...

— Il y a eu un règlement dans cette affaire, Florence. La thalidomide, c'est du passé. C'est oublié.

Elle sourcilla. Était-ce parce qu'il l'avait appelée par son prénom ou parce qu'il ne voulait pas en savoir plus? Elle allait le contredire, lui rappeler qu'en Allemagne et en Angleterre il y avait eu des règlements jugés satisfaisants à l'époque, mais qu'ici c'était une autre histoire. Un recours collectif intenté par les victimes s'était terminé en queue de poisson en 1974. Mais la sonnerie de son téléphone portable l'interrompit. Il jeta un œil à l'afficheur, fit la grimace et répondit:

— Marceau.

— Aileron, c'est O'Leary.

Il n'y avait que lui pour l'appeler lorsqu'il était chez sa mère!

— Il y a eu une fusillade au palais de justice. Avec des morts!

— Combien?

— Quatre... Et un blessé grave.

Jérôme vit des chiffres défiler devant ses yeux. Les trente-neuvième, quarantième, quarante-et-unième et quarante-deuxième homicides. L'hécatombe!

— En fait, c'est une blessée, précisa O'Leary. Ça s'est passé dans une petite salle, au fond d'un corridor, au troisième étage. On y va, Corriveau et moi. Je t'ai fait envoyer une voiture.

Florence commençait à s'impatienter. Jérôme semblait si perturbé par ce qu'il entendait que leur repas hebdomadaire semblait compromis. Ils n'en étaient pourtant qu'à l'entrée. Il fallait absolument qu'elle lui parle de ce nouveau recours collectif intenté par un groupe de victimes, afin de rouvrir l'entente de 1974. L'argent, la fortune dont elle avait parlé au début, c'était ça ! Mais Jérôme n'en avait que faire. Il s'essuya la bouche avec sa serviette en continuant de parler au téléphone.

— Pas de voiture. Je vais prendre le métro. Avec ce temps, ça ira plus vite. Et si vous arrivez avant moi…

— Non, une voiture ! insista O'Leary. Elle sera là dans trois minutes. Le temps que tu descendes.

L'Irlandais avait raccroché. Il n'y avait pas de discussion possible avec cet homme. C'était un mur. Un mur qui n'allait jamais au bout de ses phrases. C'est une autre chose dont il allait falloir discuter avec O'Leary et Corriveau. Tant qu'il serait à la tête du service, il ne se contenterait pas d'avoir à deviner ce que ses enquêteurs avaient à lui dire.

— J'suis désolé pour le déjeuner, maman, mais là vraiment c'est un gros truc. Je dois y aller.

Il laissa Florence seule devant son assiette. Elle était déçue. Elle avait cru pendant un moment que ce qu'elle disait l'intéressait, qu'il se joindrait au recours collectif. Jérôme était debout et avait la tête ailleurs. Refermant son téléphone, il le glissa dans sa sacoche en cuir aux bords usés et se dirigea vers la porte. Sa mère l'y rejoignit et s'étonna qu'il soit venu habillé ainsi. Son veston élimé n'était pas du tout approprié au temps qu'il faisait.

— Tu n'as pas de manteau, pas de couvre-chaussures ? Il fait tempête...

— Je circule toujours en métro. Ce n'est pas nécessaire.

Jérôme n'était déjà plus là lorsqu'il embrassa Florence sur le pas de la porte. Il était sur le lieu du crime. Il ne savait rien de ces meurtres au palais de justice, mais certaines évidences s'imposaient. D'abord, l'enquête serait confiée à la Sûreté du Québec. O'Leary et Corriveau arriveraient peut-être les premiers sur place, mais le SPVM ne ferait rien de plus qu'assurer la sécurité, le temps que d'autres prennent la relève. D'où l'urgence de lui envoyer une voiture. Quelqu'un de la SQ l'appellerait sans doute durant le trajet.

— Jérôme, parfois je suis tellement triste pour toi, lui dit alors sa mère.

Elle cherchait à le retenir comme elle l'avait toujours fait. Il se revit subitement à douze ans, alors qu'il partait pour l'école. Il était sur le seuil de la porte, celui d'une autre porte, mais les mots étaient les mêmes :

— ... je suis tellement triste pour toi !

Oubliant la fusillade du palais de justice, il la serra dans ses bras, dans son seul bras.

— Arrête de t'en faire, maman. Il n'y a pas de raison pour que tu sois triste. Je vais bien.

— Oui, mais... Est-ce que tu me pardonnes d'avoir pris de la thalidomide ?

— Je te dis, il n'y a rien à pardonner, maman ! Rien, à part le fait que tu reviennes sans cesse sur cette question et que tu me demandes chaque fois pardon lorsque je m'apprête à partir. Arrête d'y penser, insista-t-il. C'est parfaitement inutile.

Après toutes ces années, Florence se sentait encore responsable de son infirmité.

— Je dois partir maintenant. Je te rappelle dès que j'ai un moment.

Il l'embrassa sur le front, sortit dans le corridor et se précipita vers l'ascenseur. Alors que les portes automatiques se refermaient, elle lui rappela qu'il était mal habillé pour affronter la tempête et il repensa à O'Leary. L'enquêteur ne lui avait-il pas dit que la fusillade s'était produite dans une petite salle au troisième étage du palais de justice ? Étrange tout de même. On ne juge que des cas mineurs, là-haut dans ces salles perdues. En traversant le hall de l'immeuble, il pensa aussi à l'enquêteure Blanchet, la nouvelle. O'Leary n'avait pas dit un mot à son sujet. Il lui faudrait la mettre dans le coup.

Alors qu'il s'approchait des portes vitrées, il se rendit compte que la tempête avait encore pris du souffle. Comme prévu, une voiture du SPVM l'attendait devant l'immeuble. Il y avait vingt mètres de bourrasques et de neige folle à traverser pour la rejoindre. Jérôme releva le col de son veston, serra sa sacoche et plongea dans la blancheur en se disant que si ce sprint était à l'image de ce qui l'attendait au palais de justice, il aurait besoin d'un anorak et peut-être même d'une armure, jusqu'à ce que Lynda rentre de vacances.

L'audience

Lorsque Brigitte Leclerc était descendue d'un taxi, rue Saint-Antoine, à deux pas du palais de justice, personne ne l'avait remarquée. Il faisait un temps exécrable et les badauds couraient sur le trottoir, poussés par le vent glacial qui montait du Vieux-Port. Denis Brown, son avocat, lui avait dit de passer par l'allée des Huissiers pour éviter d'attirer l'attention. Cette entrée était normalement réservée aux juges, mais l'agent de faction était au courant. Il lui ferait signer le registre et la laisserait entrer sans poser de questions. Brigitte fit exactement comme ils avaient convenu et retrouva son avocat au troisième étage devant le passage menant aux isoloirs. Ils s'engouffrèrent dans un des cubicules faisant office de bureau provisoire. Maître Brown referma la porte et déposa son dossier sur la table.

— J'ai fait tomber les accusations de fabrication et usage de faux.

Brigitte Leclerc défit le nœud de son foulard en regardant le document sur la table.

— Tu comprends l'enjeu, n'est-ce pas ? Tu t'es fait passer pour ta sœur Julie. Tu as utilisé ses diplômes, ses cartes de crédit, tu t'es fait engager à sa place. C'est grave. Si tu avais été reconnue coupable, tu te serais retrouvée avec un casier judiciaire et tu aurais peut-être fait de la prison.

— Ils n'ont plus rien contre moi, alors. Je peux m'en aller.

— Non, il reste la prostitution. On s'est arrangés comme ça. C'est Julie qui est accusée maintenant… à ta place. Et l'accusation est beaucoup moins importante.

Ses épaules s'affaissèrent légèrement.

— Mais ce n'était pas de la prostitution! Ni avec Gilbert ni avec Harry. Ils ont bien le droit d'avoir une maîtresse. Tout le monde en a une.

— Et l'argent? Qu'est-ce que tu fais de l'argent?

— C'étaient des cadeaux. C'est encore permis les cadeaux, non?

— Écoute, je n'ai rien trouvé de mieux, fit l'avocat. On s'est mis d'accord entre nous. L'audience est à huis clos, dans une petite salle. Tu vas écoper d'une amende. C'est la meilleure solution.

— Vous vous êtes mis d'accord entre vous?

Brown fit mine de ne pas entendre. Il feuilletait le document comme s'il cherchait quelques coquilles, quelques modifications de dernière minute à apporter. Lorsqu'il sortit distraitement un stylo de la poche intérieure de son veston, Brigitte fit la grimace. Des hommes, derrière des portes closes, avaient décidé entre eux comment cette affaire se réglerait. Ce qu'elle en pensait était sans importance à leurs yeux. Cela ne la regardait pas. Il lui suffirait de payer l'amende et ce serait terminé.

— Si on t'avait trouvée coupable de fabrication et usage de faux, c'était le casier judiciaire assuré. Autant oublier ta demande de pardon.

— Ce n'est pas une raison pour traîner Julie dans la boue !

Brown n'était pas d'humeur à discuter. Brigitte le sentit bien, réprima sa colère et posa sa signature au bas de la feuille qu'il lui tendait.

— Ça devrait être bouclé en vingt minutes.

— Tu peux bien dire ce que tu veux, ce n'était pas de la prostitution, répéta faiblement Brigitte.

Denis Brown reprit le document, le glissa dans sa mallette et sortit de l'isoloir. Contrariée, Brigitte le suivit et ils marchèrent dans le palais de justice sans s'adresser la parole. L'avocat et sa cliente formaient le plus improbable des couples. Grande et mince, Brigitte avait une démarche aérienne. On l'imaginait déployant ses ailes et flottant au-dessus de la petite misère qui traînait dans les corridors du palais. Sa beauté faisait contraste avec le physique ingrat de Denis Brown. L'avocat avait le visage buriné et les épaules arrondies. Chacun de ses pas exigeait un effort évident, d'autant qu'il tirait une mallette aux roulettes récalcitrantes. Arrivé au bout du couloir, il sortit un bout de papier sur lequel il avait indiqué le numéro de la salle d'audience.

— C'est ici !

Denis Brown entra le premier, croisa le regard de la greffière, près de la tribune, salua le gardien de sécurité un peu plus loin et déposa ses affaires. Julie s'avança dans la pièce et eut tout de suite l'impression qu'on la déshabillait du regard. Elle se retourna et se rendit compte que l'homme qu'elle exécrait le plus au monde était là. Gilbert Bois avait été convoqué comme témoin dans cette affaire. Elle croisa le regard de son ancien amant, qui baissa les yeux, comme si elle venait de le prendre en défaut. Elle eut envie de lui crier : « Dis-lui, toi, que ce n'était pas de la prostitution ! » Mais elle n'en fit rien. Ce minable n'en valait pas la peine. Brown avait sans doute raison. Tout allait se passer en circuit fermé, à l'abri des regards, dans une salle d'audience anonyme au fond d'un corridor du troisième étage. Il valait mieux se taire et adopter un profil bas. Maintenant que les accusations de fabrication et usage de faux étaient tombées, il suffirait de s'en tenir au plan de match. Ce ne serait qu'un mensonge de plus.

Brigitte tourna le dos à Gilbert Bois. Elle ne sentit pas moins son regard courir dans son dos et s'arrêter sur ses épaules qui allumaient chaque fois un véritable incendie dans ses yeux. Ils avaient fait l'amour des dizaines et des dizaines de fois en y prenant un plaisir fou, mais ce matin-là, tout n'était que souvenirs. Elle le détestait.

Denis Brown indiqua une chaise à Brigitte et l'invita à s'y asseoir. Elle déposa son sac en continuant d'évaluer la situation. Loin de s'atténuer, sa colère allait en grandissant. Elle était habitée par un sentiment d'injustice. Un maelström d'indignation et d'exaspération profonde lui nouait la gorge. Si elle s'était écoutée, elle aurait fait un scandale, mais elle parvint à contenir ses élans. Elle devait se résigner à ce verdict, s'y soumettre. Elle n'avait pas le choix.

La salle faisait à peu près six mètres sur dix, et comptait une porte à chaque bout. Un agent armé était de faction près de l'entrée qu'emprunterait le juge. La bande de cuir censée retenir l'arme dans son fourreau était détachée et la crosse noire du pistolet pendait négligemment. À l'autre bout de la pièce, la greffière à la chevelure poivre et sel semblait de plus en plus confuse. Devinant ce qui la tracassait, Brown l'interpella en ouvrant sa mallette :

— Est-ce qu'on vous a prévenue ? Les accusations de fabrication et usage de faux sont tombées.

— C'est bien ce que je vois, fit Sonia Ruff en redressant la tête. Donc, la personne ici présente s'appelle Julie Sanche. C'est bien ça ?

Brigitte hocha la tête en regardant cette femme qui ne cessait de remuer ses papiers. La pièce était si étroite, si exiguë, qu'on pouvait aisément confondre accusés et témoins, voire se méprendre sur l'identité de la fautive. Brown relut le document qu'il venait de faire signer à Brigitte pendant que Gilbert Bois, terré dans son coin, se faisait tout petit. À quarante ans et des poussières, et malgré les airs de victime qu'il se donnait, l'homme avait du charme. Un charme fou auquel Brigitte n'avait su résister. Toutefois, ce charme ne semblait avoir aucun effet sur la greffière. Elle le scrutait d'un regard incisif. Son innocence dans cette affaire lui paraissait suspecte.

Le juge Adrien Rochette entra dans la salle d'audience l'air pressé. Il serrait un dossier dans ses mains et regardait le sol comme s'il craignait de faire un faux pas. Lorsqu'il s'installa dans son fauteuil, le gardien se tourna vers Denis Brown et lui fit un signe de la tête. L'audience était ouverte. Le juge déposa son dossier et jeta un œil dans la salle en évitant soigneusement de croiser le regard de Brigitte, ce qui attisa un peu plus sa rage. Pour qui se prenait-il, pour l'ignorer ainsi?

— Où est l'avocat de la Couronne?

Brigitte se tortilla sur sa chaise. Qui était donc celui qu'on attendait et pourquoi n'était-il pas là? L'affaire ne devait durer que quelques minutes. Il n'y avait pas de place pour l'improvisation. Le juge Rochette se pencha vers la greffière et murmura:

— Pourriez-vous aller chercher maître Thibault, mademoiselle Ruff?

La femme aux cheveux grisonnants parut contrariée. Non seulement des accusations importantes avaient été retirées sans qu'on la prévienne, mais voilà qu'on la prenait pour une secrétaire. On l'envoyait courir les corridors du palais de justice à la recherche d'un procureur égaré, une demande qui enfreignait le code. Sonia Ruff éteignit le système audio de la salle et sortit en maugréant. Feignant de ne pas la voir, le juge Rochette parcourut la petite salle du regard. Denis Brown inclina légèrement la tête. Bien campé sur sa chaise, le dos droit et le ventre rentré, Gilbert Bois fit de même. Lorsque le magistrat posa son regard sur Brigitte, celle-ci s'empressa de dire:

— Ce n'était pas de la prostitution!

Le juge Rochette porta une main à son oreille comme s'il n'avait pas entendu alors qu'il n'en était rien. D'un geste fourbe, il se tourna vers le gardien de sécurité et hocha la tête comme si ce qu'il s'apprêtait à dire ne le concernait pas, puis fixant l'accusée, il murmura avec une familiarité déconcertante:

— Julie, il faut être raisonnable. Je vais te donner un mois avec sursis. Et deux cents dollars d'amende si tu plaides coupable.

— D'abord, je ne m'appelle pas Julie, je m'appelle Brigitte… Et puis, coupable de quoi ? Je me le demande.

Le juge Rochette en perdit tous ses moyens. Il croyait l'affaire réglée, voire entendue. Mais Brigitte, de toute évidence, ne jouait pas le jeu. Denis Brown triturait nerveusement le document signé un peu plus tôt dans l'isoloir tandis que Gilbert Bois se trémoussait fébrilement sur son siège. Rien ne se passait comme prévu.

Brigitte tira doucement sur le foulard de soie qu'elle avait noué autour de son cou. On aurait dit qu'elle se déshabillait. Gilbert Bois redressa la tête tout comme Denis Brown. Les effluves d'un parfum sucré flottèrent momentanément dans la pièce. La taille fine de la jeune femme, sa poitrine délicate, ses lèvres charnues, ses yeux pers languissants ensorcelaient tous ceux qui posaient le regard sur elle. Consciente de son pouvoir, elle se redressa et défit d'un coup de tête sa longue chevelure brune qui tomba en cascade sur ses épaules. D'un sourire lascif, elle détacha le premier bouton de son chemisier en soupirant :

— Et pourquoi je plaiderais coupable, au juste ? Surtout après ce que je viens de découvrir.

Le juge et Denis Brown restèrent interloqués. Que signifiaient ces propos ? Qu'avait-elle découvert au juste, qui puisse justifier qu'elle les provoque ainsi ? Ils n'étaient plus maîtres de la situation, Brigitte Leclerc les tenait dans le creux de sa main. Tous les yeux étaient braqués sur elle. Défiant le juge du regard, elle se leva en tournant le dos à l'agent de sécurité. Il y eut un long silence. Un silence interminable. Elle faisait comme au cinéma en fait. Dans les films policiers, ne voit-on pas souvent un avocat qui se lève et qui marche de long en large en réfléchissant à voix haute ? Tant que le gardien ne bronchait pas, elle savait que personne n'oserait l'arrêter. On la laisserait parler et peut-être même l'écouterait-on. L'illusion était parfaite. Sauf qu'elle avait l'esprit ailleurs. Tout en faisant son numéro, elle se demandait si le gardien de sécurité s'apprêtait à intervenir. Pour le savoir, il suffisait de faire volte-face, mais un mouvement brusque risquait de tout faire échouer. Elle choisit plutôt de s'arrêter devant Gilbert Bois et de le regarder avec toute l'intensité dont elle était capable.

— Pourquoi plaiderais-je coupable ?

Il balbutia quelque chose d'inaudible. Elle le gratifia d'un large sourire et précisa ce qu'il essayait sans doute de dire.

— C'est vrai qu'on a tous nos petits secrets, n'est-ce pas ? Mais ce n'est pas une raison pour éclabousser une personne qui n'a absolument rien à voir dans tout cela !

Toujours pas de mouvement du côté du gardien de sécurité. Il était debout près de la porte et faisait comme si cela ne le concernait pas. Le juge Rochette, Denis Brown et Gilbert Bois, en revanche, étaient sur les dents. Cette femme brisait toutes les conventions et se moquait outrageusement des convenances. Elle se pavanait en allant et venant dans la petite salle, exhibant sous leur nez ses jambes éternelles perchées sur d'élégants escarpins. En les narguant ainsi, elle allumait en eux un désir irrépressible.

Brigitte continua d'aller et venir dans la petite salle sans que personne ose lui dire de s'asseoir. Mais elle avait un plan. Un plan pour apaiser sa colère. Le pistolet de l'agent de sécurité pendait toujours de son étui. S'en emparer serait un jeu d'enfant si elle parvenait à s'en approcher sans éveiller sa méfiance. Tout était dans le rythme, dans le mouvement. Comme des musiciens avant de commencer à jouer, elle compta la mesure. Pour l'occasion, ce serait une valse à quatre temps. Non. Plutôt une ballade. Une ballade rock. Un, deux, trois, quatre, un, deux, trois, quatre… Et toujours le temps fort à la fin.

Brigitte s'approcha de l'agent en faisant mine de réfléchir. Le juge Rochette était à sa gauche, derrière son bureau. Denis Brown et Gilbert Bois étaient derrière elle, l'air interdit. Ils la croyaient embourbée dans sa défense lorsqu'elle s'immobilisa devant le gardien. Un, deux, trois… D'un geste foudroyant, elle dégaina son arme! L'homme n'eut pas le temps de réagir. Elle pointa le canon sur sa tempe et tira au quatrième temps! Le recul du pistolet ne lui fit pas perdre le compte. Parfaitement en contrôle, elle pivota de quatre-vingt-dix degrés sur sa gauche : un, deux, trois… Le juge Rochette avait les yeux écarquillés lorsqu'il apparut dans sa mire. Sur sa droite, le gardien s'effondrait au sol comme une ancre qu'on jette par-dessus bord. Brigitte ne sourcilla même pas. Il ne fallait surtout pas perdre le rythme. Des bruits de panique montèrent alors dans la salle d'audience. Cela non plus, elle ne devait pas y prêter attention. Battre la mesure. Voilà tout ce qui comptait. Un, deux, trois et au quatrième temps, un deuxième coup retentit, faisant apparaître un disque rouge sur le front du juge. Un cercle de la taille d'une pièce de un dollar d'où son sang se mit à couler. Le très honorable Adrien Rochette s'affaissa sur son pupitre comme s'il avait décidé subitement de faire une sieste.

Brigitte pivota à nouveau sur sa gauche, mais de cent quatre-vingts degrés cette fois, et sans perdre le compte. Un, deux, trois… Denis Brown et Gilbert Bois tentaient de fuir la salle. Dans leur hâte, ils se bousculèrent devant la porte, se nuisant l'un l'autre. Brigitte n'avait d'autre choix que de leur tirer dans le dos. Au compte de quatre, l'avocat tomba comme un lapin, entraînant Gilbert Bois dans sa chute. Désorienté, le témoin se releva et tenta à nouveau de sortir. Elle aurait pu le descendre sur-le-champ, mais elle n'aurait pas respecté la mesure. Et de toute façon, Denis Brown lui bloquait la voie. Étendu par terre, l'avocat émit un couinement semblable à un orgasme retenu. Son dernier. Un, deux, trois… Au quatrième temps, un nouveau coup de feu retentit. Bois vacilla un moment avant de s'effondrer. Refusant toujours de s'émouvoir, Brigitte continua plutôt de compter en retournant l'arme sur elle. Un, deux, trois…

Un mélange de rage et de désespoir l'envahit aussitôt qu'elle glissa le canon de l'arme dans sa bouche. Elle se brûla la lèvre supérieure, le bout de la langue et le palais. La douleur insupportable la fit tressaillir, elle poussa un cri et perdit le compte. Il se produisit alors ce qu'elle redoutait plus que tout. Devant l'imminence de la mort, le film de sa vie se mit à défiler. Elle connaissait le phénomène, en avait maintes fois entendu parler. Mais c'était une expérience qu'elle ne voulait pas vivre.

D'un geste brusque, elle retira l'arme de sa bouche dans l'espoir que ce retour en arrière s'arrête aussitôt. Mais rien ne se passait comme elle le souhaitait. Le film continuait bien sûr, mais il passait à reculons, ce qui était plutôt étrange. Et surtout, il défilait trop vite pour qu'elle y voie quoi que ce soit. Il y avait dans ce curieux montage des événements récents suivis d'événements qui s'étaient déroulés deux ans auparavant... trois ans... quatre ans. La sensation de retour en arrière était constante. La vie n'avançait plus, elle reculait. À grandes enjambées, l'histoire de Brigitte fit des bonds en arrière jusqu'au plus lointain et au plus sinistre de ses souvenirs ; les deux années passées en prison alors qu'elle n'avait que dix-sept ans.

Le juge Rochette

Le vent soufflait et la pluie verglaçante tombait dru sur le pont Jacques-Cartier. Jérôme ne pouvait imaginer pire scénario. On ne voyait ni ciel ni terre, les voitures roulaient lentement et l'appel qu'il attendait de la SQ n'arrivait pas. Assis sur la banquette arrière d'une voiture de police, il désespérait. Jamais il n'aurait dû accepter cette voiture qu'on lui avait envoyée. S'il avait pu passer par le réseau souterrain, il aurait déjà été au palais de justice à l'heure qu'il était. Mais O'Leary avait insisté, justement parce que quelqu'un de la SQ devait l'appeler. Jérôme était persuadé qu'il était victime d'une conspiration, d'un coup monté. Il bouillait de rage. L'Irlandais avait fait exprès pour le discréditer. Un enquêteur chef ne pouvait demeurer introuvable quand un pareil carnage se produisait. Il n'en doutait plus maintenant, ce salaud voulait sa peau. Il préparait fébrilement sa défense lorsque son téléphone cellulaire se mit à vibrer.

— Oui !

— Enquêteur Marceau ?

C'était Blanchet, la nouvelle. Elle seule l'appelait par son nom. Tous les autres s'en tenaient à Aileron.

Il fit une pause pour bien goûter cette délicate attention. On aurait dit un compliment.

— J'ai l'identité de la cinquième personne. Celle qui est blessée. Elle s'appelle Julie Sanche.

— Et qu'est-ce qu'on sait d'elle?

— Éducatrice dans un centre de la petite enfance.

— On peut lui parler?

— Elle est mal en point... à l'hôpital Saint-Luc.

— Alors vous m'envoyez tout ce que vous avez déjà. Et vous continuez à creuser.

— Vous pouvez me tutoyer. Les autres, O'Leary et Corriveau, me tutoient.

— J'attends un autre appel. Tu me sors tout ce que tu peux trouver sur elle et tu me l'envoies par courriel!

Jérôme raccrocha, l'œil hagard. La voiture n'avançait plus et la plainte étouffée des coups de klaxon ne cessait de monter autour d'eux. Il y avait au moins dix centimètres de neige et de glace sur la chaussée. Les déneigeuses feraient bientôt leur entrée en scène. Au mieux, il en avait pour une heure avant de mettre les pieds au palais de justice. De sa main gauche, il se mit à pianoter sur le clavier de son ordinateur. Le courriel de Blanchet n'arrivait pas. Ni ce foutu coup de fil de la SQ. Il aurait aussi aimé parler à O'Leary pour le neutraliser avant qu'il ne s'arroge les commandes de l'enquête. Mais ce n'était pas une bonne idée. Il valait mieux attendre. Les premiers moments sur les lieux d'un crime sont cruciaux. Il ne devait pas interférer. Se penchant vers l'avant, il toucha l'épaule du policier au volant.

— Frank! Sors-moi d'ici!

— Je fais comment?

— Trouve!

L'agent activa les gyrophares, la voiture donna quelques coups, puis s'essouffla rapidement. Dans ce fatras de neige et de tôle immobilisée, le vent se déchaînait de plus en plus. Tant de boucan pour si peu de résultats. La sirène hurlait, les voitures klaxonnaient encore plus. C'est à peine si Jérôme entendit la sonnerie de son téléphone lorsqu'elle retentit enfin.

— Oui?

— Aileron?

Il reconnut la voix même si elle était lointaine et tout en écho. C'était Lynda.

— Il est quatre heures du matin, ici, mais je suis au courant. Le juge Rochette… Adrien Rochette vient d'être descendu!

Il s'attendait à tout, sauf ça. L'enquêteure chef qui interrompait son voyage de noces pour lui transmettre ses directives! S'il avait douté un instant du sérieux de l'affaire, ce n'était plus le cas maintenant. Sa supérieure avait la voix éraillée comme si le mariage lui allait déjà mal.

— C'est toi qui vas diriger l'enquête. On s'est entendus, tout le monde est d'accord.

— Mais un juge, c'est la SQ, non?

Le grésillement du bout du monde se transforma en aboiement.

— Tu diriges l'enquête et tu commences par t'occuper de la juge Lebel. Evelyne Lebel. C'est la femme du juge Rochette. Et je te préviens, il va falloir être diplomate!

— Qu'est-ce que je dois faire et qu'est-ce que je dois savoir sur elle ?

— Tu t'en occupes, c'est tout. Et tu prends l'enquête en charge. Moi, il faut que je dorme. J'ai attrapé une saleté dans l'avion. J'te rappelle.

Contrairement à O'Leary, elle lui avait servi une phrase complète. Il s'en satisferait donc. De sa main valide, Jérôme prit quelques notes sur son ordinateur. Résumé de la conversation, nom de la juge et celui de l'assassin présumé, Julie Sanche. Rien ne devait lui échapper. Cependant, un fait l'intriguait. Comment sa patronne pouvait-elle être informée de cette tuerie alors qu'elle venait tout juste de se produire ? Retirée aux confins d'une île perdue en Asie, elle avait déjà pris le contrôle de l'enquête tandis que lui n'était même pas arrivé à traverser le pont le séparant du palais de justice. Une chose était certaine toutefois : même en vacances, Lynda savait donner des ordres. Cherchant à l'imiter, il se mit à gueuler après le chauffeur !

— Je veux être au palais de justice dans dix minutes ! Est-ce que tu m'entends, Frank ?

Le policier hocha la tête et la voiture se mit à gémir dans un hululement insupportable suivi d'un sifflement strident. Les gyrophares jetaient leurs rayons dans tous les sens et l'inquiétude gagna les automobilistes autour d'eux. Tant bien que mal on s'écartait pour les laisser passer, tandis qu'il enregistrait à sa façon ce qu'il fallait comprendre de tout ça. *Primo* : la SQ ne voulait pas de cette enquête. *Secundo* : la GRC non plus. *Tertio* : il devait s'occuper de la veuve du juge, une juge elle aussi, en tenant compte de la mise en garde que lui avait servie Lynda.

Et là, tout à coup, Jérôme pensa à sa mère. À cette idée étrange qu'elle avait eue de vouloir lui faire gagner de l'argent. Son salaire d'adjoint n'était quand même pas si mal. Il lui avait permis de s'acheter un condo aux Cours Mont-Royal, un complexe d'habitation du centre-ville lui donnant un accès direct au réseau souterrain. Il voyageait passablement, aussi. Il ne se privait de rien. Sa proposition l'avait vexé, mais il n'en avait rien laissé paraître. Comme toujours, il avait été diplomate. Jamais il ne pourrait satisfaire sa mère, jamais il ne pourrait lui donner ce qu'elle attendait de lui, mais chaque fois qu'ils se voyaient, il parvenait tout de même à la rassurer, et surtout à éloigner les démons qui lui torturaient l'esprit. Il ferait de même avec la juge Evelyne Lebel.

Tout compte fait, son handicap lui avait beaucoup appris, beaucoup donné dans la vie. Et le plus grand de ces enseignements était la patience. Cela en faisait un homme robuste psychiquement, bien que diminué physiquement. Son infirmité lui servait de paravent pour cacher sa détermination maladive, son opiniâtreté crasse. Jusqu'à ce jour, la thalidomide l'avait somme toute bien servi. Voilà pourquoi ces déjeuners du mardi l'agaçaient. Florence souffrait pour un drame qui n'en était pas vraiment un. De vrais drames, il y en avait suffisamment pour ne pas en inventer. Heureusement, il parvenait presque toujours à désamorcer ceux que sa mère imaginait.

Pendant qu'il tournait et retournait ces questions dans sa tête, le chauffeur faisait des prouesses. La sortie du pont n'était plus qu'à cent mètres. Il lui avait suffi de s'emporter pour obtenir l'impossible. Il éteignit son ordinateur et le glissa dans sa sacoche en se disant qu'il serait au palais de justice bien assez vite, tout compte fait.

* * *

Deux agents attendaient Marceau dans les garages souterrains du palais de justice. L'un d'eux ouvrit la portière, l'autre annonça :

— C'est au troisième.

— Je sais !

De la neige mouillée glissa du toit de la voiture et tomba à ses pieds. Il enjamba la flaque d'eau et courut vers l'ascenseur. Il se reprocha aussitôt son empressement. Pendant que les portes se refermaient, il s'imagina ce que devaient penser les deux armoires à glace qui l'accompagnaient !

— Du calme, Aileron. Du calme. Ils sont tous morts.

Mais ils n'en soufflèrent mot. Et pour cause. Aileron était le patron maintenant. Ils devaient se résoudre à taire leur mépris et à se plier à ses directives. Ce changement d'attitude procurait à Jérôme un certain bien-être. Lorsque les portes s'ouvrirent là-haut, il buta sur un cordon de sécurité derrière lequel se bousculaient des journalistes, des photographes et des caméramans. Comme ils attendaient Lynda, son arrivée passa inaperçue. Il pressa le pas, devança ses deux gardes du corps et fila vers le fond du corridor. Le coin était doublement bouclé. Il y avait un mur de policiers, un deuxième cordon de sécurité et, près de la porte de la salle 3.08, Corriveau qui discutait avec une femme aux cheveux poivre et sel. Dès que celui-ci l'aperçut, il lança :

— Ah, Aileron ! Viens ici !

— Pardon ?

Corriveau se ravisa en esquissant un geste vers cette femme, qui serrait un dossier dans ses mains. La peau de son visage était de porcelaine, mais son regard était dur et tranchant.

— Enquêteur Jérôme Marceau, fit Corriveau en guise de présentations. Voici la greffière du procès. Elle était sortie quelques minutes quand ça a pété.

Même sans le faire exprès, Corriveau était vulgaire. Cette absence totale de délicatesse indisposa temporairement la greffière. Sortant de sa réserve, celle-ci fit un pas vers Jérôme en lui tendant la main :

— Je m'appelle Sonia Ruff. J'aurais dû être dans cette salle au moment de la fusillade, mais juste avant l'incident le juge Rochette…

Visiblement secouée par la tragédie, elle chercha à s'accrocher au bras de Jérôme. Son petit bras. Se rendant compte qu'il était flasque et sans vie, les traits de Sonia Ruff se métamorphosèrent. À l'exemple d'O'Leary, elle ne termina pas sa phrase.

— J'te la laisse, fit Corriveau en se tournant vers la petite salle d'audience.

Sonia Ruff peinait à retrouver ses esprits. Jérôme semblait indifférent à son malaise. Il n'en avait que pour le dossier qu'elle tenait dans les mains. Il le pointa du menton :

— C'est la cause qui devait être entendue ?

Elle hocha la tête en le lui remettant.

— Pièce à conviction, souffla-t-il. On se reparlera plus tard. Lorsque je l'aurai lu.

Sonia Ruff avait un teint de faïence qu'elle devait non pas à sa carnation naturelle, mais plutôt à l'état de choc dans lequel la fusillade l'avait plongée. Maintenant qu'elle savait son dossier entre bonnes mains, elle n'avait qu'une envie, fuir le palais de justice le plus vite possible. Jérôme la remercia en demandant à une des deux armoires à glace de la reconduire. Puis il se tourna vers le deuxième garde du corps :

— La juge Evelyne Lebel devrait arriver d'un moment à l'autre. C'est l'épouse du juge Rochette, qui est toujours là-dedans si je comprends bien, fit-il en indiquant de la main la salle d'audience. Prévenez-moi dès qu'elle sera là.

Le policier hocha la tête et l'enquêteur Marceau s'engouffra dans l'horreur. Il faisait une chaleur horrible dans cette pièce aux dimensions réduites. En l'apercevant, O'Leary remua à peine la tête. Il était coincé dans ce placard avec tous ces morts depuis une heure au moins. De toute évidence, il n'en pouvait plus. À quatre pattes devant la tribune, un sac de plastique dans une main, il scrutait le sol, centimètre carré par centimètre carré. De temps en temps, il trouvait quelque chose de minuscule, d'invisible, qu'il répertoriait et déposait comme pièce à conviction dans son sac. L'Irlandais reniflait en travaillant, comme un loup qui cherche une proie. Debout près de la porte, Jérôme s'agrippait à son ordinateur sans broncher. Corriveau, qui l'avait devancé dans la salle, était appuyé contre le mur du fond. Sa position n'était pas fortuite. Il était dans l'axe du tireur et se livrait mentalement à des calculs balistiques. Un silence étrange régnait dans la pièce. En y pénétrant, Jérôme dut enjamber les corps entrelacés de deux hommes abattus lâchement dans le dos. À gauche, du haut de sa tribune, le juge Rochette gisait la tête affaissée sur son pupitre tandis que le gardien de sécurité, à ses pieds, baignait dans son sang. La scène était macabre. Le photographe, qui prenait ses derniers clichés, n'avait qu'une idée en tête, se tirer de là au plus vite.

— Je veux voir tout le monde au poste à seize heures, fit Jérôme d'une voix calme et posée. On fera le point.

Corriveau fit mine de ne pas avoir entendu et continua ses calculs. O'Leary soupira. Jérôme fit encore :

— Blanchet n'est pas là ?

— On ne l'a pas invitée. On l'aurait eue dans les jambes. Mais on a presque fini, là.

Cette phrase avait eu le mérite d'être complète. Complète, mais peu subtile. De toute évidence, Blanchet allait avoir toutes les peines du monde à s'imposer aux homicides. O'Leary lui en ferait voir de toutes les couleurs. Il finirait sûrement par lui trouver un surnom. N'était-ce pas lui qui l'avait baptisé Aileron ?

— Seize heures, c'est bien compris ? martela Jérôme. Après, il faudra parler aux médias.

O'Leary consulta sa montre et marmonna quelque chose à l'intention de Corriveau, qui approuva aussitôt. Jérôme n'avait pas compris et le fit répéter :

— C'est simple, reprit Corriveau. La femme s'est levée et elle a pris le flingue du gardien… qu'elle a descendu le premier. Puis elle a tiré sur le juge. Les deux autres sont venus après. Dans le dos, sans façons. Mais elle s'est ratée quand est venu son tour.

— Elle a un nom, précisa Jérôme. Elle s'appelle Julie. Julie Sanche, et on sait déjà pas mal de choses à son sujet.

— Et t'as trouvé ça où ? fit-il, intéressé.

— C'est pas moi, précisa-t-il. C'est Blanchet. Pour quelqu'un qu'on a dans les jambes, elle travaille plutôt bien. Julie Sanche était éducatrice dans le milieu de la petite enfance.

— Pas certain que je lui ferais garder mes enfants ! fit remarquer O'Leary.

Jérôme se garda bien de commenter. Le policier à qui il avait demandé de le prévenir lorsque la juge Lebel se pointerait venait d'entrer dans la salle. Marceau le suivit en pensant à sa mère et au tact qu'il allait devoir déployer dans cette affaire. À l'autre bout du corridor, les portes de l'ascenseur s'ouvrirent. Six ou sept agents de la SQ en sortirent sous une pluie de flashes. Au milieu du groupe, Evelyne Lebel, le regard vide et les épaules affaissées, s'avança comme une somnambule dans le corridor. Les journalistes ne lui posèrent aucune question. Les photographes désarmèrent et le cortège se dirigea en silence vers la salle 3.08. Jérôme vint au-devant de la veuve et lui tendit la main.

— Enquêteur Marceau, SPVM. Je suis chargé de l'enquête.

Les yeux de la juge s'animèrent quelque peu. Un des hommes de la SQ lui offrit son bras, auquel elle s'agrippa comme si une fatigue subite venait de s'emparer d'elle. Ce qui ne l'empêcha pas d'ordonner :

— Laissez-moi entrer. Je veux voir.

Jérôme devait l'en empêcher. D'instinct toutefois, il savait que l'attaquer de front ne donnerait rien. Evelyne Lebel n'avait pas l'habitude de s'en laisser imposer. Elle parlait fort et d'une voix énergique même si elle avait l'air éteint. Dans les circonstances, il jugea qu'il valait mieux user de diplomatie.

— Avec tout le respect que je vous dois, madame… je vous demanderais de patienter un peu. Nous n'avons pas tout à fait terminé.

La juge le dévisagea longuement. La manche vide de son veston, qui pendait négligemment, ne sembla pas l'étonner. On avait dû la prévenir. C'était plutôt la couleur de sa peau qui la troubla. Il le vit à son regard fuyant et au silence qui s'était installé entre eux. Jérôme avait appris à déceler lequel de ses signes distinctifs désemparait le plus ses interlocuteurs. Les mots de Lynda lui revinrent à l'esprit : «À ma connaissance, il n'y a jamais eu de personne de couleur à la tête des homicides.» Sauf que Jérôme se trompait. Evelyne Lebel n'avait rien contre la couleur de sa peau, elle était uniquement en état de choc. Incapable d'articuler deux mots, elle fixait l'entrée de la salle d'audience comme s'il s'agissait des portes de l'enfer. Il crut un instant qu'elle allait s'évanouir.

— Il vaut peut-être mieux ne pas entrer, Votre Honneur. Nous n'avons pas tout à fait terminé… et ce n'est pas très beau à voir.

Contre toute attente, Evelyne Lebel acquiesça. Jérôme comprit alors pourquoi elle était venue jusque-là. Le sens du devoir avait guidé ses pas. Mais en se voyant interdire l'accès à la salle d'audience, elle sombra dans une détresse incommensurable. Les épaules rabattues, le regard vide, elle allait pivoter sur ses talons et s'éloigner lorsqu'un éclair traversa son regard. D'une voix qui interdisait toute réplique, elle annonça :

— Très bien, mais je veux savoir ce qui s'est passé dans cette salle.

Jérôme reprit ses paroles presque mot pour mot :

— Moi aussi, je veux savoir ce qui s'est passé dans cette salle. Et comptez sur moi, je vais le découvrir.

Ils étaient tous les deux debout devant la porte et Jérôme cherchait des mots de réconfort, une phrase ou un geste pour atténuer la peine du juge. Mais rien ne lui venait. Evelyne Lebel répéta comme une automate :

— Je veux savoir. Je veux tout savoir.

La main collée à l'oreille, les agents de la SQ qui escortaient la juge cherchaient à entendre ce qui se disait dans leur écouteur. De toute évidence, une manœuvre de repli se préparait. Evelyne Lebel semblait si ébranlée, si défaite qu'ils étaient deux à la soutenir maintenant. La femme du juge assassiné s'était déplacée au palais de justice sans qu'on l'y invite non pas pour observer les morts de près, mais bien pour défier les vivants. Une épée de Damoclès flottait au-dessus de la tête de Jérôme. Il allait devoir être meilleur que Lynda ne l'aurait été. Il allait devoir être parfait malgré toutes ses imperfections, sinon il aurait cette femme brisée sur le dos et il en subirait les contrecoups tout au long de sa carrière.

* * *

À seize heures pile, ils étaient tous là. O'Leary en mode sceptique, Corriveau avec quelques hypothèses, des photos et un rapport balistique, et Blanchet, totalement absorbée par ses recherches sur le Web. Elle avait deux portables devant elle. Celui des homicides et un autre, rapatrié de la SCS. Jérôme avait passé son veston noir, celui des grandes occasions. Une rencontre avec la presse était prévue tout de suite après la réunion. Corriveau ouvrit le bal :

— D'après ses papiers, elle s'appelle Brigitte Leclerc. On a son rapport médical. Elle n'en mourra peut-être pas, mais il y a un détail intéressant : elle a une brûlure à la bouche.

— C'est sûr, lui renvoya O'Leary. Ça se produit toujours. T'as un type qui descend plein de gens. Il retourne l'arme contre lui, mais lorsqu'il se met le canon dans la bouche, hop ! il se brûle !

C'était le signal. Tout le monde se mit à parler en même temps. En gros, on s'entendait pour dire que Brigitte – on l'appelait déjà par son prénom – avait descendu les quatre autres. Que c'était une sacrée tireuse, parce qu'elle n'avait pas perdu une balle, sauf celle qu'elle se destinait. Et bien sûr, que l'arme du crime était celle de l'agent de sécurité. Elle l'avait encore dans les mains lorsqu'on l'avait trouvée gisant dans une mare de sang. Le ton monta lorsque Blanchet chercha à intervenir :

— S'il vous plaît. Attendez ! Attendez juste une minute !

Jérôme poussa un cri en regardant les deux autres.

— Messieurs !

C'est Lynda qui gueulait ainsi d'habitude. Parce qu'elle était la seule femme et que c'était sa manière à elle de se faire respecter. Aileron s'était approprié sa méthode. Le silence revenu, il donna la parole à l'enquêteure Blanchet.

— Le système audio de la salle d'audience 3.08 était inactif au moment de l'incident. C'est la greffière qui l'avait éteint avant d'aller chercher l'avocat absent. J'ai quand même trouvé quelque chose d'intéressant. Comme il y avait une audience en cours juste à côté, j'en ai demandé la cassette. Sur la bande sonore, on entend clairement les cinq coups de feu.

Blanchet pointait l'écran de son ordinateur. Jérôme y jeta un œil. À l'image, on voyait un juge écoutant une plaidoirie. Un procès sans histoires. Puis brusquement, on entendait des coups de feu provenant de la salle voisine. Une séquence de quatre détonations étonnamment régulières. Après, avec un léger délai, un cinquième coup. O'Leary et Corriveau n'écoutaient pas. Ils se parlaient à voix basse. La bande sonore d'un procès qui n'avait rien à voir avec ce qui s'était passé dans la salle 3.08 ne les intéressait pas. Blanchet attira toutefois leur attention sur la régularité des tirs, les comparant au tic-tac d'une horloge ou au va-et-vient d'un métronome. Personne ne voyait où elle voulait en venir. Avec beaucoup d'assurance, elle lança un programme sur son ordinateur. Un truc de studio utilisé par les musiciens et qui permet de voir l'illustration graphique des notes ou, dans ce cas-ci, des détonations. Effectivement, la régularité était remarquable.

— Et qu'est-ce que ça nous apprend? demanda O'Leary d'un ton ironique.

La question resta sans réponse. Jérôme encouragea la jeune recrue d'une tape sur l'épaule et tout le monde se remit à parler en même temps.

— S'il vous plaît, messieurs!

— Ça va, Aileron! On est entre nous, protesta Corriveau.

Jérôme se tourna vers O'Leary:

— Tu peux nous résumer ce qu'on a jusqu'ici?

Blanchet continua de taper sur son clavier comme si cela ne la concernait pas, tandis que l'Irlandais brossait un bilan provisoire de la situation:

— Brigitte Leclerc. Seule adresse connue, le 8203, rue Lajeunesse. C'est l'appartement de son père, Carl Leclerc. Il est mort il y a six mois, mais les changements au registre de la Ville n'ont jamais été faits. Comme s'il vivait toujours en fait. Pas de testament connu. Rien.

— Bon, j'ai quelque chose là-dessus, l'arrêta aussitôt Jérôme. Dès qu'on se met à creuser autour de cette fille, il y a des noms qui changent. Un train peut en cacher un autre, mais là, c'est le festival des fausses identités!

O'Leary était vexé. Jérôme ne lui avait-il pas demandé de résumer? C'était pour amorcer la pompe, de toute évidence. Maintenant qu'elle était actionnée, il en profitait pour se mettre en valeur en lui balançant sur la table le dossier que lui avait remis Sonia Ruff.

— Brigitte Leclerc ne s'appelle pas seulement Brigitte Leclerc. Elle s'appelle aussi Julie Sanche, l'autre fille de Carl Leclerc. Ce qui les différencie, c'est que Brigitte a déjà fait de la prison.

— Intéressant. Pour quoi a-t-elle été condamnée? Quand est-elle sortie? Il faut trouver tout ce qu'on peut là-dessus.

— Je m'en occupe, fit Blanchet.

— En fait, on en sait plus sur Julie que sur Brigitte, continua Jérôme. Elle était éducatrice dans un CPE, mais elle était en arrêt de travail depuis un moment déjà. Elle et Gilbert Bois, le témoin à charge dans l'affaire, se sont envoyés en l'air pendant un moment. Il était le directeur de la garderie où elle travaillait.

— Plutôt trouble comme affaire. Pourquoi était-il le témoin, et elle l'accusée? s'interrogea Blanchet.

Quelle chance Jérôme avait eu de tomber sur cette greffière à son arrivée au palais. En prenant ce dossier, qu'il avait lu avec beaucoup d'attention, il avait peut-être trouvé la seule piste digne d'intérêt.

— Ils ont eu une liaison, mais les choses ont dégénéré. C'est le coup classique. L'employée est revenue contre son patron. Il s'est défendu en l'accusant de prostitution.

— Mais alors, elle est où, cette Julie Sanche? Et comment peut-on être sûrs que c'est bien Brigitte qui est à l'hôpital?

— Julie Sanche semble être un fantôme. On croit que Brigitte Leclerc vivait sous trois identités différentes. La sienne, celle de sa sœur, Julie Sanche, et celle de son père. C'est pour cela qu'elle était accusée de fabrication et usage de faux. Mais apparemment, ces accusations sont tombées juste avant l'audience. Brigitte n'était plus accusée de rien. Julie, en revanche, s'apprêtait à recevoir une amende de deux cents dollars pour prostitution. Mais c'était la même personne. Enfin, c'est ce que je comprends pour l'instant.

Il tapota le dossier en précisant qu'il n'était pas un spécialiste du vol d'identité et encore moins des questions de fabrication de faux. Toutefois, c'est ce scénario qui lui semblait le plus crédible à la lumière des informations dont ils disposaient pour l'instant. O'Leary protesta pour la forme :

— Qu'elle s'appelle Julie Sanche ou Brigitte Leclerc, ça ne change pas grand-chose. Elle s'est emparée de l'arme du gardien et elle a tiré sur tout le monde.

— Ce serait quand même bien de comprendre pourquoi des accusations aussi graves que fabrication et usage de faux sont tombées comme ça juste avant la séance.

Jérôme chercha le regard de Blanchet.

— Ce n'est pas précisé dans le dossier de la greffière, mais il doit y avoir une explication.

— Je vais m'occuper de ça ! fit Corriveau.

Le ton était combatif. C'est lui qui avait eu les premiers contacts avec Sonia Ruff. Il n'allait pas se laisser damer le pion par la nouvelle. De plus en plus grognon, O'Leary aimait de moins en moins la tournure de cette rencontre.

— Non mais, qu'est-ce qu'on cherche, au juste ? On a une fille qui se fait avoir dans une affaire de prostitution. Elle baisait avec un type qui était sur le point de témoigner contre elle. Ça s'est déjà vu. Elle en a plein le cul, elle prend un flingue qui lui tombe sous la main et elle descend tout le monde. On peut comprendre.

— Sauf qu'elle tire drôlement bien, la fille, précisa Blanchet. Beaucoup trop bien.

La remarque était juste. En poussant un peu plus loin la réflexion, on pouvait également se demander pourquoi cette femme qui risquait tout au plus une amende de deux cents dollars pour prostitution avait pu se livrer à un tel carnage.

— C'est ce qu'aimerait savoir la juge Evelyne Lebel, renchérit Jérôme. Alors, faites un effort et trouvez-moi quelque chose.

Sans plus d'explications, il poussa le dossier de Sonia Ruff vers Corriveau, qui s'était porté volontaire, et gratifia l'enquêteure Blanchet d'un sourire. La directrice des communications devait certainement l'attendre pour la rencontre avec la presse. Il rassembla ses affaires et se leva.

— On se revoit à vingt et une heures. D'ici là, vous me trouvez tout ce qu'il y a sur Brigitte Leclerc, son père Carl et Julie Sanche.

Blanchet était déjà à son ordinateur, celui qui transformait les fusillades en musique. Cette recrue de la SCS avait dans son arsenal informatique des outils qu'il ne connaissait pas. Il serait intéressant de voir ce qu'elle en ferait et ce qu'elle parviendrait à découvrir. De leur côté, O'Leary et Corriveau procéderaient de façon plus conventionnelle. Ils iraient défoncer des portes du côté de la rue Lajeunesse. C'était un mal nécessaire. Pour l'instant, l'affaire restait nébuleuse. Comment un procès pour fabrication et usage de faux mettant en cause Brigitte Leclerc avait-il pu se transformer en une affaire de prostitution impliquant sa sœur, Julie Sanche? Et comment cette puéricultrice en était-elle venue à abattre un juge pour une sentence aussi banale ? Il y avait un mobile derrière tout cela. Mais pour l'instant, il semblait insaisissable.

* * *

Le point de presse commença avec vingt minutes de retard. Nathalie Blum, l'attachée de presse du SPVM, repoussa l'échéance tant qu'elle le put car l'affaire lui échappait complètement. Elle avait besoin qu'on la renseigne avant de se présenter devant les journalistes. Sinon, ils n'en feraient qu'une bouchée. Mais Jérôme lui tint tête. Il ne lui révéla rien de ce qu'il savait. Pas un mot sur Brigitte Leclerc, ni sur Julie Sanche, et encore moins sur Carl Leclerc. Quant à l'état de santé de l'assassin présumé, motus et bouche cousue. Tout compte fait, il ne se dirait rien lors de cette rencontre de presse.

Nathalie Blum ne le lâcha pas d'une semelle. Avant d'entrer dans la salle de presse, elle épousseta même le veston de Jérôme du revers de la main en lui faisant les yeux doux. Si elle avait espéré en tirer quelque chose, elle s'était trompée. Elle ne parvint même pas à lui arracher son ordinateur, qu'il portait obstinément en bandoulière.

— Tu n'as pas besoin de ça en conférence de presse ! Fais-moi au moins le plaisir de le glisser à tes pieds lorsque nous serons devant les caméras.

Il acquiesça, mais elle continua de l'aiguillonner pour faire passer sa nervosité :

— Tu n'as jamais pensé à t'acheter un nouveau veston ?

— C'est Lynda qui s'occupe de la presse, habituellement. Je suis à prendre ou à laisser.

Comme elle ne voulait pas se le mettre à dos en un moment aussi délicat, elle changea de sujet :

— C'est vrai ce qu'on dit, que la patronne est partie en voyage de noces ?

Blum attendait la réponse le regard pétillant. Il eut un geste d'agacement et elle resta sur sa faim. De guerre lasse, il se débarrassa de sa sacoche en cuir et se dirigea vers la tribune.

— Je vous présente Jérôme Marceau. C'est lui qui mènera l'enquête en l'absence de l'enquêteure chef Lynda Léveillée, lança la directrice des communications en guise de préambule.

Au fond de la salle, quelqu'un demanda qu'on épelle son nom. Nathalie Blum le fit à la place de Jérôme, puis enchaîna à la vitesse grand V. Dix minutes plus tard, la conférence de presse était bouclée. Huit d'entre elles avaient été consacrées à la biographie du juge Rochette, un texte que le Conseil de la magistrature lui avait fait parvenir en catastrophe. L'attachée de presse en fit la lecture tandis que Jérôme écoutait sombrement en hochant la tête. Des photographes faisaient des clichés parfaitement inutiles et deux caméras de télé étaient dirigées vers lui. Pourtant, il ne disait rien. Silence radio.

Aussitôt la lecture de la biographie terminée, Nathalie Blum précisa qu'un suspect avait été arrêté – sans en préciser le sexe –, qu'il était détenu et que, dès qu'il y aurait des développements, les journalistes en seraient informés. Elle replia le communiqué et inclina la tête. Croyant le point de presse terminé, Jérôme se leva. Un caméraman lui braqua son objectif en plein visage et un faisceau lumineux l'éblouit complètement. Une question surgit alors de nulle part :

— Enquêteur Marceau, pouvez-vous nous donner quelques détails concernant le suspect ? De qui s'agit-il ?

Nathalie Blum le tira par la manche. Celle de son petit bras. Elle voulait qu'ils se retirent, qu'ils quittent la salle de conférence sans plus de commentaires. Mais en écartant la question, Jérôme éveillerait les soupçons. D'une voix calme et rassurante, il choisit de répondre au journaliste.

— Nous allons tout faire pour découvrir ce qui s'est passé dans cette salle d'audience.

Il avait agité la main gauche en disant ces mots. Accompagnant ce geste d'un hochement de tête et d'un sourire sincère, il serra les lèvres et sortit de la salle de presse à la suite de Nathalie Blum.

* * *

En quittant les homicides, Jérôme passa par les couloirs souterrains pour rejoindre le centre-ville. Cette saloperie de neige et de glace continuerait de tomber pendant vingt-quatre heures encore. Un anorak pourrait lui être utile s'il devait avoir à sortir. Prévenant le coup, il s'arrêta chez lui aux Cours Mont-Royal. Un immeuble de prestige, où il était propriétaire d'un condo avec vue sur la montagne. Cette excentricité lui avait valu les railleries de ses camarades, mais Jérôme ne s'en formalisait pas. Il considérait qu'en ayant un pied dans le métro il faisait l'économie d'une voiture. En vivant de surcroît au-dessus du réseau souterrain le plus dense de la ville, cela lui permettait de rester en contact avec le milieu. Ou plutôt le sous-milieu, comme il se plaisait à dire.

Vêtu d'un manteau trop chaud pour les corridors mal ventilés de la ville souterraine, Jérôme descendit vers le métro pour se rendre à la station Berri-UQÀM. Les passages souterrains étaient tout en profondeur à ce carrefour. Sous le métro, les strates s'additionnaient, et même se multipliaient. D'abord les garages, puis les voies d'évitement, ensuite les entrepôts et, bien au fond, à l'abri des regards, les bureaux de la sécurité. Derrière ces murs se trouvait un grand couloir bétonné. Ce passage menait tout droit à l'hôpital Saint-Luc. C'était un tunnel qui avait été construit au début des années soixante, pendant la guerre froide. On croyait à l'époque que les bunkers et les passages souterrains suffiraient à se prémunir contre l'arme nucléaire. Depuis cette grande frayeur, la majeure partie de ces abris et couloirs construits sous la ville avaient été abandonnés. Jérôme n'eut même pas à consulter son ordinateur pour trouver les codes d'accès. Sylvio D'Agostini, un vieux gardien aux yeux rougis par ses écrans de surveillance, le reconnut et lui ouvrit.

— Enquêteur Marceau!

Jérôme le remercia d'un signe de tête sans prendre la peine de s'arrêter pour discuter. Dans un claquement sec, la porte se referma derrière lui. Il dévala les marches quatre à quatre et s'engagea, un étage plus bas, dans un gros tube de béton mal éclairé. Ce passage faisait partie des «tunnels dormants» du réseau. Un bras atrophié qui en apparence n'allait nulle part. Dans les plans d'urgence récents, mis au point après la crise du verglas de 1998 et les attentats du 11 septembre 2001, on avait redécouvert ce passage. Plutôt que de servir d'abri nucléaire, il servait d'accès d'urgence à l'hôpital Saint-Luc. Des corridors semblables avaient depuis été creusés pour accéder aux autres hôpitaux de la ville. La grande toile souterraine ne cessait de se déployer. Mais comme les catastrophes se faisaient rares, seuls quelques initiés utilisaient cette autoroute enfouie qui conduisait aux sous-sols de l'hôpital. Un agent de sécurité s'y trouvait généralement sans trop savoir ce qu'il y faisait, mais ce jour-là il n'y avait personne. Jérôme chercha l'ascenseur, tomba sur la cage d'escalier et monta jusqu'à l'urgence au pas de course. Devant la chambre de Brigitte, il trouva deux policiers de faction.

— J'veux la voir, fit-il sans autre forme de préambule.

Le plus costaud des deux baragouina :

— Ils l'ont ramenée de la salle d'opération il y a une heure à peine. Mais elle n'a pas repris conscience. On ne laisse entrer personne.

Cet agent s'appelait Reiner. C'était un bon bougre d'ailleurs. Jérôme l'avait croisé à quelques reprises.

— Je veux la voir quand même.

L'autre fit un bruit avec sa bouche, pour signaler sa présence ou pour rappeler la consigne. À nouveau Reiner parla pour les deux :

— Ils ont vraiment insisté. Elle est mal en point.

Traduction : il y avait quelqu'un dans la chambre. Un médecin sans doute, ou une infirmière. Jérôme n'avait pas l'habitude de défoncer des portes. Son petit bras l'en empêchait. Il avait plutôt appris à les franchir en faisant preuve d'astuce et de finesse. Après un instant de flottement, il porta la main à l'épaule de Reiner pour lui signifier qu'il avait compris le message, puis il se glissa à l'intérieur de la pièce sans faire de bruit.

— Chutttt. Vous n'avez pas le droit d'être ici, lui souffla l'infirmière de garde.

Le ton était sec et impératif. Marceau repéra une chaise près de la fenêtre, à distance respectable du lit. Il s'en approcha, déposa son ordinateur et enleva son veston en s'assurant que l'infirmière voie bien son bras atrophié.

— Enquêteur Marceau, chuchota-t-il. SPVM. Je suis chargé de l'enquête. Je ne dirai pas un mot.

Exposé ainsi, son bras flasque lui permit de gagner du temps. Dans la pénombre, l'infirmière le regarda, intriguée. Il put s'asseoir avant qu'elle ne s'indigne :

— Mais pour qui vous prenez-vous ?

— Pour l'enquêteur chef aux homicides.

Il accompagna cette demi-vérité d'un sourire :

— On fait le même travail, au fond. On ne veut pas la perdre ni l'un ni l'autre.

Il avait montré de l'empathie envers la jeune femme coincée entre la vie et la mort en faisant ce rapprochement habile entre leurs professions. Jérôme sentait qu'il avait marqué un point. L'infirmière tenait la main de sa patiente tout en vérifiant ses signes vitaux. L'intrus, s'il se tenait tranquille, ne représentait pas une menace. Celui-ci scruta longuement les écrans au-dessus du lit. Il n'était pas un expert, mais tout avait l'air stable. Avec une désinvolture étudiée, il posa son portable sur ses genoux, releva l'écran et mit l'appareil en marche. Le couinement habituel se produisit, puis les courriels de l'enquêteure Blanchet se mirent à débouler. L'infirmière protesta :

— Les ordinateurs sont interdits. Vous ne pouvez pas...

— J'en ai pour trois secondes. Le temps de prendre quelques messages.

Devinant qu'elle n'aurait pas le dernier mot, l'infirmière s'habitua peu à peu à la présence de Jérôme et de son portable. Il en profita pour parcourir la fiche signalétique de la suspecte et pour examiner d'autres informations plus compromettantes encore. Brigitte Leclerc était un gouffre de mystères. Un puzzle dont les pièces n'étaient pas faites pour s'imbriquer les unes dans les autres. Fasciné par sa lecture, il sentait un regard se poser sur lui par moments. L'infirmière, dont il aurait bien aimé connaître le nom, l'avait à l'œil. Pour la calmer, il finit par rabattre l'écran de son ordinateur.

Étirant le cou, il hasarda un œil vers Brigitte et s'étonna de sa beauté. Même les yeux fermés et le visage couvert d'un masque à oxygène, ses traits fins et réguliers et son front altier lui conféraient un charme éthéré. Jérôme allait se lever pour l'observer de plus près lorsqu'un nouveau message de Blanchet le rappela à l'ordre. Il ignorait comment elle avait réussi le coup, mais il avait sous les yeux le bilan établi par le chirurgien qui venait d'opérer la suspecte. Une balle de calibre 38 tirée à bout portant avait traversé la cage thoracique et abîmé le poumon inférieur gauche. La blessure avait entraîné une hémorragie importante, mais Brigitte avait de bonnes chances de s'en tirer. La prévenue reviendrait à la vie sous peu et pourrait ainsi faire la lumière sur ce qui s'était passé dans la salle d'audience 3.08. Il faudrait un peu de temps, concluait le rapport, mais le pronostic était bon.

Jérôme resta au moins une heure dans cette chambre avec l'infirmière. À un moment, il s'approcha du lit et put lire son nom sur l'épinglette qui ornait son uniforme. Elle s'appelait Élisabeth. Élisabeth Gonzalez. Elle avait le teint clair et les yeux bleus. On sentait la compassion dans chacun de ses gestes et de ses mots. Malgré sa bienveillance manifeste, elle ne pouvait rien pour Julie, ou Brigitte. Le destin de cette femme à la double identité était un véritable gâchis. Blottie dans ce lit dont elle ne sortirait pas indemne, même si elle en réchappait, la tireuse du palais de justice était une énigme de haut calibre. Un mystère impénétrable qui ne serait élucidé que lorsqu'elle se réveillerait. Mais ce n'était pas pour l'immédiat. Ce n'était pas la peine de s'attarder.

Une seconde

Une seconde s'est écoulée depuis le quatrième coup de feu tiré par Brigitte, dans la salle d'audience du palais de justice. À sa grande surprise, le film de sa vie a fait un grand bond en arrière, la ramenant momentanément à ses dix-sept ans, en 2001.

C'est l'été de tous les dangers. Son amoureux s'appelle Jimmy Grey et se passionne pour les armes à feu. Ils passent le plus clair de leur temps ensemble. Brigitte habite encore chez son père, rue Lajeunesse. Lui et sa fille se croisent parfois la nuit, lorsqu'il rentre du bar où il travaille au centre-ville. Elle est de plus en plus belle et ne semble jamais manquer d'argent. Il y a de quoi s'interroger, mais Carl ne pose pas de questions. Il ne veut pas savoir. En fait, depuis que sa femme est morte, il ne veut plus rien savoir. Il préfère fermer les yeux. La mère de Brigitte a été fauchée par un cancer alors que sa fille n'avait que dix ans. Celle-ci n'en garde aucun souvenir. Elle a effacé ce pan de sa vie pour ne pas avoir à y faire face. Elle a une sœur aînée, Julie, qui vient de compléter une formation d'éducatrice à la petite enfance. Au mois d'août, elle épousera

Thomas. Avant d'entreprendre sa carrière de puéricultrice, elle passera l'automne au Mexique avec son fiancé. Vacances méritées, pour Julie, car elle était une première de classe. Brigitte trouve tout cela ennuyeux et tellement prévisible. Elle préfère défier l'interdit en s'aventurant sur les chemins de traverse les plus hasardeux. Brigitte choisit le risque plutôt que la stabilité.

En quelques mois, Jimmy Grey lui a communiqué sa passion des armes à feu. Elle a appris à les manier, à les nettoyer, à les charger, et bien sûr à tirer.

Elle ne s'explique pas son erreur. Comment a-t-elle pu porter un canon brûlant à sa bouche après avoir abattu tour à tour l'agent de sécurité, le juge, Denis Brown et Gilbert Bois ? Elle a perdu sa maîtrise et son adresse dans l'énervement. Et maintenant, elle a mal, horriblement mal à la lèvre supérieure et au palais.

Mais voilà que le film de sa vie se met à passer dans le bon sens. Il avance au lieu de reculer. Des souvenirs reviennent la hanter.

Brigitte et Jimmy ont pris l'habitude de faire de longues balades à la campagne. Chaque fois, ils se retrouvent au fond d'un rang et s'y entraînent à tirer. Elle s'habitue peu à peu au recul impressionnant du fusil de chasse au canon scié qu'elle utilise. Pendant ce temps, Jimmy s'exerce avec une arme de poing. Ils écoutent toujours de la musique lorsqu'ils tirent. Du *rock'n'roll* lourd que les haut-parleurs de la camionnette crachent sans vergogne dans la nature. Jimmy a une théorie : un bon tireur doit avoir du rythme. Pour viser juste, il faut entendre le métronome battre la mesure dans son oreille. C'est comme de la musique, insiste-t-il. Un, deux, trois, quatre. Un deux trois quatre. Brigitte ne cesse de s'améliorer depuis qu'elle a trouvé le tempo. Si elle avait le choix cependant, elle utiliserait le pistolet plutôt que la carabine. L'arme est beaucoup plus légère et le recul, nettement moins violent. Mais Jimmy voit les choses autrement. Armée d'un fusil de chasse au canon scié, Brigitte fait peur. Lorsqu'ils feront des *hold-up* ensemble, leurs victimes seront terrorisées. Comme ils auront le visage dissimulé derrière une cagoule, personne ne se rendra compte que c'est une femme qui les met en joue, une toute petite femme pesant à peine cinquante kilos.

D'ici là, Jimmy travaille en solo. Et pour se donner du courage, il mélange médicaments et alcool. C'est son truc à lui. Les cocktails de barbituriques, d'amphétamines et de rhum qu'il ingurgite lui donnent des *high* atmosphériques. Sa recette préférée se résume en un audacieux mélange de strychnine, de *speed* et de cognac. Après l'avoir bu, il devient invulnérable pendant quelques heures. C'est le moment de sortir le fusil de chasse au canon scié et sa cagoule. Il ne lui faut qu'une toute petite heure pour s'exécuter. Errant dans les rues, il repère rapidement un dépanneur, y entre et braque le caissier. Lorsqu'il rejoint Brigitte à la maison, il lui en met plein la vue en jetant des poignées de dollars sur la table. Cela semble si facile.

Puis un jour, Brigitte a envie d'essayer, elle aussi. Elle en a assez de voir Jimmy s'éclater en solitaire. Elle a l'impression de rater quelque chose, de rester sur le quai de la gare tandis que le train s'éloigne. Elle ne peut plus attendre, elle veut être du voyage. Jimmy cède et lui prépare un cocktail à base de vin blanc, de strychnine et de *speed*. Pendant un moment, elle est étourdie mais ne bronche pas. Puis, peu à peu, une impression de force, d'audace et d'invulnérabilité la galvanise. Jimmy a déjà déposé le sac de sport avec le fusil au canon tronqué près de la porte. Ils sont prêts à passer à l'action. Elle n'a aucune hésitation, aucune crainte, aucun scrupule. Elle est intouchable. Il lui a trouvé une cagoule, une vieille tuque du Canadien dans laquelle il a percé deux trous pour les yeux. Dorénavant, ils font équipe.

Dans la rue, Jimmy lui explique les rudïments du braquage. D'abord, on repère un commerce au hasard. L'important, c'est qu'il n'y ait pas de témoins aux alentours. Il y a rarement plus de mille dollars dans la caisse. Mille dollars en petites coupures. En entrant, il faut déposer le fusil sur le comptoir en gardant une main dessus. L'arme impressionne. Pendant que tout le monde tremble, c'est le moment de récupérer l'argent. Habituellement, il ne faut que vingt secondes pour boucler l'affaire.

Après lui avoir fait ses dernières recommandations, Jimmy aperçoit une épicerie. Il abaisse sa cagoule en lui indiquant de faire de même, puis ils entrent en coup de vent en pointant leur arme. Tout se passe si vite que Brigitte a l'impression de n'être que témoin de l'affaire. Jimmy se charge de tout. Vingt secondes plus tard, ils courent à toutes jambes dans une ruelle.

L'été de ses dix-sept ans, avec Jimmy, Brigitte fait ainsi une douzaine de *hold-up*. Les cocktails d'alcool et de médicaments qu'ils avalent sont de plus en plus puissants.

Les sommes qu'ils dérobent ne dépassent jamais mille dollars, mais les risques sont de plus en plus grands. Pourtant, tout baigne dans l'huile. Jamais ils ne sont inquiétés par la police. Les jours filent donc sans histoires jusqu'à ce que Jimmy, à force de s'envoyer des cocktails chimiques, ne parvienne plus à bander. Rien de grave en soi. Brigitte s'en accommode, mais les problèmes érectiles de Jimmy le rendent paranoïaque. Dorénavant, il craint tout et son ombre. Du coup, il n'ose plus faire de vols à main armée.

Qu'à cela ne tienne, Brigitte décide de prendre les choses en main et de faire son premier vol en solo. Elle n'a pas le choix, Jimmy est en manque et il n'y a plus de quoi lui acheter de la drogue. En plein jour, armée du fusil de chasse au canon scié, elle prend d'assaut un dépanneur de la rue Sherbrooke, dans l'ouest de la ville. Manque de chance, il n'y a rien dans la caisse. Elle n'en tire que vingt-cinq dollars. Elle remet son fusil dans le sac de sport, ressort dans la rue et descend vers le sud en espérant trouver mieux. Faisant fi d'une des premières règles établies par Jimmy – ne jamais tenter deux coups le même jour. Qu'importe, il n'en saura rien. Rue Guy, à la hauteur de René-Lévesque, Brigitte remarque un dépanneur sur sa droite. Une ruelle sépare le commerce d'une tour à bureaux. Fébrile, elle vient s'y réfugier, le temps de sortir son fusil. À la vitesse de l'éclair, elle entre dans le commerce, mais elle oublie d'abaisser sa cagoule. L'homme qui est derrière le comptoir croit à un canular. Cette carabine est fausse, de toute évidence. Il s'exclame, le sourire aux lèvres :

— À quoi tu joues, ma poupée ?

— Envoye! Dépêche! lui crie-t-elle de sa voix haut perchée. L'argent! Ça presse!

Pour la calmer, le caissier sort quelques coupures qu'il pousse sur le comptoir en rigolant. Elle tire un premier coup juste au-dessus de sa tête. Affolé, l'homme se jette par terre et rampe vers les réfrigérateurs. L'effet des amphétamines et de l'alcool s'estompant, Brigitte a le cœur qui bat la chamade. Sans sa cagoule, elle se sent déjà vulnérable, mais il y a autre chose. Jimmy lui a toujours dit qu'il ne fallait pas tirer. Jamais! Sous aucun prétexte! Mais la situation est exceptionnelle, ne cesse-t-elle de se répéter.

Elle fait donc le tour du comptoir, attrape tous les billets qui se trouvent dans la caisse, les fourre dans le sac de sport et cherche la sortie de secours. Il doit bien y avoir une porte donnant sur la ruelle. Elle enjambe les caisses et les boîtes de carton entassées dans l'arrière-boutique. Plus loin, elle se heurte à une porte grillagée munie d'une chaîne et d'un gros cadenas. Elle tire un deuxième coup pour le faire sauter quand elle entend le caissier hurler dans un téléphone. Le temps presse et, bien que le cadenas ait volé en éclats, la porte refuse toujours de s'ouvrir. Elle tire un nouveau coup et la porte cède enfin. Tremblant comme une feuille, elle cherche à remettre le fusil dans son sac de sport, mais n'y parvient pas. Tant pis, elle sort en pointant l'arme devant elle, mais quelqu'un lui crie aussitôt:

— Les mains en l'air! Et laissez tomber ce fusil!

L'homme qui tient un pistolet pointé sur elle est un policier, bien qu'il n'en ait pas l'air. Vêtu en civil, il semble aussi étonné, aussi apeuré qu'elle. Le dépanneur que Brigitte vient de dévaliser est voisin du Centre opérationnel de la police de Montréal. Un policier en service n'a eu qu'à sortir dans la ruelle pour la cueillir. Coincée, elle lui lance :

— Je m'excuse. Je vous demande pardon.

Croit-elle vraiment qu'il la laissera partir sur la foi de ces mots ridicules ?

— Laissez tomber ce fusil, répète le policier.

La situation est sans issue et Brigitte s'incline.

* * *

Brigitte s'en veut toujours d'avoir introduit le canon brûlant du pistolet dans sa bouche. Pendant ce temps, le film de sa vie progresse de façon erratique. Il fait des bonds incompréhensibles, puis s'arrête sur des images ou des bruits inusités, comme le grésillement, quand son nom est craché par les haut-parleurs de la prison où elle est détenue.

— Brigitte Leclerc ! Visite !

Depuis son arrestation, à la fin d'août, elle n'est plus ressortie. Il y a eu la cure de désintoxication, puis le procès. Brigitte a raté le mariage de Julie. Celle-ci s'est envolée pour le Mexique sans qu'elle puisse lui offrir de cadeau. Quant à Jimmy, il s'est volatilisé. Seul son père vient lui rendre visite. Les premiers temps, ces face-à-face de part et d'autre de la paroi vitrée sont extrêmement pénibles. Carl Leclerc est incapable de retenir ses larmes. Il croit que tout cela est sa faute. Qu'il est coupable de négligence envers sa fille. Il a été si peu présent depuis la mort de sa femme. Il n'en finit plus de s'accuser et de se morfondre. Brigitte ne veut plus le voir. Ses jérémiades la dépriment. Elle veut purger sa peine en paix. Puis, un vendredi d'un hiver qui s'éternise, les choses basculent. Brigitte croit qu'elle a touché le fond du baril, mais ce n'est rien à côté de ce qu'elle va apprendre.

— Brigitte Leclerc! Visite!

Le bruit métallique des haut-parleurs de la prison lui paraît plus froid, plus cassant ce jour-là. Avant même qu'il parle, le regard livide de son père lui confirme qu'il s'est passé quelque chose. Quelque chose d'inimaginable.

— Je viens de recevoir un appel du Mexique, lui dit Carl Leclerc dans le combiné qu'ils utilisent pour se parler.

Même si le film de sa vie défile à toute allure, une phrase se détache de toutes les autres.

— Julie et Thomas se sont noyés.

Ces mots et la détresse qui les accompagne ébranlent Brigitte. Julie, sa sœur aînée, toujours si bien, toujours parfaite, a été emportée par la mer dans un pays où elle n'est jamais allée, un pays qu'elle a du mal à imaginer. Son voyage de noces s'est transformé en cauchemar. Elle a été emportée par un courant sous-marin sur la plage de Puerto Escondido, entraînant dans son sillage Thomas, qui tentait de la sauver. Des baigneurs les ont vus disparaître dans les vagues. Leurs corps n'ont pas été retrouvés. Brigitte ne reverra jamais sa sœur. Lorsqu'elle recouvrera sa liberté, Julie n'y sera plus. Jamais elle n'aurait cru que sa disparition lui ferait aussi mal.

Les visites de son père, si pénibles jusqu'à ce vendredi fatidique, se transforment. Elle qui les redoutait les espère maintenant. Ils ont dorénavant quelque chose en commun. Le deuil les unit. Pour la première fois de sa vie, Brigitte ressent de l'émotion pour Carl. Un sentiment qui, en liberté, loin des barreaux de cette prison, ne l'a jamais effleurée. Maintenant qu'une paroi de verre les sépare, maintenant que Jimmy n'existe plus pour elle et que Julie est morte, elle se surprend à découvrir qu'elle l'aime.

Six mois plus tard, Carl Leclerc est toujours submergé par la peine. Il n'a fait aucune démarche pour obtenir le certificat de décès. Il espère toujours que la mer lui rendra le corps de son enfant, afin de l'enterrer près de celui de sa femme. Mais cela n'arrivera pas et il le sait. Qu'importe, après tout, puisque maintenant il a autre chose en tête. Carl a résolu de sauver Brigitte, même si pour cela il doit y consacrer le reste de sa vie.

— J'ai trouvé un truc, lui annonce-t-il. Quand tu vas sortir d'ici, tu vas recommencer à neuf. Et ça va marcher, crois-moi. Je ne t'en dis pas plus pour l'instant, mais il faut que tu lises ce livre.

Ce bouquin, c'est un livre de classe de Julie : *Lorsque l'enfant paraît*, de Françoise Dolto. Son père insiste pour qu'elle en fasse une lecture attentive, et même qu'elle l'apprenne par cœur. Il lui reste quatorze mois à purger avant d'être libérée. Cela devrait suffire. Brigitte ignore tout du plan qu'il a en tête, mais l'optimisme de Carl — elle l'appelle par son prénom depuis qu'ils se sont rapprochés —, cet optimisme lui plaît bien. Elle préfère voir son père ainsi plutôt que désespéré, même si cela l'oblige à se taper un livre. Et quel livre ! Cet ouvrage de Françoise Dolto est ennuyant comme la pluie. Qu'à cela ne tienne, il fait partie d'un stratagème élaboré par son père pour lui venir en aide. De quelle façon, elle l'ignore, mais elle accepte volontiers de s'y soumettre.

En fait, Brigitte ne tardera pas à saisir le sens que Carl a voulu donner à ce projet. Lorsqu'elle se présentera devant l'agent de probation, au moment de sa libération, celui-ci sera impressionné par ses connaissances et sa maîtrise des théories de Dolto. Il se félicitera du succès de sa réhabilitation. Le caractère inoffensif de cette passion développée en prison sera pour la jeune femme, le meilleur des sauf-conduits.

* * *

Il règne un silence trouble dans la salle d'audience. Brigitte a éloigné le pistolet de sa bouche, mais le canon est toujours pointé sur elle. Un autre souvenir la rattrape. Le film de sa vie vient de faire un autre saut vertigineux. Ce nouvel arrêt sur image est d'une clarté étonnante. Plus encore que les scènes précédentes.

Une année s'est écoulée. Il neige. C'est un samedi. Carl Leclerc, debout devant les portes du pénitencier, attend sa fille. Il lui a apporté des fleurs. Des marguerites jaunes. Le bouquet lui semble phosphorescent dans la blancheur qui l'aveugle.

Brigitte est submergée par l'émotion. Sa brûlure à la lèvre lui fait toujours aussi mal, mais elle comprend mieux maintenant comment ce film étrange s'organise. Au montage, seuls les moments de grande émotion sont retenus.

Brigitte monte dans la voiture. Carl a laissé tourner le moteur. Elle a tout juste le temps de s'asseoir qu'il lui parle déjà de son plan. Les vagues du Mexique n'ont jamais rendu le corps de Julie. Et lui n'a toujours pas demandé son certificat de décès. Aucun document officiel n'atteste sa mort. Le scénario est donc le suivant. Depuis deux ans, Julie se cloître chez elle et fait le deuil de Thomas, disparu de façon tragique au Mexique. Pour que l'histoire tienne, Carl a continué de la faire vivre. Il a fait circuler son curriculum vitæ dans des garderies et a même postulé des emplois à sa place. Lorsqu'on la convoque en entrevue, il refuse, faisant valoir qu'elle éprouve encore des difficultés liées au décès de son mari. La puéricultrice a des dossiers ouverts dans quatre garderies au moins. Son retour au travail ne saurait tarder. Mais Carl ne s'est pas arrêté là. Les cartes de crédit de sa fille sont aussi restées actives. Elle a continué de consommer, de s'habiller et de faire des achats en tout genre. Ses marges de crédit ont même été augmentées parce qu'elle paie rubis sur l'ongle. Chaque fin de mois, Carl s'assure de rembourser les soldes. Il a jadis été un père négligent, mais il s'est bien repris depuis. La preuve, il a usurpé l'identité de Julie pour en faire cadeau à Brigitte.

— Avec un casier judiciaire, tu es coincée, lui dit-il pour la convaincre du bien-fondé de son plan. Tu vas être bloquée partout. Tu ne pourras rien faire tant que tu n'auras pas obtenu un pardon. Et pour y arriver, il vaut mieux faire disparaître Brigitte un temps. C'est la façon la plus sûre de garder ton dossier vierge.

Brigitte n'est pas certaine de comprendre. Elle s'attendait à tout sauf à cela. Ses connaissances sur la petite enfance ont bien été notées à son dossier. Le livre de Dolto l'a aidée à sortir de prison. Elle a envie de marcher droit dorénavant. Elle n'est pas certaine de vouloir s'empêtrer dans une histoire pareille.

— Il faut attendre cinq ans avant de pouvoir faire une demande de pardon, insiste Carl. Cinq ans pendant lesquels tu dois avoir une conduite irréprochable. Au moindre faux pas, la demande de pardon est refusée.

— Mais je ne ferai pas de faux pas! Je suis déterminée à ne pas en faire.

— C'est impossible.

D'autres ont essayé avant elle, lui fait-il comprendre. Seuls les citoyens exemplaires parviennent à obtenir le pardon. Mais les citoyens exemplaires, ça n'existe pas, ou si peu. Il suffit d'une infraction au Code de la route pour qu'une demande de pardon soit rejetée, ou encore repoussée d'une année. C'est un risque que Brigitte ne doit pas prendre, d'où son idée de la faire «disparaître» pendant cinq ans et de lui prêter l'identité de sa sœur.

Carl Leclerc a pensé à tout. Il a même renouvelé la carte d'assurance maladie de Julie, entre autres choses. Brigitte étant libre, il lui suffit de se faire photographier à sa place pour la mettre à jour. Avec ce simple document, elle obtiendra un passeport, un permis de conduire et *tutti quanti*. La principale intéressée accepte donc de jouer le jeu, devenant la complice de son père dans cette manigance.

— Bientôt, tu travailleras dans une garderie, affirme-t-il en jubilant. Tu as des dossiers ouverts dans au moins quatre établissements. Tu n'as qu'à faire ton choix. Ils t'attendent tous à bras ouverts.

— Je peux bien essayer, finit-elle par dire. Ce serait bien de marcher dans les traces de Julie. J'aurais l'impression de la remettre au monde.

— Ça ne doit pas être très difficile, renchérit Carl. Tu as lu le livre de Françoise Dolto. Tu le connais par cœur. Et tu as un diplôme !

Le père brandit le diplôme de puéricultrice de son aînée devant les yeux de Brigitte.

— Le projet est sans faille, dit-il encore. Il faut le voir comme un jeu. Brigitte ne s'appelle plus Brigitte, elle s'appelle Julie. Et Julie est puéricultrice.

Fabrication et usage de faux

La visite du 8203, Lajeunesse ouvrit une boîte de Pandore. Deux morts au moins vivaient dans cette cache. Carl Leclerc, décédé six mois tôt, et sa fille, Julie Sanche, noyée au Mexique en 2001. Cela n'avait nullement empêché ces deux fantômes de continuer d'acheter des tas de trucs, de consommer à outrance et de se divertir comme si la vie était un carnaval perpétuel. Le nombre impressionnant de cartes de crédit retrouvées sur les lieux laissait planer une odeur de fraude. La plus troublante de ces découvertes concernait Julie. Décédée neuf ans plus tôt avec son mari, Thomas Sanche – deux coupures d'un journal mexicain retrouvées dans l'appartement en témoignaient –, elle était revenue à la vie deux ans plus tard. Le scénario était sensiblement le même pour Carl Leclerc ; malgré son décès, sa carte d'assurance maladie, son permis de conduire et ses cartes de crédit étaient encore en circulation. Brigitte Leclerc, celle-là même qui était dans le coma à l'unité de soins intensifs de l'hôpital Saint-Luc, avait donc deux morts comme colocs. Cela faisait un joli trio.

La perquisition du logement de la rue Lajeunesse se prolongea jusqu'en soirée, si bien que la réunion de vingt et une heures, rue Saint-Antoine, commença en retard. C'est Corriveau qui arriva le premier, tout essoufflé. O'Leary suivit, deux minutes plus tard, se plaignant de la pagaille qui régnait dans les rues à cause du mauvais temps.

— Ce n'est pas ici qu'on devrait être, lança Corriveau d'entrée de jeu. C'est sur la rue Lajeunesse ! On y a passé quatre heures et on n'a fait que gratter le vernis. Et il n'est pas dit qu'on pourra y retourner avec cette merde qui nous tombe dessus.

Contrairement à ce que les météorologues avaient annoncé, le temps chaud s'était maintenu à la tombée de la nuit. La pluie verglaçante avait continué de tomber, transformant la ville en une véritable patinoire. Le spectre du grand verglas de 1998 planait, mais Jérôme n'en avait cure. Toute la journée, il avait mené son enquête en circulant par les voies souterraines sans se soucier de cet inconvénient. S'il fallait retourner chez Carl Leclerc, on trouverait bien le moyen de s'y rendre. Il ne s'en laisserait pas imposer par O'Leary et Corriveau pour un détail comme celui-là.

— Pour l'instant, ça se passe ici, trancha-t-il, implacable.

Blanchet aussi avait retrouvé la trace de Carl Leclerc et de Julie Sanche, même sans mettre les pieds rue Lajeunesse. Tout en pianotant sur le clavier de son ordinateur, elle attendait le moment de faire ses révélations. O'Leary la devança en lui vidant sous le nez une grande enveloppe brune. Il fit des objets qui en tombèrent trois piles distinctes qu'il montra une à une du doigt.

— La première concerne Carl Leclerc. La deuxième, Julie Sanche, et la troisième, Brigitte. Mais on a peu de choses sur elle. C'est comme si elle n'existait pas.

— Et qu'est ce que t'as relevé dans ces papiers ? s'enquit Jérôme.

— Cartes de crédit, reçus…

O'Leary se tourna vers Blanchet.

— Il serait intéressant de voir si ça recoupe ce que tu as trouvé.

L'enquêteure prit quelques reçus au hasard dans la première pile et les compara à ce qu'elle avait trouvé dans les banques de données. Des fantômes se cachaient effectivement dans l'appartement de la rue Lajeunesse, mais c'étaient les mêmes qu'elle avait débusqués dans le cyberespace. Jérôme se lassa rapidement de ce petit exercice comptable.

— Avec cette preuve qui semble accablante, on se demande pourquoi on a laissé tomber les accusations de fabrication et usage de faux juste avant l'audience. C'est étrange quand même.

Blanchet s'empressa de récapituler.

— Les accusations de fabrication de faux ont été portées beaucoup plus tard. À la garderie où elle travaillait, une plainte a été déposée contre Julie Sanche. Elle baisait avec le directeur, qui lui accordait des passe-droits. C'est comme ça que tout a commencé. Puis l'affaire a traîné devant les tribunaux pendant quatre ans. Mais est-ce que c'était de la prostitution ? Ils baisaient ensemble. C'est tout !

Jérôme sourcilla. La jeune femme ne cessait d'employer le mot «baiser», ce qu'il trouvait vulgaire.

— Dans les procédures menant à l'audience de ce matin, on s'est rendu compte que Julie Sanche n'était pas celle qu'elle disait être, précisa Blanchet. On a simplement conclu à une erreur sur la personne. Voilà apparemment pourquoi les accusations sont tombées.

O'Leary semblait ennuyé par les allégations de Blanchet. Il avait trouvé les preuves suffisantes pour porter des accusations de fabrication et usage de faux. Et même la preuve que Julie et Brigitte étaient la même personne. À quoi bon se creuser les méninges dans cette salle de conférence alors que les réponses se trouvaient là-bas?

— Il serait intéressant de savoir, fit encore Jérôme, si Julie, ou Brigitte, enfin peu importe… si la suspecte savait ce matin que ces accusations de fabrication et usage de faux étaient tombées.

— La greffière pourrait sans doute nous le dire!

Jérôme se tourna vers Corriveau qui hochait la tête, dubitatif. L'idée d'une nouvelle conversation avec Sonia Ruff ne l'enchantait guère. C'était une tatillonne. Et les tatillons mènent souvent vers de fausses pistes. Comme O'Leary, il n'avait qu'une envie, retourner dans l'appartement de la rue Lajeunesse. Mais Jérôme s'entêta à les garder autour de la table le plus longtemps possible.

— Je suis allé rendre visite à Brigitte Leclerc à l'hôpital. Elle va s'en sortir. Avec un peu de chance, elle nous dira ce qui s'est passé. Mais on ne peut pas compter seulement là-dessus. Ça pourrait être long. Il faut continuer de chercher.

Tout le monde autour de la table avait perçu le tremblement dans sa voix. Un écart qui surprit Jérôme lui-même. Il chercha aussitôt à se ressaisir en empruntant les manières de Lynda, ce qui fit sursauter l'enquêteure Blanchet.

— Autre chose ! Il faut savoir comment Gilbert Bois, qui faisait l'amour avec une de ses employées, s'est retrouvé témoin dans cette affaire. Qu'est-ce qu'on sait de lui ? Qui est cet homme ?

— Un gars irréprochable jusqu'à ce qu'il soit remercié de ses services, répondit Blanchet. Marié, père de deux enfants. Bungalow dans un quartier paisible sur la Rive-Sud. J'ai cherché partout, je ne trouve rien.

Il y avait une pointe d'ironie dans sa voix, comme si elle doutait de l'innocence véritable du témoin. Des gens aussi lisses, aussi irréprochables ne se font pas descendre dans une salle d'audience du palais de justice. Gilbert Bois devait bien avoir quelque chose à se reprocher.

— Il n'y a que son bilan de santé sur lequel je n'ai pas mis la main, lança-t-elle avec fierté.

— Trouve-le !

Du coup, Jérôme se mit à mitrailler comme un soldat engoncé dans une tranchée.

— O'Leary, je veux que tu ailles jeter un coup d'œil chez l'avocat. Il s'appelle Brown. Denis Brown. Il habitait un condo au bord du canal de Lachine. Tu défonces la porte s'il le faut. Tu as l'habitude !

Le principal intéressé s'était redressé sur sa chaise. Il allait répéter que c'était rue Lajeunesse que ça se passait, mais Jérôme ne lui en laissa même pas le loisir :

— Tu y vas maintenant !

Il continua d'aboyer, mais en direction de Corriveau cette fois :

— Toi, Corriveau, tu retournes rue Lajeunesse. Je te rejoins plus tard.

Jérôme ferma son ordinateur et rassembla ses affaires. La rencontre avait duré douze minutes chrono. Une formalité, en apparence, mais qui lui avait permis, en l'absence de Lynda, d'asseoir son autorité. Chacun savait ce qu'il avait à faire. Ses derniers mots furent pour Blanchet.

— Et toi, tu continues de creuser dans les bases de données. Tu trouves tout ce que tu peux sur le père et les deux filles. Quand tu as quelque chose, tu me l'envoies par courriel. Mais tu arrêtes à minuit. Demain, j'ai besoin de toi très tôt.

— Et si je n'arrête pas à minuit, qu'est-ce qui arrive ? fit-elle en le défiant du regard.

La salle de conférence s'était vidée. En tenant tête à O'Leary, et surtout en le séparant de Corriveau, Jérôme avait marqué des points. L'air arrogant de Blanchet n'allait tout de même pas lui faire perdre son sang-froid !

— C'est gros, quatre victimes dont un juge assassiné en plein tribunal. L'enquête risque de s'étaler sur plusieurs jours et il faut économiser nos forces. Alors on marche ensemble ou on ne marche pas du tout.

Radoucie, Blanchet murmura :

— Il y a un truc que je n'ai pas dit et que j'aimerais bien vérifier avant de partir. Ça pourrait prendre du temps.

— Un truc ? fit Jérôme en glissant son ordinateur dans sa sacoche.

Elle avait le regard insistant. Maintenant que les deux autres étaient partis, il pouvait se permettre de l'écouter.

— On a très peu de choses sur Brigitte Leclerc après sa sortie de prison. C'est comme si elle avait cessé d'exister. Mais il y a deux ans, elle est réapparue tout d'un coup. Brigitte a fait une demande de pardon en bonne et due forme à la Commission des libérations conditionnelles.

Il n'y avait plus la moindre forme de contestation dans le ton de Blanchet. En l'absence d'O'Leary et de Corriveau, elle était redevenue l'enquêteure appliquée et consciencieuse qu'il avait rencontrée pour la première fois le matin même.

— Elle s'est vu refuser cette demande de pardon.

— Et?

— L'année dernière, elle est revenue à la charge. Et rebelote. Nouveau refus.

— Pour quelle raison?

— Je ne sais pas.

— Alors il faut savoir!

Le ton sec de Jérôme la perturba. C'était la deuxième fois qu'il lui répondait aussi froidement. Il se rendit compte que sa lèvre supérieure tremblait. O'Leary et Corriveau étaient peut-être exécrables, mais eux au moins ne mêlaient jamais les émotions au travail. Pas plus que Lynda, d'ailleurs. Blanchet devait en faire autant. Aux homicides, avoir la larme à l'œil, c'était faire des caprices.

— Continue de fouiller, poursuivit-il. Je veux tout savoir. Le bulletin de santé de Gilbert Bois, pourquoi on a refusé le pardon à Brigitte, et ce qu'elle a fait pendant toutes ces années où elle se faisait passer pour sa sœur.

Blanchet s'était ressaisie et pianotait avec agilité sur le clavier de son ordinateur. Jérôme avait-il imaginé ce moment d'émotion ou s'était-il réellement produit ? En fait, il savait peu de choses sur cette jeune surdouée qui s'était fait remarquer à la SCS. Il aurait aimé en savoir plus.

— Si je trouve quelque chose, je le fais suivre, lança-t-elle en évitant son regard.

— Jusqu'à minuit. Après tu dors.

Jérôme quitta l'édifice de la rue Saint-Antoine par le sous-sol en se demandant s'il n'avait pas été trop cassant. Avec O'Leary, il fallait crier. Même combat avec Corriveau. Avec Blanchet, c'était peut-être différent. Tout était dans le dosage. Pour l'instant, il semblait l'avoir mise à sa main, mais il devait rester prudent. À l'instar de Brigitte Leclerc, la jeune recrue avait peut-être ses secrets elle aussi.

Une fois encore, Jérôme emprunta le corridor souterrain menant au palais de justice, mais plutôt que de bifurquer vers le métro, il se dirigea vers les bureaux de la sécurité. Un agent du nom de Montreuil lui confia les bandes vidéo qu'il avait demandé à voir. Le gardien avait mis toute la journée à découvrir par quelle porte Brigitte Leclerc était entrée au palais de justice ce matin-là. On ne la voyait sur aucun enregistrement de sécurité. Ni dans le hall d'entrée, ni devant les portes réservées au public. De guerre lasse, il avait consulté les bandes de sécurité provenant de l'entrée des magistrats, du côté de l'allée des Huissiers. C'est ainsi qu'il l'avait repérée.

— Mais comment diable a-t-elle pu passer par l'entrée des juges ? s'enquit Jérôme.

— Certains avocats obtiennent une autorisation pour leurs clients, comment dire, leurs clients les plus susceptibles.

— Susceptibles… répéta Marceau.

Il n'était pas certain que ce mot soit le bon, mais il devinait ce que Montreuil cherchait à dire. L'homme, assez corpulent, devait transpirer beaucoup. Pour camoufler le problème, il s'enduisait d'antisudorifique, si bien qu'un parfum d'après-rasage flottait constamment autour de lui. Il poursuivit de sa voix lente :

— Je me suis informé. C'est son avocat, maître Brown, qui en avait fait la demande hier soir. On lui a accordé cette autorisation sans poser de questions.

Cette dérogation aurait été indiquée si la presse et les médias avaient été aux trousses de la jeune femme. Mais ce n'était pas le cas. Cette obscure affaire de fraude devenue une banale histoire de prostitution n'intéressait personne. Jérôme expédia les bandes et une copie de la page du registre aux homicides, puis consulta le plan souterrain de la ville sur son ordinateur. Le 8203 Lajeunesse était à deux pas de la station de métro Jarry. Hydro-Québec avait des installations dans ce coin-là. Un poste de relais qui, selon son plan, jouxtait la rue Lajeunesse. On y accédait par un vaste couloir à partir des locaux d'entretien de la station de métro Jarry. Pour ne pas subir la tempête qui continuait de faire rage, il emprunterait cette route. Tant qu'il resterait en dessous, tout irait bien. Avec un peu de chance, il arriverait sur les talons de Corriveau. Il décida de prendre une bouchée en cours de route. Il ne s'était rien mis sous la dent depuis les tomates à l'avocat de sa mère. Il attrapa un sandwich vietnamien à un comptoir, en mâchouilla les feuilles de coriandre tout en prenant ses messages sur son portable. Sa mère menait la charge, mais il repoussa l'écoute de ses messages. Elle était moins insistante d'habitude. Il avala une bouchée de pain en cherchant à l'oublier. Longeant un corridor du métro Jarry, il sortit une carte magnétisée de l'impressionnante collection qu'il traînait avec lui dans une pochette de sa sacoche. Elle lui permit d'ouvrir une porte non identifiée et sans poignée qu'il connaissait bien pour l'avoir souvent utilisée. De l'autre côté, un tunnel menait droit aux installations d'Hydro-Québec. Ce poste de répartition qui alimentait le quartier en électricité était un véritable bunker. De l'extérieur, rien ne paraissait, mais à l'intérieur, cette forteresse souterraine était vaste et imposante. Un type de la sécurité sortit de son bureau pour l'accueillir. Dès qu'il le reconnut, il retrouva le sourire.

— Enquêteur Marceau! Il y a un moment qu'on ne vous a pas vu dans le secteur.

Jérôme s'arrêta pour discuter. Le gaillard s'appelait Tony et il veillait sur les lieux avec deux collègues qui semblaient sur les dents. La tempête n'augurait rien de bon. Les chutes de pluie verglaçante avaient déjà laissé une épaisse couche de glace sur la ville. Des arbres commençaient à tomber et on signalait des pannes. Un des deux agents, qui étaient rivés aux écrans de surveillance, se retourna. Il avait un sourire en coin.

— On vous a vu à la télé !

— Le juge qui a été descendu, renchérit Tony, c'est vous qui êtes sur le cas ?

Jérôme opina de la tête. Il refusait d'en dire plus, mais il ne voulait pas se les mettre à dos. Il allait peut-être avoir besoin de repasser par là dans les jours à venir.

— D'après mon plan, vous avez une sortie sur la rue Lajeunesse, vers les 8000.

— Oui, oui. C'est là que vous allez ? Venez, je vous accompagne.

Ce Tony était un bon bougre. La cinquantaine avancée, un pied déjà dans la retraite et l'autre juste derrière, il n'arrivait pas à s'expliquer comment une pareille fusillade avait pu se produire au palais de justice sans que personne intervienne. Un juge assassiné en plein tribunal, c'était inconcevable ! Jérôme écouta ses doléances en traversant le poste de répartition. L'endroit était particulièrement bien entretenu. Même la nuit, les planchers et les murs de béton, peints de couleurs claires, brillaient. Ils grimpèrent un escalier en métal et s'arrêtèrent devant une autre porte sans poignée. Tony poinçonna un code et fit une ultime tentative :

— Comme ça, il y a une perquisition sur la rue Lajeunesse. Est-ce qu'il y a un rapport avec le juge qui a été descendu ?

Jérôme se garda bien de répondre. La question de Tony lui rappela le surnom qu'on lui donnait, du temps qu'il travaillait à la SCS. La Belette. Et pas de doute, la Belette du poste d'Hydro-Québec de la rue Jarry était toujours aussi fouineuse. Mieux valait en dire le moins possible. Cet homme répétait tout. Ce fut le froid qui eut raison de sa curiosité. Une forte bourrasque le secoua lorsqu'il parvint à ouvrir la porte donnant sur l'extérieur. Le vent s'était levé et la glace, en s'accumulant sur les arbres, rappelait de mauvais souvenirs. Ce n'était pas le moment de bavarder.

— En tout cas, si vous voulez repasser par ici, ne vous gênez surtout pas, fit-il en lui remettant sa carte.

Jérôme lui rappela qu'il avait tout ce qu'il fallait pour entrer n'importe où, mais qu'il appellerait quand même dans le cas où il aurait à repasser. Refermant son anorak et serrant sa sacoche contre lui, il plongea dans la tempête en jetant un œil par-dessus son épaule. De l'extérieur, le poste de répartition était presque invisible. L'édifice sans fenêtres était entouré de conifères qui semblaient monter la garde. Ballotté par le vent violent, trempé par la pluie glacée, la capuche de son manteau enfoncée jusqu'aux yeux, Jérôme ne s'y retrouvait plus. Il se laissa guider par les phares des voitures de police qui montaient la garde devant l'appartement des Leclerc, rue Lajeunesse.

Et là, tout à coup, il se trouva ridicule avec son petit bras et son anorak trop mince pour le blizzard qui faisait rage. Le doute s'empara de lui. Était-il à la hauteur de cette enquête? Et pourquoi la lui avait-on confiée, au fait? Pour qu'il se casse la gueule? Il le pensait depuis le matin, mais n'osait se l'avouer. On cherchait à le coincer, à le mettre sur une voie de garage. Même cette tempête de merde s'était mise de la partie. Une heure plus tôt, il s'amusait à jouer les durs aux homicides. Il avait tenu tête à tout le monde pour montrer qu'il était le patron. Il avait poussé l'enquêteure Blanchet au bord des larmes. Mais qu'est-ce qu'il se sentait faible, tout à coup, dans cette rue balayée par la neige, et seul! Affreusement seul! Il vacillait sur le trottoir lorsque soudain une porte s'ouvrit. Corriveau, le vieil enquêteur, dévala les marches de l'escalier extérieur et grogna en passant près de lui:

— Déjà?

Loin de ses corridors et de ses souterrains, Jérôme n'avait plus de repères. Du coup, il doutait de tout et de lui-même. Mais il avait tort de se remettre ainsi en question. Son passage éclair au palais de justice lui avait permis d'ajouter un as à son jeu. Un détail surprenant avait été porté à son attention. Brigitte Leclerc, alias Julie Sanche, s'était présentée à l'audition en passant par l'allée des Huissiers. C'était maître Brown lui-même qui lui avait obtenu cette dérogation. Argument de plus pour légitimer le fait que Jérôme ait envoyé O'Leary passer au crible l'appartement de l'avocat devant le canal de Lachine. Rasséréné, il oublia son moment de faiblesse, grimpa les marches glacées et franchit le seuil du 8203, Lajeunesse.

Corriveau n'était sorti que pour chercher une lampe de poche dans une voiture de police. Il revint très vite afin de poursuivre ses fouilles dans la cuisine, l'unique pièce apparemment habitée de ce vaste appartement. L'endroit avait quelque chose d'irréel. On aurait dit un bazar ou encore une gigantesque braderie précipitamment repliée vers l'intérieur pour cause de mauvais temps. Des vêtements, des appareils électriques, des bibelots et des gadgets de toutes sortes étaient entassés, empilés, jetés les uns sur les autres dans un fouillis indescriptible. Plus déroutant encore, toute la marchandise accumulée était à l'état neuf, encore dans les emballages d'origine. D'une pièce à l'autre – il devait y en avoir sept ou huit –, c'était le même topo. Et ça se poursuivait au sous-sol, où il était difficile de circuler, tellement le désordre était grand. Il s'agissait manifestement d'une cache de receleur. Ce lieu était sans âme. Jamais Jérôme n'avait vu pareil capharnaüm. Il en émanait une impression de vide, de gouffre.

Pour avoir aperçu Brigitte Leclerc sur les écrans de sécurité du palais de justice et à l'hôpital, il était évident qu'une jeune femme aussi belle et aussi élégante n'habitait pas là. Elle n'était pas partie de cet endroit le matin même pour se livrer à une fusillade. Ni la puéricultrice ni la prostituée, s'il s'agissait de la même personne, ne correspondaient, ne collaient à ces murs, à cette absence de décor. Les hypothèses les plus folles couraient dans l'esprit de Jérôme. Brigitte, tout comme Julie, n'était peut-être qu'un écran de fumée. Une illusion. Si brillante qu'elle soit, Blanchet suivait peut-être de fausses pistes. Corriveau et O'Leary avaient bien raison de croire que la réponse à la plupart des questions qu'ils se posaient se trouvait entre les murs de ce sinistre logement transformé en entrepôt.

Jérôme s'installa devant Corriveau à la table de la cuisine. Celui-ci avait reconstitué les trois piles de documents déposées en preuve un peu plus tôt au quartier général des homicides. De nouvelles cartes de crédit s'y étaient ajoutées, confirmant l'hypothèse d'une fraude à grande échelle. Des noms d'emprunt figuraient sur chacune d'elles. Leur multiplication exponentielle donnait le vertige. Depuis leur mort, fictive ou réelle, le père et la fille avaient flambé une fortune. Mais l'arnaque était complexe. Corriveau avait mis au jour ce qui semblait être une liste de fausses adresses et de fausses cartes d'identité. Celles-ci étaient toutefois si nombreuses qu'il ne parvenait pas à y trouver un sens. Il ne comptait plus les reçus pour les centaines d'achats. Comme un automate, il se contentait de les empiler en secouant la tête. L'affaire était monumentale et il semblait impossible que Brigitte Leclerc, gisant entre la vie et la mort à l'urgence de l'hôpital Saint-Luc, ait agi seule. Mais encore fallait-il le prouver. Trouver un quelconque indice, dans cette montagne de dettes, qui puisse justifier cette façon de procéder. Jérôme décida de prêter main-forte à son adjoint et se mit à déplier des factures en les examinant une à une.

Les deux hommes poursuivirent leur travail de moine pendant une bonne demi-heure sans échanger un seul mot. Plus ils dépouillaient ces reçus, plus Jérôme éprouvait de la sympathie pour Brigitte Leclerc. Elle faisait partie d'une mise en scène, croyait-il. D'un drame dont elle n'était pas l'unique responsable. Son instinct lui soufflait qu'elle ne méritait pas de se retrouver dans une position aussi fâcheuse. Plutôt que de nier ce malaise qu'il s'expliquait mal, il s'y abandonna un moment. Est-ce pour cela qu'une adresse sur un de ces nombreux reçus attira son attention ? Parce qu'il cherchait à disculper Brigitte Leclerc, ou même parce qu'il cherchait à s'en approcher ? Comment savoir ? En regardant ce reçu de plus près, il annonça d'une voix neutre :

— Ce n'est pas ici que nous allons la retrouver. Il y a une autre adresse.

Corriveau redressa la tête et le dévisagea d'un air incrédule.

— Tu cherches quelqu'un, toi ? Moi, j'essaie seulement de comprendre quelque chose à ce merdier.

— Brigitte Leclerc. Elle n'habite pas ici. Elle habite la tour Nord des Terrasses Crémazie. Appartement 974 ! Il faut aller voir.

Le montant des reçus qu'ils passaient à la loupe depuis bientôt une heure se situait entre deux mille et cinq mille dollars. Corriveau cherchait une logique dans ces dépenses faramineuses, dans ces fausses identités et ces fausses adresses, mais il n'en trouvait pas. Il y avait trop de monde. Beaucoup trop de monde dans cette histoire. Il tenait à passer l'appartement au peigne fin avant de quitter les lieux. On ne pouvait pas laisser autant d'indices en plan. Corriveau écumait. Comment Jérôme, avec pour toute preuve le bon de livraison d'une pizza de treize dollars quarante-huit, pouvait-il prétendre être sur la bonne piste ?

— Parce que l'erreur est humaine, murmura-t-il en se levant et en glissant délicatement le reçu dans un sac en plastique. Il faut envoyer ça au laboratoire. Je veux savoir s'il y a des empreintes et à qui elles appartiennent.

— Là, Aileron, faut que tu m'expliques. Qu'est-ce que tu veux dire par « l'erreur est humaine » ?

Après un moment d'hésitation, Jérôme choisit de faire confiance à Corriveau et lui avoua l'intuition qu'il avait eue. Les montants de tous ces reçus étaient élevés. Très élevés, même. En revanche, les adresses associées aux cartes de crédit qui avaient servi à faire ces achats étaient si nombreuses qu'elles ne pouvaient qu'être fausses. Cela ressemblait étrangement à une arnaque. Ces adresses avaient été volées ou créées de toutes pièces pour tromper. Pour décourager quiconque chercherait la vérité dans ce labyrinthe de mensonges. Jérôme, au milieu de toute cette paperasse, avait mis la main sur un reçu pour une pizza de treize dollars quarante-huit avec une adresse de livraison. Le montant était si infime comparé aux autres qu'il ne pouvait s'agir que d'une erreur. Quelqu'un de bien réel habitant l'appartement 974 de la tour Nord des Terrasses Crémazie avait été pris d'une fringale subite et s'était commandé une pizza. Cette personne aurait dû détruire cette facture, mais elle n'en avait rien fait. Elle l'avait sans doute mêlée aux autres par distraction.

— Tu délires! fit Corriveau en repoussant l'hypothèse du revers de la main.

L'enquêteur s'entêta à éplucher les reçus, mais il se doutait bien lui aussi que l'appartement-entrepôt de la rue Lajeunesse n'était qu'une façade. Il y avait sûrement un autre nid ailleurs. Mais de là à quitter les lieux de la perquisition pour se rendre illico à l'adresse que Jérôme venait de découvrir… cela lui semblait une idée complètement saugrenue. «Aileron est un excentrique», pensa-t-il en s'acharnant sur ses papiers. Cet indice n'était pas une raison suffisante pour lâcher la proie pour l'ombre. Affronter la tempête dans le seul but de satisfaire un caprice de son supérieur était exclu. Jérôme cherchait des arguments pour convaincre Corriveau, mais il n'avait pas à se justifier, ni même à s'expliquer. Le hasard avait voulu qu'il tombe sur cette adresse. Il n'avait qu'à aller seul aux Terrasses Crémazie. C'était un coin qu'il connaissait bien de toute façon. Il avait beaucoup rôdé dans les sous-sols de ce grand complexe alors qu'il était à la SCS. On y accédait par le métro Crémazie, évidemment. Plusieurs tours d'habitation étaient reliées entre elles par un mail souterrain où des milliers de personnes transitaient chaque jour. Brigitte Leclerc aurait très bien pu habiter ce lieu anonyme où il était si facile de se perdre ou de se faire oublier.

— J'y vais, annonça Jérôme.

— Non mais, t'as vu le temps qu'il fait ?

Il ne prit même pas la peine de répondre. Si l'enquêteur préférait s'attarder encore un moment dans ce logement lugubre, eh bien, qu'il le fasse. Peut-être y trouverait-il quelque chose. Après, il irait dormir. Convaincu que l'affaire était classée, Jérôme se leva, prêt à partir. Le vieil enquêteur lui agrippa le bras en lançant sur un ton bourru :

— Très bien, j'y vais moi aussi.

En fait, Corriveau n'était pas satisfait de ce qu'il avait sous les yeux. Rien ne collait dans cette paperasserie. Il avait la curieuse impression de se faire mener en bateau. Tandis que Jérôme téléphonait à Tony, le type d'Hydro-Québec, pour qu'il lui ouvre la porte du bunker, Corriveau prit le reçu de pizza dans son petit sac en plastique et en recopia l'adresse. Il donnait déjà des ordres aux agents qui étaient de faction à l'autre bout du logement. Deux voitures de police étaient garées dans la rue. Une course contre la montre venait de s'engager.

— Tu passes par en dessous ? fit-il encore.

Jérôme eut tout juste le temps d'acquiescer que Corriveau était dehors. Il voulait le prendre de vitesse, aurait-on dit. Aller explorer cette piste farfelue pour mieux le narguer par la suite. Il débarquerait aux Terrasses Crémazie dans un feu d'artifice de gyrophares et au son strident des sirènes, tandis que l'enquêteur chef serait toujours coincé dans le métro. Mais c'était très bien ainsi. Jérôme n'en prenait pas ombrage. Faire transport à part lui convenait parfaitement.

* * *

En entrant dans le métro qui le mènerait une station plus au nord, Jérôme sortit son portable et vérifia ses courriels. Installé devant une grande fenêtre près des portes, il trouva un message de Blanchet laissé à 23 h 26 : « Un avocat de la Couronne a été affecté au dossier. Il s'appelle François Sévigny. Il veut te rencontrer demain à la première heure. On se tutoie, si je me souviens bien. » Tout compte fait, Jérôme aimait bien cette fille. Quatre morts sur les bras au premier jour de boulot et elle avait toujours l'esprit éveillé, même à 23 h 26. Il nota le nom du procureur avec la mention « RV tôt demain » et vérifia s'il n'y avait pas d'autres messages. O'Leary, qu'il avait envoyé fouiner au condo de maître Brown, se faisait discret. S'il avait trouvé quelque chose, il se serait déjà manifesté. Jérôme consulta enfin son téléphone. Sa mère avait laissé deux nouveaux messages portant la mention urgent. Il en écouta un au hasard :

— Jérôme, c'est Florence. Dans le message précédent, je t'ai dit que j'allais faire des courses malgré le mauvais temps. Eh bien, je suis revenue. C'est fait. J'ai trouvé ce qu'il faut. Rappelle-moi.

Florence était égale à elle-même. Elle était aussi abstraite qu'un tableau de Rauschenberg. Il écouta un autre message pour essayer de s'y retrouver.

— Jérôme, c'est Florence. J'en ai un brun, un noir et un marine. Personnellement, je préfère le bleu marine. Mais tu choisiras. On a trois jours pour ramener les autres. Rappelle-moi.

C'était un poème cette fois et non un tableau. Mais tout aussi insaisissable. Florence avait l'art de parler sans se faire comprendre. Dès qu'il aurait un moment, il écouterait les messages précédents, mais pour l'instant il devait courir. Des voyageurs de nuit s'étaient massés sur le quai. Le métro entra en station, les portes automatiques du wagon s'ouvrirent et il se mêla à cette foule indolente aux vêtements trempés par la pluie verglaçante. Deux minutes plus tard, il descendait à la station Crémazie. En haut de l'escalier mécanique de la sortie nord, Jérôme bifurqua vers la grande verrière aménagée au pied des tours d'habitation. Le jour, un nombre impressionnant de traiteurs offraient des mets venant des quatre coins du monde. Au centre, telle une place de village, il y avait des tables, des chaises et des bancs de parc disposés autour de plantes vertes synthétiques. L'endroit était désert à cette heure, ce qui lui donnait un air encore plus factice. On aurait dit un décor de cinéma. Jérôme s'installa dans un coin, posa sa sacoche, sortit son téléphone et releva l'écran de son ordinateur. Blanchet lui avait aussi envoyé le dernier bilan de santé de Brigitte Leclerc avant de rentrer chez elle. Son rythme cardiaque était stable. Elle était toujours dans le coma, mais avec un peu de chance elle en sortirait bientôt. L'enquête progresserait alors. D'ici là, une question le taraudait. Pourquoi Brigitte Leclerc était-elle devenue Julie Sanche après sa sortie de prison ?

La neige glacée fouettait les parois vitrées de la grande serre qui l'entourait. D'heure en heure, la tempête gagnait en intensité. Lorsqu'il tombait plus de vingt centimètres de cette bouillie sur la ville, le chaos s'installait et il fallait chaque fois trois jours pour s'en remettre. Tout pour compliquer son enquête. Il s'efforça de ne pas trop y penser et remballa ses affaires en prenant bien son temps. Corriveau avait besoin de ce petit délai pour trouver le condo et en défoncer la porte. C'était sa spécialité. Il ne voulait surtout pas empiéter sur son champ d'action.

C'est en jonglant avec les pièces du puzzle qu'il emprunta le passage menant aux ascenseurs de la tour Nord. Si l'appartement de la rue Lajeunesse était une énigme, le condo des Terrasses Crémazie n'était rien de plus qu'une intuition. Il avait si peur de s'être trompé qu'il s'attarda un moment dans l'ascenseur. Puis les portes s'ouvrirent. En voyant la moquette épaisse qui courait dans le corridor et les tableaux accrochés aux murs, il se ravisa. On pouvait très bien imaginer une prostituée de luxe recevant ses clients dans un endroit semblable. Deux agents montaient la garde devant la porte du 974. Corriveau était déjà à l'œuvre à l'intérieur. Il prit tout de même le temps de marmonner :

— T'avais raison. C'est ici qu'elle habitait. Enfin, qu'elle habite.

En un rapide coup d'œil, on concevait aisément que Brigitte alias Julie ait pu habiter là. Il y avait quelque chose de douillet et de clandestin dans ce condo. Un parfum d'érotisme flottait dans l'air. Jérôme arpenta la pièce principale, un salon meublé avec goût qui donnait sur une chambre à coucher dont le plafond était couvert de miroirs. Le lit aux oreillers de plume et aux draps de satin blanc était défait. Dans le placard laissé entrouvert, des robes de soie au décolleté audacieux rivalisaient avec des chemisiers tout aussi provocants. La salle de bains contiguë était une invitation à la détente et à la luxure. Le bain à remous ceinturé de glaces et de bougies faisait face à une immense douche vitrée. Le lavabo sur pied était surmonté d'une étagère sur laquelle s'étalaient des parfums, des pots de crème, des bouteilles d'huiles essentielles et trois bâtons de rouge à lèvres. Tous de la même teinte. Un vieux rose délicat. Au-dessus du lavabo, un rangement dissimulé derrière un miroir était bourré de flacons. Des médicaments pour la plupart, que Jérôme se contenta de balayer du regard sans prendre la peine de les regarder de plus près. Corriveau se chargerait d'en faire l'inventaire.

Il se dirigea vers la cuisine – tout juste un cagibi – où personne n'avait fait à manger depuis des lustres. Le vieil enquêteur s'y était installé, coincé entre la table et le réfrigérateur. Devant lui, il y avait encore des reçus, des cartes de crédit et des papiers d'identité.

— J'aurais imaginé quelque chose de plus grand, suggéra Jérôme. Pour deux personnes, c'est un peu juste.

— Elles ne sont pas deux. Elles ne l'ont jamais été !

Corriveau avait les choses bien en main. Il avait étalé des petits sacs en plastique sur la table et faisait un inventaire méticuleux. S'attarder plus longtemps dans cet endroit aurait été une perte de temps pour Jérôme. Pour la forme, il continua de faire le tour du propriétaire, les mains croisées derrière le dos. Il s'arrêta devant la bibliothèque du salon, où une douzaine de livres à peine meublaient les rayons. L'un d'eux, un bouquin de Françoise Dolto, était plus défraîchi que les autres. Il semblait avoir été lu plus d'une fois. Les pages étaient froissées et la couverture, déchirée.

— Dis-moi, Aileron, c'est vraiment avec ce reçu de pizza que t'as trouvé cet appartement ou tu savais déjà qu'il existait ?

Corriveau n'en revenait toujours pas. Ayant retrouvé sa superbe, Jérôme se garda bien de lui répondre.

— Le rouge à lèvres dans la salle de bains, c'est celui qu'elle portait ce matin au palais de justice.

Il n'allait tout de même pas lui dire qu'il avait improvisé. Ou, pire encore, qu'il avait simplement eu une chance incroyable en tombant sur ce reçu. Corriveau abandonna ses papiers pour venir jeter un œil dans la salle de bains.

— Faudrait savoir à qui appartient ce condo. À quel nom il est.

— Je vais le savoir, grogna le vieil enquêteur, visiblement agacé. Même si je dois y passer la nuit.

Jérôme hocha la tête. C'était ce qu'il voulait entendre.

— Alors je te laisse. Et tu nous racontes tout ça demain matin.

Il effectua une manœuvre de retrait parce qu'il avait sommeil. Il n'était plus capable d'aligner deux idées sans se mettre à douter. Il avait eu beaucoup de chance jusque-là. Sa visite à la sécurité du palais de justice avait été payante et le reçu de pizza avec cette adresse, encore plus. Des aubaines comme ça, on n'en a pas trois dans une journée. Ce n'était plus la peine d'insister.

— Non mais, dis-moi, Aileron ! Comment t'as su qu'il existait, ce condo ? Comment tu nous as amenés ici ?

Jérôme se cantonna dans le silence. S'il avait dit la vérité, il aurait baissé dans l'estime de Corriveau alors qu'il venait tout juste de s'y hisser. Il ronchonna plutôt :

— J'aimerais bien que tu m'appelles par mon nom parfois.

— D'accord, Marceau.

Redressant l'échine, Jérôme referma la porte du 974 de la tour Nord des Terrasses Crémazie en songeant qu'il venait de marquer un point.

* * *

Il était près de deux heures lorsque Jérôme rentra chez lui. Il avait fait un bilan à la sauvette dans l'ascenseur. Avec un peu de chance, Corriveau trouverait une piste ou deux dans le condo des Terrasses Crémazie. En recoupant avec ce que leur apprendrait Brigitte à son réveil, advenant qu'elle s'extirpe du coma, il aurait des réponses à donner à la juge Evelyne Lebel avant qu'on enterre son mari. Mais une question continuait de le tracasser. Pourquoi lui avait-on confié cette enquête au juste ? Un juge était mort. Comme le lui avait dit Lynda, ils s'étaient entendus pour qu'il s'occupe de l'affaire, mais qui au juste étaient ces personnes qu'on n'osait nommer ? Et pourquoi était-ce lui qu'on avait poussé devant les caméras ?

Perplexe, Jérôme déposa les armes – son ordinateur et son portable – avant de se diriger vers la salle de bains pour se doucher. Mais il se ravisa. Déjà à moitié endormi, il ne voulait pas risquer de se réveiller. Le lendemain, il n'aurait qu'à se lever un peu plus tôt pour faire sa toilette. Alors qu'il filait vers son lit, il pensa au téléphone qu'il n'avait pas remis en charge, et bien sûr, aux messages de Florence. Ceux qu'il n'avait pas écoutés. Rebroussant chemin, il fit amende honorable. Le tout premier de ces messages disait :

— Bonjour Jérôme. Je t'ai vu à la télé. Il faut faire quelque chose à propos de ce veston. Il est horrible ! Comme les magasins sont ouverts ce soir, je pourrais prendre le métro et te rejoindre à La Baie. Rappelle-moi.

C'était donc ça. Sa mère avait décidé de l'habiller. Elle le confirmait d'ailleurs dans son mot suivant :

— Jérôme. Toujours moi. Je sors te chercher quelques vestons. Rappelle-moi !

Malgré ce temps de chien, elle était venue en ville et lui avait acheté trois vestons. Il sauta les deux messages écoutés sous la verrière des Terrasses Crémazie et qui lui avaient appris qu'il y en avait un noir, un brun et un marine, celui qu'elle semblait préférer. Puis il écouta le dernier, qui était ni plus ni moins qu'une sommation. Elle exigeait qu'il passe chez elle le lendemain pour une séance d'essayage. Jérôme fit la moue en se glissant sous les couvertures. Une confusion monumentale régnait dans son cerveau. Un magma d'informations enchevêtrées qui risquaient de lui ravir sa nuit s'il n'éteignait pas le feu. Son esprit en cavale s'arrêta plutôt sur un détail, le plus banal de tous a priori, qu'il se répéta comme un mantra afin de ne pas l'oublier. Alors que Blanchet était au bord des larmes, elle lui avait dit que Brigitte Leclerc, dont on savait si peu de choses, avait fait une demande de pardon à la cour. Cette requête, refusée deux fois, ne ferait pas forcément avancer l'enquête, mais chercher à ne pas l'oublier l'aiderait à s'endormir. Les choses inutiles sont souvent comme ça. Elles vous lassent et finissent par vous endormir. Il allait enfin y parvenir lorsque la sonnerie du téléphone le fit sursauter. Il se releva pour aller répondre.

— Marceau.

— Aileron ? C'est moi, Lynda.

La voix de l'enquêteure chef était toujours aussi abîmée. Elle ne manifestait aucune gêne de l'appeler à pareille heure. Sans s'empêtrer d'excuses, elle lui dit :

— Je t'appelle entre deux traitements. Il fait un temps magnifique ici.

Jérôme se massa le visage en devinant la suite. Le ton devint expéditif :

— Est-ce que tu as parlé à la juge Lebel ?

Entre un massage shiatsu et un bain de boue, Lynda venait aux nouvelles. Mais Evelyne Lebel n'était qu'une entrée en matière. Elle voulait surtout savoir comment progressait l'enquête. Il hésita un peu trop avant de répondre. Elle s'impatienta :

— Aileron ! T'es encore là ?

Ce sobriquet dont l'affubla Lynda le tira brusquement de sa torpeur.

— Même Corriveau m'appelle par mon nom, maintenant.

Il y eut un silence à l'autre bout du fil. Un très long silence où il eut à son tour envie de dire : « T'es encore là ? »

— Pardon, je...

— Nous allons bientôt savoir ce qui s'est passé dans cette salle d'audience, enchaîna-t-il. Ce n'est pas évident, mais on va y arriver.

— Je suis ravie de l'entendre.

Lynda s'éclaircit la voix, prit une grande respiration et l'informa d'un certain nombre de choses qu'il devait savoir. D'abord, le juge assassiné aurait droit à des obsèques en grande pompe. Si Adrien Rochette ne siégeait qu'à la cour provinciale, Evelyne Lebel, sa femme, officiait à la Cour supérieure du Québec, et le frère de celle-ci, Louis E. Lebel, était juge à la Cour suprême du Canada. C'était donc la magistrature avec un grand M qui venait de perdre un des siens, même s'il s'agissait de son plus petit dénominateur commun. L'affaire faisait déjà grand bruit dans les médias, bien sûr, et on voudrait, on exigerait de savoir ce qui s'était passé avant l'enterrement, qui aurait lieu le vendredi suivant.

— Malgré le cyclone qui nous tombe dessus.

— Ce n'est pas un cyclone, Ail...

Les dernières syllabes de son sobriquet ne traversèrent jamais le Pacifique. Lynda, après un court silence, en vint à des considérations personnelles. Le pouvoir dans toute sa splendeur et toutes ses allégeances jouerait du coude lors de cette cérémonie. Larmes de crocodile à la clef, chacun se recueillerait sur la dépouille d'un petit juge sans envergure dont l'unique talent avait été de faire un mariage d'intérêt. Elle livrait ce boniment empreint d'ironie en toussant et en râlant comme si elle cherchait à masquer le sarcasme qu'il y avait derrière ses mots. En d'autres circonstances, elle n'aurait pas eu ce scrupule.

Jérôme était désormais bien réveillé. Ce portrait d'Adrien Rochette avait achevé de lui ouvrir les yeux. Réfléchissait-elle à voix haute sur son propre mariage ou dénonçait-elle la mascarade qui entourerait à n'en pas douter l'enterrement du juge? Était-ce une mise en garde ou simplement une raillerie comme elle en faisait sur tout et sur rien? À son tour, il s'éclaircit la voix:

— Mais pourquoi m'a-t-on confié cette enquête à moi?

— Parce que je l'ai demandé. Tous les autres étaient d'accord, je te l'ai dit.

— Quels autres? lança-t-il inquiet. De qui parles-tu?

— Toujours aussi parano, mon grand?

Du coup, elle se mit à tousser en pestant contre l'air vicié qui empoisonnait l'atmosphère des avions. Se gardant bien de répondre à sa question, elle chercha à l'amadouer en lui lançant des fleurs:

— Tu es le meilleur dans ce genre de trucs, Marceau. Et on veut savoir ce qui s'est passé dans cette salle d'audience, ce qui a poussé la petite à tirer ainsi sur tout le monde. Il doit bien y avoir une raison. Tu as jusqu'à vendredi dix heures pour trouver.

Long silence au bout du fil. Jérôme connaissait trop bien la patronne. S'il ne trouvait pas quelque chose à dire – quelque chose d'intelligent malgré l'heure –, elle raccrocherait en faisant une entourloupette du genre : tu me reviens là-dessus, d'accord ? Mais elle l'avait tout de même appelé Marceau. C'était une nette amélioration.

— Alors ce voyage de noces, ça se passe bien ?

Pour toute réponse, elle continua de tousser. En début de conversation, Jérôme l'avait imaginée sur une plage, le portable vissé à l'oreille. Mais il y avait de l'écho lorsqu'elle graillonnait. On aurait dit qu'elle était sur le bord d'une piscine intérieure ou même au milieu d'une grande pièce vide.

— Je t'ai dit, n'est-ce pas ? J'ai attrapé une vilaine grippe.

Jérôme ne croyait ni à Dieu ni à diable. En fait, il ne croyait en rien, et surtout pas en quelqu'un qui lui mentait. Plus cette conversation se prolongeait, plus il doutait de la bonne foi de l'enquêteure chef. Même son mariage lui paraissait louche. Il avait aussi des réserves quant à son séjour dans des îles de l'Asie du Sud-Est. Pour tout dire, il se demandait si c'était vraiment Lynda qui était au bout du fil.

— Alors, tu me reviens là-dessus ? fit-elle en raccrochant.

Sa méfiance se dissipa aussitôt. C'était un de ses classiques : « Tu me reviens là-dessus. » Il n'y avait plus personne au bout du fil. Pendant quelques minutes,

Jérôme se repassa le ruban de la conversation. Son cerveau, qu'il avait cherché à mettre en état de sommeil juste avant l'appel, était à présent en ébullition. Il s'imaginait souvent le pire, mais avec Lynda ce n'était jamais le pire qui survenait. C'était l'imprévu. Ce cours en accéléré sur la magistrature, par exemple. Il avait affaire à un juge de la cour provinciale marié à une juge de la Cour supérieure du Québec, qui elle-même était apparentée à un magistrat de la Cour suprême du Canada. Pourquoi l'avait-elle mis en garde? Parce que c'était toujours ainsi dans ce foutu pays. Lorsqu'on parlait du Canada, immanquablement le Québec s'inquiétait. Et vice versa. À croire que le moindre rapprochement entre les deux provoquait une grossesse nerveuse chez l'un ou l'autre. Jérôme détestait la politique. Son propre dédoublement de personnalité lui suffisait largement. Comme plusieurs, il la subissait. Si Lynda lui avait parlé de la veuve officiant à la Cour supérieure et du beau-frère siégeant à la Cour suprême, c'est que l'éternelle querelle planait aussi sur cette affaire. La patronne avait tort de dire qu'il était paranoïaque. Il était plutôt schizophrène, comme tout le monde. C'était le mal national.

Jérôme erra un long moment dans son appartement en se demandant où atterrir. Sur le divan de la chambre d'amis qui n'avait jamais accueilli d'amis ou dans son lit, où il avait déjà l'impression d'avoir passé la nuit. Il ne croyait plus en rien, même pas en Lynda. Pourquoi lui avait-elle répété que « les autres » étaient d'accord pour qu'il mène l'enquête sans lui dire qui étaient ces autres? Et cette toux qui n'en finissait plus?

À l'entendre râler, elle avait plutôt l'air d'une femme au bout du rouleau. Un flic au bord du *burn-out*. L'enquêteure chef avait trimé dur pour faire sa place aux homicides. Comme lui, elle avait dû se mesurer à O'Leary et à Corriveau pour arriver à s'imposer. Son armure était cabossée. Ses poumons sifflaient et elle devait se soigner avant de revenir. Voilà ce qu'elle faisait là-bas à l'autre bout du monde. Son mariage si discret n'en était pas un, et son voyage de noces n'était qu'un écran de fumée. En vérité, elle était fatiguée. Épuisée même. Jérôme continua de se torturer ainsi pendant une bonne demi-heure. En regagnant sa chambre, il dormait déjà. Il dormait debout.

Deux secondes

Dans la petite salle d'audience, Brigitte Leclerc attend la mort, mais celle-ci ne vient pas. Il faudrait qu'elle appuie sur la détente. Elle sent la chaleur du canon pointé sur elle, mais les images de sa vie défilent toujours sous ses yeux et la paralysent. Le récit a fait un nouveau ricochet.

Trois mois se sont écoulés depuis qu'elle est sortie de prison. Trois mois dont elle n'a pratiquement pas de souvenirs, jusqu'à ce détail anodin. Il est tard. Elle est au lit dans l'appartement de la rue Lajeunesse lorsque Carl Leclerc rentre de travailler. En passant devant la porte de sa chambre, il murmure : « Ça va, Julie ? Tu as eu une bonne journée ? »

Carl s'éloigne sans attendre la réponse. Il dort déjà lorsqu'il se glisse entre les draps froids du lit, dans la chambre voisine. Brigitte n'a pas relevé la méprise. Pour son père, elle est devenue Julie, même si elle n'a pas encore décroché un poste dans une garderie. Et pour cause. Brigitte n'a pas l'âme d'une puéricultrice. Elle résiste à se présenter dans un des CPE où il a maintenu des dossiers actifs pendant qu'elle était en prison.

Elle veut bien que son père l'appelle Julie, même en privé. Elle veut bien utiliser les cartes de crédit de sa sœur, et elle veut bien faire semblant d'être quelqu'un d'autre, mais elle s'imagine mal passer des journées entières accroupie devant des enfants pleurnichards.

Le projet de Carl a donc échoué. Brigitte est devenue Julie, mais seulement pour la forme. L'affaire était prévisible. Carl Leclerc n'est pas un homme sans histoires, c'est un petit truand. Officiellement, il est barman à l'hôtel InterContinental, où il passe le plus clair de ses nuits. Mais le jour, il achète et revend tout ce qui lui tombe sous la main. Ce n'est pas pour mal faire. Plutôt pour ne pas penser. Depuis la mort de sa femme, il achète des amplis et des ordinateurs volés qu'il revend à des jeunes en prenant une cote. Il court les bazars et les marchés aux puces. La nuit, lorsqu'il est derrière son bar, il y a toujours un client pour lui souffler qu'un *stock* d'ordinateurs est arrivé à tel endroit et qu'il y a un bon *deal* à faire. Carl Leclerc est toujours preneur. C'est une vraie manie chez lui.

Pendant que Brigitte était en prison, il en a profité pour diversifier ses activités. En plus du matériel électronique et des amplificateurs, il trafique des cartes de crédit. L'idée lui est venue alors qu'il préparait la sortie de prison de Brigitte. Comme il voulait lui refiler l'identité de sa sœur, il a maintenu les cartes bancaires de Julie sous respirateur artificiel en achetant des tas de choses à son nom. À la fin de chaque mois, il remboursait scrupuleusement les soldes, mais se retrouvait avec des vêtements et des bijoux dont il ne savait que faire. Un jour, il décide de les écouler avec les amplis, les guitares et les ordinateurs. Ce petit commerce remporte un franc succès. Au bout de quelques semaines, on lui réclame plus de vêtements que de gadgets électroniques. Il se rend alors compte qu'il y a une petite fortune à faire. Le problème, bien sûr, c'est qu'il ne fait pas d'argent. Pour l'instant, il doit rembourser les soldes des cartes de Julie. L'idéal serait de ne pas avoir à payer ces achats tout en continuant à les revendre.

Un soir, Carl rencontre un type au bar de l'hôtel InterContinental. Un informaticien fauché qui connaît une combine sans failles pour frauder les compagnies de cartes de crédit. Carl flaire la bonne affaire. L'informaticien ruiné n'a pas de nom. Il refuse de lui en donner un. Il n'a qu'une adresse Internet. Moyennant une petite avance, il s'engage à lui faire parvenir des codes lui permettant d'accéder à des comptes de cartes de crédit. L'homme sans nom doit aussi fournir les numéros de cartes d'identité correspondantes. Il y a une procédure à suivre : « Si on suit les règles, on n'y verra que du feu. »

Carl est tenté par l'aventure. L'homme à l'adresse Internet continue de venir boire un scotch, les vendredis soir, au bar de l'InterContinental. Il n'a jamais cessé d'envoyer des codes contre les petites avances que Carl lui refile dans des enveloppes. Celui-ci pose le moins de questions possible, mais l'informaticien lui donne des conseils, quelquefois. « Il est préférable d'acheter des petits objets de luxe », par exemple. Ou encore : « Les bijoux sont au goût du jour. » Suivant ses recommandations, Carl se spécialise dans le commerce des montres de luxe. L'idée lui est venue un soir où le bar de l'InterContinental était bondé de touristes chinois. Vendre des montres suisses de contrefaçon à des Chinois de passage l'amuse beaucoup. Ces copies sont justement fabriquées en Chine, mais, pour une raison qui lui échappe, ils adorent les acheter ici.

En se spécialisant ainsi, Carl Leclerc fait beaucoup plus d'argent. Il raffine bientôt son escroquerie et achète des dizaines et des dizaines de Rolex avec de fausses cartes. Cette réorientation majeure de son commerce illicite passe inaperçue dans le logement de la rue Lajeunesse. L'appartement croule toujours sous les amplis, les guitares et les vieilles télévisions. Mais il s'agit là d'un paravent. « Le *cash*, c'est les montres. » Il les garde bien à l'abri dans un coffre dissimulé au sous-sol.

À sa sortie de prison, Brigitte a du mal à s'ajuster. L'idée de porter le nom de sa sœur la paralyse et Carl le voit bien. Plus jamais on ne parle de garderie à la maison. Brigitte a de quoi s'occuper, de toute façon. Elle prépare les repas, fait la lessive, fait le ménage. Des corvées auxquelles elle se plie dorénavant avec plaisir. Les choses ont changé et sa relation avec son père a évolué. L'indifférence a fait place à la connivence. Eux qui avaient du mal à échanger deux mots sont devenus intarissables. Ils rigolent ensemble, s'attardent à table, sortent régulièrement au restaurant. C'est lors d'un de ces soupers que Carl lui parle du système de fausses cartes qu'il a mis au point avec l'homme à l'adresse Internet. Carl vante les mérites de cette combine qu'il a eu le temps de mettre à l'épreuve depuis deux ans. Jamais il n'a été inquiété par les agences de recouvrement. Il fait dans les montres de luxe depuis un moment. Il existe toutefois un joli marché pour les bijoux. Il suffirait d'élaborer un stratagème pour les acheter avec de fausses cartes de crédit.

Brigitte est séduite par le marché que lui propose Carl. Elle a envie de faire équipe avec lui car, découvre-t-elle, c'est l'as de la combine. Elle admire son imagination, sa vivacité d'esprit, son aplomb. Grâce à lui, elle échappe à l'ordinaire, au réel. Tous les jours, elle a une nouvelle identité. Celle qui vient avec les cartes et les papiers que son père lui procure. Un jour, elle est Michelle, le lendemain, Eugénie, et le surlendemain, Béatrice. Ces femmes, plus éphémères les unes que les autres, ne peuvent pas se ressembler puisqu'elles ont des noms et des statuts différents. Brigitte doit donc créer des personnages qu'il lui faut vêtir et coiffer. Elle doit inventer des scénarios, aussi. Béatrice achète une chaîne en or pour l'homme de sa vie, celui qu'elle a épousé il y a un an. Eugénie achète un collier serti de diamants avec l'héritage qu'elle a reçu de son père. Michelle a pour sa part un faible pour les bagues. Elle peut hésiter une journée entière avant d'acheter celle qui lui plaît vraiment. Le bijoutier, exaspéré, ne pose pas de questions lorsqu'elle se décide enfin. La carte qu'elle lui présente est certifiée platine. La transaction passe comme une lettre à la poste.

Carl Leclerc est ravi du travail de sa fille. Brigitte a une assurance et une élégance innée. Elle peut se présenter chez les grands couturiers et les bijoutiers célèbres sans se faire remarquer. Prudente, elle porte une attention maniaque aux moindres détails. Les jeux de rôles lui vont à merveille. Fier du talent de sa fille, Carl décide de lui enseigner les rudiments de la fraude. Première règle, ne jamais laisser de traces derrière soi. Deuxième règle, en dire le moins possible et toujours garder une carte dans sa manche.

Comme Brigitte apprend vite, le chiffre d'affaires grimpe rapidement. Elle s'appelle tour à tour Raphaëlle, Fanny, Ingrid, Delphine, Charlotte. Et elle a du goût. Un goût exquis pour les bijoux, auxquels Carl ne connaît rien. Qu'importe, il écoule tout ce qu'elle lui ramène. Il est très populaire auprès des touristes du bar de l'Inter-Continental. À la veille de leur départ, plusieurs d'entre eux cherchent à se débarrasser des dollars canadiens qu'il leur reste. Carl leur offre des bijoux et des montres de toutes sortes à des prix qui défient la concurrence. Ce nouveau négoce qu'il a mis sur pied avec sa fille l'a requinqué. Il a rajeuni, a perdu sa tristesse, dort et se nourrit mieux, échafaude des plans et passe le plus de temps possible avec Brigitte. Il la trouve évidemment de plus en plus belle. Pour incarner tous ces personnages, Brigitte soigne son allure, porte des vêtements griffés, des chaussures et des accessoires de star, et change constamment de coiffure. Elle est d'une beauté à couper le souffle. Parfois Carl se pince en l'admirant. Brigitte est devenue le centre de son existence, le projet de sa vie, ou du moins des cinq prochaines années. Le temps qu'elle se réhabilite aux yeux de la cour et de la société.

* * *

Quelqu'un entrouvre la porte de la petite salle d'audience. Brigitte lève les yeux. Une voix féminine retentit.

— Oh mon Dieu !

La porte se referme aussitôt. Brigitte sait que le temps lui est compté. Elle a reconnu la tête poivre et sel de la greffière. Affolée, celle-ci ne tardera pas à donner l'alerte. Pourtant, Brigitte ne parvient pas à presser la détente. Elle se revoit à l'époque où elle changeait d'identité tous les jours. Elle se prénommait alors Clotilde, Iris et même Gervaise. Mais à jouer ce jeu trop longtemps, on se lève un jour et on n'est plus personne. Brigitte est riche, elle a tout ce qu'elle veut. Ses moindres caprices sont exaucés, mais elle n'existe pas. N'être personne est une sensation étrange. Elle ne comprend pas ce qui lui arrive. Et bien sûr, elle ne s'amuse plus. Changer d'identité est devenu routinier. Sa vie si imprévisible auparavant lui paraît affreusement prévisible maintenant. Et puis, à force d'acheter, d'acheter et d'acheter, on finit par ne plus rien désirer. Elle a tout ce qu'elle souhaite, sauf l'essentiel : une identité. Elle voudrait cesser de tricher et marcher droit comme elle s'est engagée à le faire en sortant de prison.

Brigitte confie son désarroi à son père. Mais Carl ne comprend rien à rien. Selon lui, ce qu'ils font, c'est pour son bien. Pourquoi parle-t-elle de marcher droit, tout à coup ? Ils font une équipe du tonnerre. Et le temps file. Bientôt, les cinq années seront écoulées. Qu'est-ce qu'elle peut vouloir de plus ?

— Être quelqu'un et maintenant, lui fait-elle comprendre. Être une seule personne, moi, et le plus tôt possible !

— On veut toujours être quelqu'un d'autre, lui répond-il désemparé.

Mais son malaise est bien réel. Depuis quelque temps, Brigitte rêve d'avoir une vraie histoire. Elle rêve d'être Julie pour vrai. Alors discrètement, elle ressort le diplôme de sa sœur et le livre de Françoise Dolto, *Lorsque l'enfant paraît*. Puis elle retrace les demandes d'emploi faites par son père au nom de Julie pendant qu'elle était en prison. Une de ces garderies l'intéresse particulièrement.

— Tu veux vraiment travailler dans une garderie, te fendre en quatre à longueur de semaine pour trois cents malheureux dollars alors que tu peux en gagner dix fois plus sans te fatiguer.

— Je veux être quelqu'un, insiste-t-elle. Je n'ai plus envie de n'être personne !

Carl Leclerc est incapable de refuser quoi que ce soit à sa fille. Et après tout, c'était son idée, au départ. Si Brigitte veut vraiment être Julie, pourquoi s'y opposerait-il ? D'autant que le dossier a été réactivé. Il peut très bien se débrouiller seul dans ses magouilles. Brigitte a mieux à faire de sa vie. Elle se prépare à sa nouvelle carrière en relisant le livre de Françoise Dolto. Elle s'habitue doucement mais résolument à l'idée qu'elle est devenue Julie. Pour cela, elle doit penser et agir comme elle. Le jour de l'entrevue, Julie opte donc pour une robe toute simple, sans flaflas, des talons plats et un sac à dos. Elle ne s'est pas maquillée et a noué négligemment ses cheveux. À la voir, on dirait une jeune diplômée honnête et consciencieuse.

Cette nouvelle Julie tient à être impeccable pour sa rencontre avec le comité de sélection de la garderie où elle postule. Mais, première surprise, il n'y a pas de comité de sélection. Gilbert Bois, le directeur du CPE, est seul à la recevoir et à l'interroger. Julie a apporté son diplôme, qu'elle a glissé dans le livre aux pages cornées de Françoise Dolto. Elle le dépose sur le coin du bureau. Il n'y prête aucune attention. Il la dévore des yeux. Plutôt que de battre en retraite comme l'aurait fait Julie, Brigitte reste là, bien calée dans sa chaise. Elle croise les jambes en plantant son regard dans celui de l'homme. Elle comprend instinctivement que le directeur du CPE cherche à la séduire et, sans savoir pourquoi, elle a le réflexe de monnayer.

Sous son épaisse chevelure d'adolescent, Gilbert Bois sourcille. La jeune femme est plus délurée qu'il ne l'aurait cru au premier abord. Elle ne repousse pas ses avances, elle les encourage même. En le fixant d'un sourire engageant, Julie semble lui signifier qu'elle est libre. Si c'est le prix à payer pour décrocher l'emploi, elle ne s'en ferait pas de scrupules. Persuadé qu'il l'a charmée, Gilbert Bois se gonfle d'orgueil, et avant même que l'entrevue ne soit terminée, il lui confirme qu'elle a le poste. Sauf que Julie est déçue. Déçue par cet homme et par ses manières. Elle croyait que des histoires comme celle-là n'arrivaient qu'en prison.

Le livre de Françoise Dolto ne lui a donc été d'aucune utilité. À preuve, dès son embauche à la garderie, elle est reléguée aux tâches ménagères. Cela fait partie de son intégration, lui dit-on. Mais la rumeur circule déjà. Julie Sanche couche avec le directeur qui, c'est bien connu, est un tombeur impénitent. Lorsque les enfants dorment, les éducatrices ne parlent que de cela! Elles en parlent gravement, comme si la sécurité de l'établissement était compromise. Et puis, les choses se gâtent. Au bout de deux semaines, Julie Sanche est ostracisée. Elle n'est plus personne dans ce CPE où elle avait tellement souhaité devenir quelqu'un. Elle est moins que rien.

Un mois après son embauche, Gilbert Bois se voit dans l'obligation de la congédier. Il n'a pas le choix. Son propre poste est en jeu. Il doit se soumettre à la demande des éducatrices, sinon le syndicat menace de s'en mêler. Désemparé, il lui dit qu'il l'aime, qu'il ne peut plus se passer d'elle et qu'il y a peut-être une solution. Elle l'envoie promener, mais il insiste en lui proposant de l'argent. Pas mal d'argent. Comme c'est malgré tout un bon amant, elle promet d'y réfléchir. À ce point, Brigitte abandonne toute velléité de devenir éducatrice. Les CPE sont à ses yeux comme les prisons. Il y a ceux qui paient pour le sexe et il y a ceux qui le vendent. Du moins, c'est ce qu'elle croit. Devant une réalité aussi décevante, à quoi bon vouloir devenir quelqu'un ? Autant rester personne.

En tant que directeur d'un CPE, Gilbert Bois dispose d'une enveloppe discrétionnaire. Pas une fortune, mais assez d'argent pour donner à Brigitte, devenue Julie, l'impression qu'elle travaille, qu'elle gagne sa vie de façon régulière. C'est du moins ce qu'elle dit à son père. Carl Leclerc n'y voit que du feu. Elle se laisse séduire par son ancien patron. Elle baisse la garde. Il dit qu'il l'aime comme un fou et qu'il est prêt à tout pour elle, même à piger dans la caisse de la garderie. Il est beau, il est tendre. Grâce à lui, elle a l'impression d'exister, d'être enfin une femme. Elle est momentanément aveuglée, jusqu'à ce que tout éclate, que l'impensable se produise, comme il se produit toujours.

Julie a quitté la garderie depuis deux mois, mais elle n'a pas cessé de voir Gilbert Bois. Deux fois par semaine, ils passent quelques heures dans une chambre de motel anonyme, sur une grande artère commerciale. Ce jour-là, elle est fidèle au rendez-vous. Elle attend dans la chambre, mais Gilbert n'arrive pas. En réalité, le directeur du CPE où elle a si brièvement travaillé est sur la sellette, dans l'embarras. Il a dépensé tout l'argent de son enveloppe discrétionnaire sans aucune justification. Les soupçons de relation extraconjugale planent et son conseil d'établissement lui demande des comptes. La femme de Gilbert Bois a été mise au courant de l'affaire. Son mari, qui a promis mer et monde à Julie, s'empêtre dans ses mensonges. Il finit par avouer que l'argent de la garderie a servi à payer les services sexuels d'une prostituée. Poussé dans ses derniers retranchements, il dénonce Julie. Carl Leclerc est consterné lorsque Brigitte lui raconte cette histoire.

— Je pensais que c'était une vraie job, avec des gens honnêtes !

— Moi aussi, c'est ce que je pensais. Mais je crois que je me suis trompée.

— Tu n'as pas l'air sûre.

Brigitte le regarde de biais.

— Tout le monde triche. Tout le monde ment.

Carl ne se contente pas de ces arguments. Il connaît sa fille.

— Tu l'aimes ?

— Je l'ai aimé, disons.

— Depuis que tu es sortie de prison, tu as tout fait pour te racheter. Tu as été parfaite. Et il fallait que tu tombes sur ce forban ! Jamais Brigitte n'a vu son père dans cet état. Il crie. Il postillonne. Il en veut à cet homme qu'il ne connaît pas mais qu'il accuse d'avoir abusé de sa fille. C'est en fait une crise de jalousie. Il en viendrait aux poings s'il le rencontrait, s'il se trouvait face à face avec lui. Surtout lorsque Brigitte lui avoue :

— Il m'avait promis de divorcer. Il voulait que je devienne sa femme.

— Ils disent tous ça ! vocifère-t-il. Au bar de l'Inter-Continental, j'ai entendu ces sornettes dix mille fois, le type qui est avec sa maîtresse et qui promet de divorcer. Je ne peux pas croire que tu es tombée dans le panneau.

Elle a fait un faux pas, un autre, mais elle peut encore se racheter. Au fond, c'est Julie qui est accusée de prostitution, dans cette affaire. Pas Brigitte. Elle peut encore espérer obtenir son pardon et recommencer sa vie. Son père en convient et se calme. Cette erreur de parcours ne devrait pas faire dévier Brigitte de son grand objectif, puisqu'elle n'est pas vraiment en cause.

C'est alors que Carl Leclerc pense à Denis Brown. L'avocat fréquente le bar de l'hôtel InterContinental depuis plusieurs années. Il lui a vendu des montres suisses, des chaînes en or et des téléviseurs. Maître Brown, qui sait tout de son commerce de cartes de crédit, en profite allègrement. Brigitte n'est pas certaine que Julie ait besoin d'un avocat, mais son père insiste :

«Pour s'extirper d'un mensonge sans trop de casse, il faut meilleur menteur que soi.»

Denis Brown est un bagarreur. L'avocat à l'allure peu flatteuse a mené plus d'un combat de ce genre au cours de sa carrière. Carl Leclerc parvient à l'embaucher sans trop de difficulté. La petite guerre qui se prépare semble même l'exciter. Le conseil d'établissement de la garderie a mis le paquet. Gilbert Bois a été démis de ses fonctions. Et pour donner l'exemple, les bien-pensantes et les bigotes réunies en conseil d'administration ont décidé d'amener l'affaire devant les tribunaux. Julie Sanche sera également traduite en justice pour prostitution. L'affaire s'annonce longue et tordue.

Carl Leclerc cherche à nouveau à sauver sa fille, mais il a aussi ses raisons de s'engager ainsi. Si l'affaire venait à dégénérer, quelqu'un pourrait mettre le nez dans ses combines. Une enquête et un procès seraient dévastateurs. Il faut gagner du temps, donc. Beaucoup de temps. Repousser l'échéance tant et aussi longtemps que possible. Et ça, maître Brown sait y faire. Brigitte se laisse finalement convaincre. Elle prendra l'avocat que son père lui propose. De toute façon, ce n'est pas elle qui est accusée, mais Julie. Ultimement, son objectif demeure d'obtenir le pardon de la cour et de recommencer à zéro une fois pour toutes.

Maître Denis Brown rencontre donc Julie Sanche en tête à tête. *A priori*, l'affaire semble plutôt simple. Mais pour défendre Julie, et pour que l'affaire se perde dans des dédales inextricables, ce qui est l'objectif souhaité, l'avocat doit tout savoir de Brigitte. Connaître ses zones d'ombre, ses secrets, le casier judiciaire qu'elle veut tant effacer, les vols d'identité, et surtout le détail de tout ce qu'elle a fait avec Gilbert Bois. Denis Brown aime les détails croustillants. Et il aime aussi parler d'argent. Les frais d'avocat pour une telle entreprise vont être considérables. « Une procédure s'étalant sur quelques années coûte horriblement cher, mais il y a toujours moyen de s'arranger », laisse-t-il entendre.

Quelques jours plus tard, Denis Brown invite Brigitte à son loft, devant le canal de Lachine, afin d'approfondir la question. D'emblée, elle se rend compte que son nouvel avocat a un point en commun avec Gilbert Bois. Il veut coucher avec elle. Brigitte éveille chez lui un désir incoercible. Il n'a jamais ressenti une sensation pareille auparavant. Les frais judiciaires seront donc négociés à l'horizontale. Qui est le client de qui ? Personne n'ose poser la question, mais l'un et l'autre s'entendent rapidement sur un point : à partir de maintenant, ils seront amants.

La tempête

Jérôme Marceau ne dormit que trois heures. À son réveil, pénible, il n'ouvrit les yeux que devant la glace de la salle de bain. S'il s'était regardé dans le miroir de l'ascenseur en quittant les Terrasses Crémazie la veille, il aurait vu sensiblement la même gueule. La même sale gueule. Il avait le teint cireux, les traits tirés, le regard éteint. Une barbe de deux jours lui mangeait le visage jusqu'aux oreilles. Comme il détestait entendre le bruit du rasoir électrique au réveil, il opta pour les lames et la mousse. Un moment toujours éprouvant, et où il maudissait sans retenue son petit bras. Pour atteindre les replis de son visage, il devait faire des prouesses, se contorsionner d'une façon ridicule. Dans le miroir, il se voyait en pingouin. Et chaque fois il jurait. Il détestait sa mère et ce poison qu'elle avait pris lorsqu'elle était enceinte. Le visage couvert de mousse, il se demandait pourquoi elle avait absorbé ces fichus somnifères. Pourquoi avait-elle tant voulu dormir pendant les neuf mois de sa grossesse ? Pour quelle raison s'était-elle dérobée à sa maternité ? Il se doutait de la réponse, mais préférait l'ignorer. Le souvenir était trop douloureux.

La colère matinale de Jérôme s'apaisait généralement après le rasage. Faire le café était beaucoup plus facile et, dès qu'il avalait la première gorgée, ses pensées sombres le quittaient. Il alluma le poste de radio et retomba dans le réel. Il neigeait, d'après ce que racontait un journaliste. Une tempête. C'était inhabituel. Les épisodes de verglas étaient rarement suivis d'une tempête de neige. On donnait tous les détails. Un système de haute pression stagnait au-dessus de la région, et les précipitations allaient se poursuivre pendant la majeure partie de la journée. Depuis la veille, la ville était paralysée sous la glace, et voilà qu'elle serait enfouie sous la neige.

Jérôme chercha les journaux sur le palier. Il n'en trouva aucun. À cause de la tempête sans doute, personne ne les avait livrés. Il était six heures vingt et il n'avait toujours pas la moindre idée de ce qui se passait dans le monde. C'était pourtant un rite quotidien. Avant d'aller travailler, de reprendre ses dossiers, il avait besoin de lire ce qui arrivait ailleurs. Apprendre qu'un attentat avait fait trente-deux morts en Irak l'inquiétait, mais le rassurait en même temps. Tout compte fait, il avait un job tranquille au SPVM.

Les journaux lui manquaient d'autant plus qu'on était au lendemain de la fusillade. Une jeune femme avait abattu froidement quatre personnes au palais de justice, dont un juge et un avocat, sans mobile apparent. Cela devait faire la une de tous les journaux, mais à la radio il n'y en avait que pour cette maudite neige. Les journalistes élaboraient des scénarios catastrophe dans une surenchère agaçante. S'il tombait plus de quarante centimètres, la ville serait paralysée pendant huit jours. S'il en tombait cinq de plus, on en aurait pour dix jours de ce marasme. On évoquait la tuerie de la veille au milieu de ce bulletin de météo en continu, mais l'histoire ne semblait pas avoir d'emprise. On savait peu de choses sur le mystérieux carnage. L'information sortait au compte-gouttes et les journalistes s'en montraient offusqués. Jérôme allait éteindre lorsqu'une nouvelle attira son attention. Un pédophile connu condamné pour meurtre venait d'être libéré après avoir purgé le quart de sa peine. C'est Jérôme qui avait mené l'enquête. Un porte-parole du système carcéral se plaignait des coûts liés à l'enfermement.

— C'est complètement nul! lança-t-il de plus en plus irrité.

Dans le silence matinal, Jérôme s'était mis à bougonner. À se parler à lui-même. C'était toujours la même rengaine. Aux homicides, on se défonçait pour mettre la main au collet des meurtriers et établir les preuves. Les types passaient quelques années à l'ombre et on les laissait sortir parce qu'ils n'étaient plus dangereux... Jusqu'à ce qu'ils recommencent.

Oui, les journaux du matin lui manquaient. Cruellement même. Il voulait savoir qu'ailleurs, au Darfour, en Afghanistan, dans les rues de São Paolo ou dans la poussière de Bamako, c'était pire. Il y avait encore plus de morts que chez lui. Là-bas, on renonçait à chercher les coupables. Ici, on les trouvait, mais on ne parvenait pas à les garder hors circuit. Ce type, le prédateur qu'on venait de relâcher, Jérôme était à peu près certain de le revoir un jour. Et il en avait mal au ventre.

Les événements de la veille se bousculaient dans son cerveau alors qu'il finissait de déjeuner. Chaque fois, il butait sur un certain nombre de détails qu'O'Leary et Corriveau avaient écartés sous prétexte qu'ils étaient sans intérêt. L'enregistrement sonore. Les bruits de la fusillade captés par le système audio de la salle voisine. Le rythme relevé par Blanchet, qui en avait fait de la musique. Devait-il creuser cette piste ? La rapidité d'exécution confirmait que la tireuse était expérimentée. Mais il y avait aussi l'hiatus de cinq secondes entre les quatrième et cinquième détonations. La numérologie se mit de la partie dans sa tête. Un salmigondis de données qui lui donnaient le tournis.

Sans pouvoir se l'expliquer, il était convaincu que cet intermède de quelques mesures n'était pas étranger au motif de la fusillade. L'idée pouvait sembler absurde. Jamais il ne parviendrait à rallier les autres autour d'un fil aussi ténu. O'Leary crierait au manque de rigueur et Corriveau rappellerait que l'expérience vaut plus cher au kilo que l'intuition. Il se trouvait ridicule de penser qu'un silence de cinq secondes puisse expliquer ce qui s'était passé, pourtant il refusait d'écarter cette piste. La bande sonore recelait peut-être un secret. Mais c'était un secret qu'il ne fallait pas partager. L'idée lui ferait perdre toute crédibilité. Il devait donc la garder pour lui.

Le brouillard matinal se dissipait peu à peu dans sa tête. L'ordre et les priorités remontaient à la surface. La veille, il avait voulu s'arrêter aux soins intensifs de l'hôpital Saint-Luc pour revoir cette infirmière qui veillait sur Brigitte. À leur première rencontre, elle s'était montrée optimiste. Il décida de passer lui parler avant de se rendre au bureau. Il allait se verser une deuxième tasse de café lorsque son téléphone se mit à bourdonner.

— Aileron. C'est Corriveau!

Jérôme voulut le reprendre, mais n'en eut pas le temps.

— 'Scuse-moi, là. On *rushe*. La sécurité civile veut nous mobiliser.

— Mobiliser?!

— Il neige, Aileron! T'as peut-être pas vu mais il neige!

Jérôme répéta en feignant de s'énerver :

— O.K., maintenant il neige. Hier, c'était le verglas. Ça va s'arrêter à un moment donné.

— Jérôme, tu ne comprends pas! La ville est paralysée.

Corriveau aussi l'appelait Jérôme maintenant. Il y avait du progrès.

— Les pillards vont sortir, dramatisait Corriveau. Ils vont tout casser. Il va y avoir des morts.

— Ça va, ça va! Garde les violons pour une autre fois. Tu n'es pas mobilisé! Personne de l'équipe n'est mobilisé. On travaille sur la fusillade jusqu'à nouvel ordre. Un point c'est tout.

— T'es sûr de ce que tu dis?

— Affirmatif. Quand il y aura des morts, on le saura assez vite. Pour le moment, c'est le cas du juge Rochette et des trois autres victimes qui nous occupe.

Long silence au bout de la ligne. Corriveau respirait de façon irrégulière, comme un asthmatique qui a la gorge entravée. Il supportait mal qu'on le contredise ou qu'on le bouscule.

— Est-ce qu'il y a autre chose?

— Non, non, c'est tout. On se voit tout à l'heure.

— Huit heures.

Il allait raccrocher lorsque le vieux bouc ajouta :

— Je te conseille de prendre le métro! Tout est bloqué au-dessus.

— Je passe ma vie dans le métro!

Plus la tempête s'acharnerait, moins on pourrait l'ignorer. Si cinquante centimètres de neige s'ajoutaient, comme on le prévoyait, aux vingt centimètres de glace qui avait recouvert la cité la veille, le chaos s'installerait rapidement. Dans la tête de Jérôme, les idées sombres s'accumulèrent à un rythme affolant. Le coup de fil éclair de Corriveau n'avait fait qu'amplifier son angoisse.

* * *

Jérôme Marceau sortit de chez lui en courant. Il se fuyait lui-même! Dès qu'il serait en selle, se disait-il, ces idées funestes l'abandonneraient. Il trouverait un sens à cette impressionnante collection de cartes d'identité trouvée chez Carl Leclerc et tenterait de résoudre l'énigme entourant Julie Sanche et Brigitte Leclerc. Il serait ainsi en mesure d'affronter Evelyne Lebel sans avoir à rougir. Voilà, conclut-il, ce qu'il ferait de sa journée. Il honorerait l'engagement qu'il avait pris auprès de la juge en recueillant le plus d'informations possible et en lui faisant un rapport détaillé sur l'enquête en cours.

Dans l'atrium des Cours Mont-Royal, il eut toutes les peines du monde à se frayer un chemin jusqu'au café. Il y avait un monde fou. Le garçon qui lui servit un *mezzo latte* dans un verre en carton en profita pour se plaindre. Son quart de travail devait bientôt être terminé, mais en raison de la tempête il n'avait d'autre choix que de rester. Jérôme but la première gorgée en s'éloignant du comptoir. Il n'avait aucune envie de s'apitoyer sur le sort du jeune homme. Avec le Grand Prix et quelques festivals, les tempêtes importantes étaient ce qu'il y avait de plus payant pour la restauration. Les souterrains de la ville se remplissaient et les affaires tournaient rondement. Le garçon avait beau râler, il empochait tous les pourboires qu'on lui donnait.

Pour accéder au passage creusé pendant la guerre froide et rejoindre l'hôpital Saint-Luc, il n'y avait pas qu'un seul chemin. À partir de la station de métro Place-des-Arts, on pouvait aussi passer de sous-sol d'édifice en sous-sol de gratte-ciel, évitant ainsi la cohue de la station Berri-UQÀM. Il suffisait d'avoir les bonnes relations et quelques cartes magnétiques. À l'entrée du grand tunnel, on se butait à une guérite où il fallait montrer patte blanche. L'agent qui faisait le guet ce matin-là s'appelait Wilson Lamothe. C'était un autre ancien de la SCS ; il le reconnut tout de suite.

— Tiens, tiens ! Mais si c'est pas Aileron !

Son café à la main, Jérôme lui plaqua son insigne devant les yeux. Le malpoli se rendit bien compte qu'il l'avait vexé et se ravisa.

— Félicitations pour votre promotion, enquêteur Marceau. J'ai entendu dire que…

La rumeur courait vite dans les sous-sols. Comment Lamothe avait-il su que Lynda était en congé et que c'était lui qui la remplaçait ? Mystère. Il se garda bien de le lui demander. Cet homme, qui pendant un temps avait œuvré à la SCS, croupissait maintenant au cinquième sous-sol du réseau, et ce n'était pas pour rien. C'était une commère et voilà où sa langue l'avait mené, songea Jérôme en s'éloignant. Le bruit de ses pas dans le corridor en béton le ramena à lui-même. Il marchait à une cadence modérée et pourtant il était essoufflé. L'aération y était peut-être pour quelque chose. Il but la dernière gorgée de son café et chercha un endroit où jeter son verre. Il n'était que sept heures et il était à bout de souffle, marchant dans le néant avec un verre vide à la main. Il s'arrêta un instant et jeta un coup d'œil autour de lui. Il n'y avait pas de graffitis sur les murs. Les corridors souterrains inutilisés n'étaient peut-être pas ventilés, mais ils étaient propres et épargnés par la colère. Cette observation lui donna à réfléchir. Il se dit que les murs se passeraient bien des hommes s'ils n'étaient pas faits pour les abriter. L'idée lui arracha un sourire, le premier de la journée.

Une froide nuit de tempête se traduisait en une chaude nuit dans les corridors de l'hôpital. La salle d'urgence de l'hôpital Saint-Luc était bondée. Les chambres étaient déjà envahies, les patients étaient entassés sur des civières le long des couloirs ou immobilisés dans des chaises roulantes. Jérôme, qui ne voulait pas se laisser distraire par toute cette misère, accéléra le pas. Seule la chambre du fond, celle de Brigitte, l'intéressait. Il l'atteignit sans encombre, mais ne trouva personne devant la porte. Les agents de sécurité avaient disparu, mobilisés sans doute par la tempête. Sans façon, il se glissa à l'intérieur et referma derrière lui.

Brigitte Leclerc était si menue, si délicate dans son lit qu'elle faisait peine à voir. Son corps formait tout juste un pli sous la couverture. Jérôme avait du mal à concevoir comment un être en apparence si inoffensif pouvait être coupable d'un tel massacre. Comme Élisabeth Gonzalez n'y était pas, Jérôme s'approcha du lit. Il se sentit aussitôt submergé par une vague d'émotion. La pâleur et la fragilité de la jeune femme laissaient croire à son innocence. Pourtant, tout la condamnait. Mais sans savoir pourquoi, Jérôme était incapable de se résoudre à l'accuser.

Poussant l'audace un peu plus loin, il consulta les écrans au-dessus du lit et nota quelques chiffres pour les comparer à ceux que Blanchet lui avait envoyés plus tôt. A priori, tout semblait normal. Brigitte était toujours dans le coma, mais ses signes vitaux étaient bons. En la regardant de plus près, Jérôme fut encore une fois fasciné par sa beauté. Derrière son masque à oxygène, elle ressemblait à une princesse endormie sous une bulle de verre. Du coup, il eut envie de lui prendre la main, de lui lisser les cheveux en la rassurant. S'il parvenait à gagner sa confiance, elle lui dirait peut-être ce qui s'était passé dans la salle d'audience.

Jérôme se serait très bien vu avec Brigitte à son bras. Il avait tellement mieux à lui offrir que la mort. Malgré son petit bras, son teint métissé et son manque d'assurance, il se serait réinventé pour lui plaire. Il lui aurait donné la lune et tous les corridors secrets de la ville pour faciliter sa fuite. Pour elle, il aurait bradé son poste d'adjoint aux homicides, sa réputation et même sa mère. Il aurait été prêt à tout pour la sortir de là, car il avait l'intime conviction qu'elle n'avait pas le sort qu'elle méritait. Mais ce n'était qu'une intuition, rien de plus. Il ne disposait d'aucune preuve.

Les yeux rivés sur le visage de Brigitte, Jérôme se rendit compte qu'il cherchait à séduire une femme inconsciente. Une comateuse auteure d'un quadruple meurtre. Mais elle était trop jeune pour lui. Elle ne serait pas son amoureuse, elle serait l'amie qu'il n'était jamais parvenu à se faire dans sa vie. Il continuait de la voir marchant à son bras dans le passage reliant l'hôpital à la station de métro, celui dont les murs ignoraient la colère. Ses jambes, qu'il avait aperçues dans l'enregistrement de la sécurité, sa silhouette fragile et sa chevelure qui tombait sur ses épaules l'attisaient à ce point qu'il imagina son évasion dans le menu détail. Un coup parfait, sans témoins, avec comme indéfectible couverture la tempête qui s'abattait sur la ville. C'était le genre de chose que l'on fait pour une amie. Une vraie.

Mais la réalité le rattrapa. S'il était dans cette chambre, c'était pour découvrir ce qui s'était passé dans la salle d'audience 3.08. Il s'y était engagé auprès de la juge Lebel. Comment pouvait-il l'oublier et fantasmer sur une fuite aussi improbable ? Perturbé, il s'éloigna du lit en cherchant à mettre le plus de distance possible entre lui et Brigitte. De la fenêtre blanchie par la tempête, il la regardait en coin. S'il était venu dans cette chambre, c'est parce que son travail l'y obligeait. Dans les circonstances, ses sentiments lui semblaient inconvenants et bien peu professionnels. Comme les sous-sols de la ville qui ne cessaient de le surprendre, Brigitte lui apparaissait comme un réseau d'ombres, de passages énigmatiques et de cloisons en trompe-l'œil. C'est sans doute pour cela qu'elle lui faisait autant d'effet. Ou bien c'est qu'il la connaissait d'une autre époque, d'une autre vie.

— Qu'est-ce que vous faites là ?

Surpris, Jérôme se retourna. Élisabeth Gonzalez refermait la porte derrière elle.

— Je suis venu voir comment elle allait.

Comme la dernière fois, l'infirmière était méfiante. Elle l'avait reconnu, cela s'entendait au ton sec qu'elle empruntait.

— La vie de Brigitte n'est pas en danger. Elle devrait se réveiller… bientôt.

Économie de gestes et de mots, Élisabeth Gonzalez était déjà au chevet de la malade. Elle lui mouilla d'abord les lèvres à l'aide d'une tige cotonnée, puis elle prit son pouls et lui épongea le front.

— C'est une question de temps, fit-elle d'une voix habituée aux murmures. C'est un peu plus long que prévu, mais elle va revenir.

Ce n'allait pas être pour la réunion de ce matin-là, mais avec un peu de chance, il pourrait lui parler au cours de la journée.

— Vous êtes tellement pressé, lui reprocha l'infirmière. Elle a besoin de temps.

Jérôme opina de la tête. Que pouvait-il lui répondre ? C'était vrai. Il était engagé dans une épouvantable course contre la montre. Oui, il voulait interroger Brigitte, et le plus tôt serait le mieux. Mais Élisabeth Gonzalez n'était pas la personne à qui il fallait dire cela. Avant de quitter la chambre, il lui fit tout de même comprendre qu'il reviendrait avant la fin de la journée.

* * *

Jérôme arriva aux homicides le téléphone vissé à l'oreille. François Sévigny, le procureur de la Couronne désigné par la cour, était au bout du fil. Secoué par une vilaine toux, la voix éraillée, il se disait incapable de se déplacer. La tempête ne faisait décidément rien pour arranger les choses.

— Essayez le métro ! Ça marche très bien, lui suggéra Jérôme.

— Je ne crois pas, lui renvoya le procureur, l'air de s'esquiver.

En fait, la grippe avait frappé Sévigny avec autant de force que la tempête avait paralysé la ville. Sa voix brisée ressemblait à une cascade de gravillons dévalant un escalier de métal. Jérôme proposa qu'ils se reparlent le lendemain, à la première heure. L'échange, très courtois, se prolongea jusqu'au moment où Sévigny, devenu aphone, proposa d'y mettre un terme. Il n'avait apparemment rien à dire sur l'affaire, mais Jérôme croyait plutôt qu'il cherchait à gagner du temps. Il haussa les épaules en soupirant, rangea son portable dans sa poche et pénétra dans la salle de conférence. Blanchet vint aussitôt à sa rencontre.

Elle bredouilla :

— … O'Leary et Corriveau… vont être là à huit heures.

— J'espère bien, fit Jérôme en consultant sa montre. C'est ce que nous avions convenu !

Blanchet souhaitait en fait profiter de leur absence pour parler seule à seul avec son patron.

— Il y a quelqu'un d'autre sur le coup. Nous ne sommes pas les seuls à enquêter.

Intrigué, Jérôme posa son ordinateur sur la table.

— Partout où je passe, quelqu'un est passé avant moi. Dans le dossier de Brigitte, dans le dossier de Julie, dans celui de son père, celui de Gilbert Bois... J'ai interrogé Mme Ruff, la greffière. Elle avait aussi parlé à quelqu'un.

— Corriveau peut-être.

— Non, non. Quelqu'un de l'entourage de la juge.

— Evelyne Lebel ?

— Je ne suis pas certaine, fit-elle, inquiète. Mais ça en a tout l'air.

Il était content de voir l'enquêteure Blanchet dans cet état. L'inquiétude lui enlevait cette assurance qui parfois la rendait suffisante.

— J'ai les choses bien en main, lui dit-il en espérant qu'elle le croie.

Il se trouva présomptueux. Il n'avait en main que ses intuitions. Il ne détenait aucune preuve concrète. Il avait bien exploré quelques pistes, mais il n'était pas le seul à l'avoir fait, selon ce que lui avait signalé Blanchet. Que la veuve du juge Rochette s'immisce dans son enquête n'était pas une chose à prendre à la légère. Et l'absence de François Sévigny ce matin-là non plus. Sa voix rocailleuse continuait de lui résonner dans les oreilles avec toutes les fausses notes qui accompagnent habituellement un mensonge. Le procureur n'était pas malade. Il avait passé la nuit devant son écran d'ordinateur à éplucher des dossiers en fumant cigarette sur cigarette. Les mêmes, sans doute, qui se trouvaient dans la jolie pile que lui avait préparée Blanchet. Une intuition, comme ça. Rien de vérifiable. Jérôme prit une nouvelle note dans le fouillis qu'était sa tête : qui est le procureur Sévigny et de quel côté est-il ?

O'Leary s'amena à son tour dans le bureau. Un café à la main, le visage chiffonné, il jeta ses trouvailles de la veille sur la table de conférence : un carnet aux pages racornies, une poignée de reçus et des cartes de crédit. Si O'Leary avait découvert quelque chose dans le condo de maître Denis Brown, il ne s'en vantait pas encore. Il n'en avait que pour la neige lui aussi. Que pour cette tempête qui lui cassait les pieds et qui compliquerait certainement le cours de l'enquête.

— En tout cas, elle n'a pas fait de morts pour l'instant, marmonna Jérôme en relevant l'écran de son ordinateur.

— Pas encore.

— On se concentre sur le cas du juge. On est encore loin du compte.

Blanchet s'était assise à la gauche de Jérôme. Elle était absorbée par les données qu'elle consultait sur son ordinateur lorsque Corriveau arriva à son tour en annonçant que la visite du condo des Terrasses Crémazie avait ouvert un nouveau terrain d'enquête. Tout comme pour le logement de la rue Lajeunesse, des fantômes hantaient ce lieu. O'Leary, qui n'était pas au courant, ramena discrètement vers lui le minuscule butin qu'il avait récolté chez maître Denis Brown. Une fois encore, Jérôme avança la première pièce sur l'échiquier.

— C'est bien beau toutes ces planques qu'on fouille, avec leurs petits secrets, mais la vraie question c'est : pourquoi les accusations de fabrication et usage de faux ont-elles été abandonnées juste avant l'audition?

O'Leary fit la moue. Agacé, Corriveau se cala dans son fauteuil. Seule Blanchet avait une opinion sur la question.

— J'ai parlé avec Mme Ruff. Elle aussi a été surprise par ce changement de dernière minute. Elle croyait avoir affaire à un cas plus complexe. Le matin même, à son grand étonnement, c'était devenu une histoire de prostitution qu'on traitait presque du revers de la main dans la plus petite salle du palais de justice.

— Et pourquoi ce changement?

— Faute de preuves.

— Faute de preuves! Mais c'est tout ce qu'il y a, des preuves, protesta vivement O'Leary en remuant les cartes de crédit qui se trouvaient parmi ses documents sur la table. Dans le condo de Brown, Brigitte tapisse les murs. Partout où l'on regarde, il y a d'immenses photos d'elle... ou de Julie. C'est au choix. Elle était sa maîtresse. Elle s'envoyait en l'air avec lui. En échange de quoi il la représentait dans ce procès qui s'étirait depuis trois ans.

— Tu en es certain?

Il n'avait rien pour le prouver, mais il en avait la certitude, voilà tout.

— Brigitte n'était accusée de rien. C'est Julie Sanche qui l'était. À cause de sa relation avec Gilbert Bois et de l'argent de la garderie que celui-ci lui avait refilé. C'est comme ça que tout a commencé. Puis quelqu'un a sans doute découvert l'affaire des fausses cartes de crédit. Mais je ne comprends pas vraiment le lien entre tout ça. Cette affaire est un ramassis de mensonges et d'escroqueries.

— On venait de réduire les accusations très graves qui pesaient contre elle à une simple affaire de prostitution, ajouta Jérôme.

— Trois ans de procédures, rappela Blanchet. Et au bout de tout ça, deux cents dollars d'amende. Une aubaine !

— À sa place, j'aurais été plutôt content, moi. Il y a autre chose, c'est clair.

O'Leary serra les dents. Dans un geste de dépit, il poussa les reçus, le carnet aux pages racornies et les cartes de crédit sur la table.

— Si c'est si clair, qu'on m'explique !

— Il y a beaucoup de monde dans cette affaire, mais je vous rappelle qu'on cherche essentiellement le mobile derrière ce geste complètement…

Jérôme s'arrêta au milieu de sa phrase. Il en faisait trop. Leur rappeler qu'ils cherchaient le motif ayant poussé Brigitte à agir avait quelque chose de condescendant. Il leur faisait la leçon et ce n'était pas le moment. Il y avait trop de données manquantes, trop de fausses pistes pour limiter le débat à la seule découverte du mobile. Corriveau était sur le point de le lui rappeler lorsque Blanchet sauva la mise :

— Il y a beaucoup de monde dans cette histoire, c'est vrai, mais si on regarde de plus près, on comprend pourquoi. Les cartes de crédit qu'on a trouvées rue Lajeunesse n'ont été utilisées qu'une seule fois. J'ai vérifié. Elles n'ont servi à faire qu'un seul achat chacune. Des bijoux et des montres surtout. Avouez que c'est quand même curieux.

O'Leary se jeta sur les cartes de crédit et les reçus trouvés au condo de Brown. Ce détail lui avait échappé, mais en vérifiant plus attentivement, il constata qu'elles n'avaient effectivement servi qu'une fois. Dans le cas de l'avocat cependant, elles avaient été utilisées pour l'achat de plusieurs costumes. Des Hugo Boss, pour la plupart.

— T'as raison, fit-il penaud. Je n'avais pas remarqué.

O'Leary avait rapporté une trentaine de ces fausses cartes avec les faux papiers d'identité correspondants. C'était une fraction de ce qu'on avait déniché rue Lajeunesse, mais la similitude était frappante. On s'était donné tout ce mal pour fabriquer des cartes et des papiers d'identité pour ne les utiliser qu'une fois. Blanchet vérifiait et contre-vérifiait les transactions réalisées en répétant:

— C'est pareil partout. On fait un achat, un gros truc en général, puis on met la carte au rancart. Terminé.

Jérôme était plus intrigué qu'impressionné. Tout cela relevait de la fraude, mais lui apprenait peu de choses sur ce qui avait poussé Brigitte à agir ainsi. Alors que la rencontre sombrait dans l'anecdotique, Corriveau en profita pour sortir de l'ombre.

— J'ai un autre nom à ajouter à la liste. Si vous croyez qu'il y a beaucoup de monde dans cette affaire, vous n'avez pas tout vu. Le condo des Terrasses Crémazie est au nom de Brigitte Julie. Ou plutôt de Brigitte Julie inc.

D'un geste mesuré, il exhiba un relevé de compte bancaire, quelques chèques et un compte de taxes. L'appartement était effectivement la propriété d'une compagnie à numéro faisant affaire sous le nom de Brigitte Julie inc. Blanchet s'empara des documents et se mit à taper furieusement sur son clavier.

— On vérifie ça tout de suite.

Rapidement, Blanchet repéra l'entité légale. Brigitte Julie inc. existait bel et bien, tout comme le compte bancaire d'ailleurs. En quelques minutes, elle réclama une copie de toutes les transactions réalisées depuis un an. Jérôme, pris de court, se borna à répéter d'un air songeur :

— Brigitte Julie inc.

O'Leary venait d'ouvrir le carnet aux pages racornies qu'il avait trouvé chez Denis Brown. Aucune mention de Brigitte Julie inc. ne figurait dans les notes qu'il avait trouvées chez l'avocat. Les couches de mensonges s'accumulaient dans cette histoire, mais elles restaient parfaitement isolées les unes des autres. Il y avait un trop-plein de noms et d'identités dans cette généalogie, et fort peu de recoupements.

— Les cartes de crédit, c'est une chose, rappela Jérôme. Mais ce n'est pas tout. Il ne faut pas perdre de vue le portrait d'ensemble. On ne commet pas un tel carnage pour de simples cartes de crédit.

— Par les temps qui courent… grogna le vieil enquêteur.

O'Leary et Corriveau savaient ce qu'ils avaient à faire. Avant même que Jérôme ne signale la fin de la rencontre, ils se jetèrent sur Blanchet parce qu'elle était devenue la *nerd* du service et que la plupart des réponses aux questions soulevées par ce Brigitte Julie inc. se trouvaient dans son ordinateur. O'Leary, qui avait ignoré la nouvelle venue depuis son arrivée, était maintenant à tu et à toi avec elle. Corriveau, de son côté, réclamait les papiers d'incorporation de l'entité propriétaire du condo des Terrasses Crémazie. Malgré l'heure matinale, la machine tournait rondement aux homicides. Jérôme leur rappela que Brigitte Leclerc était dans un état critique à l'hôpital, que sa vie n'était pas en danger, mais qu'on ne pouvait attendre qu'elle se réveille pour découvrir les liens qu'il y avait entre toutes les personnes, réelles ou fictives, de cette affaire. Le temps jouait contre eux. On attendait des réponses avant l'enterrement du juge Rochette, et même si Brigitte sortait de son coma, il n'était pas dit qu'elle serait en mesure de s'expliquer.

On ne l'avait que vaguement écouté. Il avait l'impression d'avoir été maladroit pendant cette réunion. Mais il était parvenu à mettre le train sur ses rails. La manière importait peu. Une chose le chicotait cependant. Une question qui n'avait pas encore été soulevée. Un angle qui n'avait pas été exploré. Pourquoi y avait-il autant de morts dans la vie de Brigitte Leclerc? Et pourquoi s'obstinait-elle à les faire vivre? La question était sans réponse pour l'instant, mais elle supposait une faille, une fêlure qui avait vraisemblablement conduit au massacre de la salle d'audience. Restait à savoir laquelle.

— Un dernier détail, fit-il encore. Je pourrais te parler un instant, Blanchet?

Jérôme les dérangeait, de toute évidence. O'Leary fit claquer sa langue. Corriveau lui lança un regard noir.

— Ça ne peut pas attendre ?

Jérôme se tenait sur le seuil de la porte et attendait qu'elle le rejoigne. Il était évident que ce qu'il avait à lui dire ne s'adressait qu'à elle seule. Blanchet quitta à regret son ordinateur. Jérôme emprunta un ton neutre :

— Est-ce que tu as vérifié cette histoire de pardon ? Cette demande que Brigitte a faite il y a un an ou deux, je ne sais plus trop.

— Ah non. Désolée.

— Et le dossier médical de Gilbert Bois ? ajouta-t-il. C'est la seule chose que tu n'avais pas sur lui, je crois.

Blanchet perdit contenance. O'Leary et Corriveau, qui les épiaient à distance, trouvaient que Jérôme prenait son rôle trop au sérieux. La jeune femme retourna à son poste, prit en vitesse une note sur son agenda électronique et promit de faire le nécessaire. Puis, elle demanda en s'efforçant de rester polie :

— Est-ce qu'il y a autre chose ?

— Pour l'instant, non.

Jérôme quitta la salle de conférence en se disant que les méthodes de Lynda lui convenaient mal. La patronne aimait déstabiliser ses enquêteurs, surtout lorsqu'ils croyaient toucher à la vérité. C'était sa façon de faire. Il aurait à définir la sienne pour se faire respecter.

* * *

Avant de quitter les homicides, Jérôme s'arrêta un moment devant les écrans de surveillance. C'était la cohue dans le métro. La station Berri-UQÀM était envahie de toutes parts. Des milliers de personnes erraient dans les galeries et corridors souterrains, cherchant un endroit où se poser. Les pannes électriques qui s'étaient multipliées au cours des dernières heures s'étaient stabilisées, mais la neige qui continuait de tomber ralentissait la remise en service. Combien de temps ces réfugiés passeraient-ils sous terre avant que les choses ne se rétablissent? La question demeurait sans réponse.

Jérôme emprunta le passage souterrain menant au palais de justice, bifurqua vers le métro Place-d'Armes et se paya un bain de foule. Les caméras de surveillance ne donnaient pas la juste mesure de l'engorgement. Jamais il n'avait vu autant de monde dans cette station normalement peu fréquentée à cette heure. Lorsqu'une rame entrait en gare, c'était la cohue. La bousculade entre ceux qui cherchaient à descendre et ceux qui voulaient monter était invraisemblable. Jérôme fut pris dans une de ces congestions et mit cinq longues minutes à se bagarrer, à pousser, à jurer avant de monter dans un wagon. Il fit le trajet vers Berri-UQÀM debout, écrasé contre les portières, son petit bras enroulé autour d'une barre verticale.

Généralement lieu de passage et de transit, la station Berri-UQÀM était devenue une destination. La plus grande station de métro de la ville avait des allures de cathédrale souterraine un soir de Noël. Des pèlerins dont on ne soupçonnait même pas l'existence avaient surgi de partout pour assister à cette grand-messe improvisée. Il régnait un petit air de fête, parce que personne ne travaillait, et un petit air de flottement parce que personne ne savait où aller. L'ampleur et la soudaineté de la tempête avaient déjoué toutes les prévisions météorologiques. Les autorités municipales n'étaient pas prêtes pour faire face à la situation. L'état d'urgence avait été décrété. Le spectre de la crise du verglas était présent sur tous les écrans radar. Cependant, les secours à la population tardaient à venir. Les centres d'hébergement ouverts étaient en nombre insuffisant et on y manquait de tout.

En filant sous le fleuve, direction Rive-Sud, Jérôme évaluait les chances que la marmite saute. O'Leary avait raison. Cette tempête qui n'en finissait plus ferait sûrement des victimes. Le fait que tous ces gens se soient réfugiés dans le réseau souterrain de la ville, redessinant à la verticale et en profondeur le territoire urbain, produirait immanquablement des tensions et des heurts. On avait mis un service d'ordre en place, mais Jérôme doutait qu'il suffise à la tâche.

Autour de lui, dans le wagon, on ne parlait que de la météo, du temps qu'il faisait. Il ne releva pas un mot sur la fusillade du palais de justice. Les Montréalais avaient trop à faire avec leur propre malheur pour se soucier d'un drame qui ne les concernait pas. Jérôme se détendit. La conjoncture l'avantageait. Les journalistes avaient une catastrophe naturelle à couvrir, il avait le champ libre. Il ne les aurait pas aux trousses pour les quelques heures à venir. Il entendait profiter de ce sursis pour écarter tout ce qui pouvait le distraire, tout ce qui pouvait nuire à la progression de sa première enquête en solo. L'acharnement qu'il mettait à garder son équipe en alerte n'était qu'un volet de sa stratégie. Une visite éclair chez sa mère en était un autre. Cet arrêt au puits à l'heure du repas lui éviterait une demi-douzaine de coups de fil dans les heures à venir.

— Enfin, lança-t-elle en lui ouvrant. Tu en as mis du temps à me donner des nouvelles, mon grand !

Il eut envie de la reprendre, elle aussi. De lui dire sur un ton cassant qu'il n'était pas « son grand », et qu'il ne s'appelait ni Aileron ni Jérôme ! C'était l'enquêteur Marceau qui se tenait debout devant elle ! Mais il n'en fit rien.

— Enlève-moi ce veston, on va faire l'essayage tout de suite. Tu avais l'air d'un clochard hier, à la télé.

Les hostilités étaient lancées. D'emblée, il lui fit comprendre qu'avant d'entrer et de se prêter à son petit jeu il y mettrait ses conditions.

— Je veux bien, mais on s'entend sur une chose. Tu ne me téléphones plus de la journée, d'accord ? Et tu ne me laisses aucun message.

Elle acquiesça, le sourire en coin. Il sentit l'odeur du café et posa une deuxième condition. Avant tout essayage, il lui fallait un café noir. Ils filèrent ensemble à la cuisine.

— Est-ce que tu as compris ce que j'ai dit à la télé, au moins ? Est-ce que tu as prêté attention à ce que je disais ou n'as-tu vu que mon veston ?

Selon son humeur, Florence ne répondait parfois que par de longs silences. C'était une forme d'éloquence chez elle. Après lui avoir versé une tasse de café brûlant, elle sortit un à un les vestons de leur housse.

— Ce que tu as dit, balbutia-t-elle enfin. Euh… oui, c'était bien. Très bien même ! Tu vas découvrir ce qui s'est passé dans cette salle d'audience. C'est ça, non ?

Jérôme hocha doucement la tête. Si sa mère avait compris, tout le monde avait compris. Peut-être même la juge Evelyne Lebel, à condition bien sûr que ses propos lui aient été rapportés.

Il ne portait peut-être pas le bon veston, il n'avait peut-être pas la tête d'un enquêteur chef et il était certainement pétri de complexes, mais il était déterminé. Il livrerait la marchandise.

— Tiens, essaie celui-ci. À mon avis, c'est celui qui te plaira le plus.

Soudain, Jérôme eut envie de rire. Sa vieille mère l'aidait à enfiler ce veston comme elle l'avait fait le jour de sa première communion. Elle se fichait éperdument du quadruple meurtre au palais de justice, ne savait rien de l'indignation d'Evelyne Lebel et de l'arrogance d'O'Leary, qui n'attendait qu'un faux pas de sa part pour réclamer sa place. Pour elle, seule l'image de son fils comptait. Et elle allait y voir. Il n'était pas question qu'il lui fasse honte lors de sa prochaine apparition à la télé. Elle avait pensé à tout. La manche de son petit bras était déjà dans la poche de droite, épinglée de l'intérieur de façon que rien ne paraisse.

— Comme ça, dit-elle, devant les caméras, tu seras parfait.

En se regardant dans le miroir, Jérôme ne vit que le sourire qu'il avait aux lèvres. Autant Florence était envahissante, autant ses lubies le rendaient fou, autant elle le faisait rire parfois. Sa façon d'être hors propos et toujours un peu décalée par rapport au réel la rendait infiniment attachante.

— Si tu veux mon avis, la petite Leclerc, celle qui a tué le juge et qui est dans le coma à l'hôpital… Eh bien, elle aurait avantage à ne jamais se réveiller. Elle n'est pas mieux que morte.

Jérôme perdit le sourire.

— Comment as-tu entendu parler d'elle ?

— Ils l'ont dit à la radio ce matin. C'est une jeune fille de vingt-six ans qui a fait le coup. Elle a tenté de se suicider ensuite, mais elle s'est ratée. Tu n'es pas au courant ?

— Bien sûr que je le sais ! C'est moi qui suis chargé de l'enquête.

— Alors pourquoi tu ne l'as pas dit hier à la télé ? Ç'aurait fait beaucoup plus sérieux, il me semble.

Jérôme s'éloigna du miroir et reprit sa tasse qu'il vida d'un seul trait.

— Je n'essaierai pas les autres vestons, déclara-t-il abruptement. Je vais prendre celui-ci. Combien je te dois ?

Florence crut qu'elle l'avait vexé. Elle n'avait pas été très adroite ni très futée en lui imposant cette séance d'essayage. Or, elle n'y était pour rien. C'était à cause de ce journaliste que sa mère avait entendu à la radio qu'il était contrarié. L'information qu'il croyait contrôler lui avait échappé. Ainsi donc, on parlait de Brigitte Leclerc dans les médias. Son nom n'avait pourtant pas été mentionné lors de la conférence de presse. Comment cette information avait-elle pu filtrer ? Il aurait voulu interroger Florence, savoir ce qu'elle avait entendu, connaître le nom du reporter qui avait transmis la nouvelle. Était-il entré dans la chambre lui aussi ? S'était-il attardé au chevet de Brigitte ? Avait-il forcé les confidences de l'infirmière, Élisabeth Gonzalez ? Un sentiment inavouable s'empara de lui. Il était jaloux. Il n'acceptait pas de partager cette histoire. C'était la sienne. Ce reportage radiophonique lui donnait la désagréable impression que quelqu'un lui coupait l'herbe sous le pied.

— J'ai préparé à manger, fit encore Florence. Il est encore tôt mais…

Jérôme s'approcha de la grande fenêtre du salon. Le temps était si blanc que le fleuve n'existait plus. La ville non plus. Cette tempête, qui semait la confusion dans les couloirs souterrains de la ville, était à l'image du brouillard qui s'intensifiait dans sa tête. Il était assailli par des fragments de son enquête. Des questions qui avaient été soulevées, des hypothèses qui avaient été avancées. La « fusillade musicale » portée à son attention par Blanchet, par exemple. Il avait cru un moment que la cadence ou le rythme pouvait expliquer l'ordre des meurtres. D'autres théories farfelues lui avaient traversé l'esprit. Ces quatre premiers coups bien tassés n'étaient-ils qu'un prélude à ce qui devait suivre ? C'est-à-dire le silence, si essentiel à la musique. Pourquoi Brigitte Leclerc avait-elle mis si longtemps à presser sur la détente pour en finir ? Lorsque Blanchet avait attiré son attention sur ce détail, il n'avait pensé qu'aux quatre premiers coups, et non au silence qui avait suivi. Mais que s'était-il passé pendant ces cinq secondes ? Une idée farfelue lui traversa l'esprit.

— Dis-moi, Florence, demanda-t-il en se retournant, est-ce que tu as déjà entendu parler de cette histoire, enfin, de cette idée qui veut que notre vie défile en quelques secondes devant nos yeux, juste avant qu'on meure ?

— Absolument ! Et je suis persuadée que c'est vrai ! La réponse était nette. Elle n'avait pas hésité l'ombre d'un instant.

— J'ai lu des tas de choses à ce sujet. Ça s'appelle le phénomène de la mort imminente. C'est très documenté !

Lorsqu'elle lâchait cette phrase, il s'ensuivait habituellement un monologue interminable, un soliloque farci de théories douteuses et de légendes urbaines. Florence lisait beaucoup. Les « phénomènes documentés » la fascinaient tout particulièrement.

— Comment le sujet peut-il être documenté si les gens meurent après avoir vu défiler leur vie ? fit remarquer Jérôme.

— Il y a des exceptions. Des cas célèbres. Il arrive que la chose se produise mais qu'on ne meure pas. Tous ceux qui ont échappé à la mort témoignent cependant de la même chose. Le film de leur vie est passé très vite. Comme en accéléré. Et puis ils ont vu de la lumière au bout d'un tunnel.

Jérôme ne l'écoutait plus. Il venait de comprendre. La théorie musico-assassine de Blanchet était en fait une pierre jetée dans la rivière afin de mieux la traverser. La régularité des quatre premiers coups de feu n'avait d'autre intérêt que d'ouvrir la porte au silence qui suivait. Silence durant lequel Brigitte avait peut-être vécu l'expérience de la mort imminente. Blanchet s'était intéressée au prélude de la pièce musicale, alors que la suite était beaucoup plus significative. Si Brigitte avait vu sa vie défiler pendant ces cinq secondes, c'est de ce côté qu'il fallait chercher pour comprendre, pour saisir ce qui l'avait motivée à agir ainsi. L'histoire était là, et il devrait la reconstituer avec ou sans elle. Le cerveau de Jérôme faisait des flammèches alors que Florence continuait de parler. Si elle mettait trente minutes à lui dire tout ce qu'elle savait sur ce «phéno- mène», il perdrait le temps qu'il avait cherché à gagner en venant la voir. Une diversion s'imposait :

— N'as-tu pas dit que tu avais quelque chose à manger ?

— Oui, oui, murmura-t-elle en retournant à la cuisine. Elle avait préparé des sandwichs au thon. C'étaient ses préférés. Il en mangeait habituellement un ou deux sur place et emballait le reste dans une serviette de table. Elle protestait toujours lorsqu'il les glissait dans la poche de son veston. «Tes poches ne sont pas une boîte à lunch», s'indignait-elle chaque fois.

— L'histoire de leur vie passe très vite devant leurs yeux, répéta-t-il en mâchouillant. C'est quand même bizarre.

Il ne voulait surtout pas la relancer en prononçant ces mots. Il se demandait plutôt combien de temps il faut pour revoir une vie. Cinq secondes, ça lui paraissait bien court. Florence lui refila un deuxième sandwich en s'assoyant sur le bord d'un fauteuil. Elle s'était remise à parler, mais il ne l'écoutait pas. En fait, il pensait à Brigitte Julie inc., la dernière trouvaille de Corri- veau. La jeune femme qu'il avait vue dans ce lit d'hô- pital, un peu plus tôt, était un magma d'identités. Il se cachait tellement de personnes derrière cette mourante qu'il avait du mal à imaginer laquelle de ses vies avait défilé devant ses yeux avant qu'elle appuie sur la détente.

Pour la première fois, Jérôme pensa qu'elle n'en réchapperait pas. Que jamais elle ne sortirait de ce coma. Que jamais elle ne raconterait comment elle en était venue à tuer froidement quatre hommes. Depuis le début, Élisabeth Gonzalez s'était pourtant montrée rassurante. Le pronostic des médecins que Blanchet avait recueilli après l'opération était également favorable. Mais soudain, Jérôme n'y croyait plus. La mort rôdait déjà dans cette chambre lorsqu'il y avait mis les pieds pour la première fois. Il s'était accroché à l'idée d'un interrogatoire en bonne et due forme. Mais à bien y penser, Brigitte n'était pas de celles qui reviennent. Une fois son inextricable histoire passée en revue, la mort l'attendait.

Jérôme savait qu'il devait partir, quitter l'appartement de sa mère avant de perdre le fil. L'essayage s'était bien déroulé. Florence était contente et lui aussi. Il ne repartirait pas bredouille. En plus de lui avoir appris que l'identité de la suspecte avait été révélée sur les ondes, sa mère l'avait renseigné sur le phénomène troublant de la mort imminente. En quoi cela pouvait-il l'aider à résoudre l'énigme de Brigitte? Il l'ignorait. Mais ce temps mort de cinq secondes qu'il ne s'expliquait pas n'en finissait plus de le tourmenter.

— Tu sais ce que j'ai découvert? Que la thalidomide est utilisée dans le cocktail de médicaments que l'on prescrit aux gens atteints du sida!

— Pardon ?!

Florence se doutait bien qu'il ne l'écoutait pas, qu'il avait l'esprit ailleurs. Mais Jérôme avait un talent pour reconstituer les conversations qui lui avaient échappé. Pendant qu'il repassait le ruban dans sa tête, elle ouvrit un dossier qu'elle avait intentionnellement laissé traîner sur une des tables du salon.

— Qu'est-ce qu'on utilise pour traiter les gens atteints du sida ?

— La thalidomide, fit-elle en lui montrant un document qui devait bien compter une centaine de pages.

Jérôme avala un sandwich d'une seule bouchée et rassembla ses affaires. Il fallait faire vite s'il voulait échapper à la thalidomide.

— C'est quand même incroyable, s'indignait-elle. Ils se sont rendu compte que ce poison pouvait servir dans le traitement des gens atteints du VIH. Ils ont dépoussiéré le médicament et l'ont remis en circulation. Tu te rends compte ? Ils ont rangé la thalidomide sur les tablettes le temps de laisser mourir les poursuites et les recours collectifs. Et maintenant que tout est oublié, ils repartent en affaire. C'est impardonnable. Ces grandes compagnies pharmaceutiques se moquent de nous.

Jérôme ne voulait pas le savoir, mais Florence n'en démordait pas.

— Quelqu'un est venu nous en parler, au comité. Il nous a remis ce dossier…

— Quel comité ?

— Ça fait cent fois que je t'en parle, Jérôme. Le comité des victimes de la thalidomide.

Elle s'était assise sur le bout du fauteuil, son document sur les genoux. Elle en tourna les pages jusqu'à ce qu'elle trouve un passage surligné.

— Tiens, c'est ici.

Elle lut à voix haute pour bien lui faire comprendre qu'elle n'avait rien inventé.

— «La thalidomide s'est révélée un outil utile dans le traitement des sidéens, que ce soit pour le traitement des ulcérations aphteuses, de la cachexie ou du sarcome de Kaposi.»

Elle releva la tête, triomphante.

— On veut relancer le recours collectif qui s'est terminé en queue de poisson dans les années 1970. L'avocat croit que nous pouvons obtenir une quote-part sur les ventes du médicament. Tu te rends compte, ça représente des millions.

— Le recours collectif ne s'est pas terminé en queue de poisson, maman!

— Absolument! Si on compare à ce qui s'est passé dans les autres pays, ça a été la catastrophe au Canada. En Allemagne, en Angleterre, dans les quarante-six pays où la thalidomide a été mise en marché, il y a eu des recours collectifs, et les compagnies pharmaceutiques qui fabriquaient et distribuaient le médicament ont payé. Ces dédommagements comprenaient des paiements mensuels ou annuels établis selon le degré d'invalidité des personnes. Mais ici, ça s'est déroulé autrement. Les victimes canadiennes ont été forcées de se débrouiller individuellement, famille par famille. Aucun cas n'a bénéficié d'un jugement en cour. Les plaignants se sont contentés de règlements hors cour et ont dû se soumettre au bâillon. Encore aujourd'hui, ils n'ont pas le droit de révéler les sommes qu'ils ont reçues. La réalité, c'est que ces sommes étaient totalement arbitraires et injustes. Des gens atteints d'un même degré d'invalidité ont reçu des sommes variant de plusieurs centaines de milliers de dollars. Si tu n'appelles pas ça se terminer en queue de poisson, toi, alors qu'est-ce que c'est?

— Maman, on appuie sur pause! Calme-toi! Il n'y aura pas de recours collectif pour les victimes de la thalidomide. C'est du passé tout ça. C'est une histoire à oublier. Tant mieux si le médicament peut aider les séropositifs. Il faut passer à autre chose, maintenant.

Jérôme l'embrassa sur le front en la remerciant pour le veston. Pressé, il enveloppa deux sandwichs dans une serviette de papier en faisant mine de ne pas voir sa déception. Son disque dur sautait à tous les coups au passage du mot thalidomide. S'il avait engagé la conversation, les choses auraient dégénéré, et elle aurait fini par être contrariée. Il glissa les sandwichs dans la poche de son nouveau veston, ce qui la fit sourire.

— Tu faisais exactement la même chose lorsque tu avais dix ans.

C'était un autre de ses travers. Dans les souvenirs de sa mère, il avait toujours dix ans. C'est l'âge qu'il avait lorsqu'il avait vu son père pour la seule et unique fois de sa vie. C'est l'âge qu'il avait lorsque le recours collectif contre les fabricants de la thalidomide avait été abandonné. C'est l'âge qu'il avait lorsqu'elle lui avait dit qu'elle n'en voulait pas à cet homme qui les avait pourtant largués. Il lui arrivait de croire qu'il n'avait jamais eu plus de dix ans dans l'esprit de sa mère.

— Il faut que j'y aille. Bye.

— Je t'attends mardi prochain ?

— C'est ça. Mardi prochain.

Jérôme consulta sa montre en appuyant sur le bouton de l'ascenseur. Il serait au centre-ville à midi. C'était un peu juste pour faire un crochet par l'hôpital. Sauf que Brigitte Leclerc l'obnubilait. Il la voyait partout, elle l'habitait littéralement. Pour qu'il connaisse le fond de l'histoire, elle devait absolument survivre. Reconstituer l'histoire sans elle serait impossible. Le sentiment trouble et inexplicable qu'il avait ressenti lors de sa visite matinale ne le quittait pas.

Sa réflexion se poursuivit sous le fleuve pendant tout le trajet en métro. Il pensa au syndrome de Stockholm, cette affection incompréhensible se développant entre les victimes d'enlèvement et leurs ravisseurs. Un enquêteur pouvait-il avoir une inclination pour une suspecte plongée dans le coma ? L'effet que cette femme avait sur lui était aussi puissant qu'incompréhensible.

Trois secondes

La salle d'audience est toujours aussi silencieuse. La greffière aux cheveux poivre et sel n'est pas revenue. Et si elle a sonné l'alerte, personne encore n'a réagi. Trois secondes se sont écoulées seulement. Et Brigitte Leclerc ne pense plus à la mort. Le film de sa vie l'a complètement tétanisée. Elle veut connaître la suite, voir d'autres images. Certains souvenirs lui donnent le vertige. D'autres la font sourire. Sa naïveté la désole, et la blessure causée par le canon brûlant est toujours vive. Elle cherche à ouvrir les yeux mais n'y arrive pas. Denis Brown accapare ses pensées. Elle voit l'avocat comme s'il était là.

Ils couchent ensemble deux fois par semaine, en échange de quoi il assure sa défense contre le conseil d'établissement de la garderie, qui cherche toujours à la traduire devant les tribunaux.

Mais voilà, Brigitte a perdu tout espoir d'arriver à marcher droit et à gagner honorablement sa vie. Par dépit, elle renoue avec le trafic de fausses cartes et fait équipe avec son père. Ils passent à nouveau du temps ensemble. Ils sont heureux. Ils n'ont de comptes à rendre à personne. Carl Leclerc sait que Brigitte voit maître Brown deux fois la semaine. Il ne connaît rien de leurs arrangements et ne pose surtout pas de questions. Cette affaire ne le concerne pas.

Brigitte reprend donc la valse des noms d'emprunt. À cette différence près que Claudine, Barbara, Laure et Amélie sont des consommatrices débridées et sans complexes. Puisque tout le monde triche, comme le lui a appris Gilbert Bois, elle trichera aussi. Son goût du luxe s'est raffiné. Elle ne peut plus se passer des bijoux et des vêtements coûteux qui lui donnent un chic fou. Ils mettent sa beauté en valeur et éblouissent son père autant que Denis Brown.

Mais ce qu'elle a d'abord considéré comme une malchance, une faille dans la mise en scène de sa vie, la poursuit. Le conseil d'établissement de la garderie où elle a si brièvement travaillé veut en découdre avec elle et Gilbert Bois, peu importe le temps qu'il faudra. Maître Brown est donc contraint de sortir tout son arsenal. Et il est un champion de l'abus de procédures !

Le temps passe. Brigitte voit toujours Denis Brown. Ils se donnent rendez-vous dans son loft devant le canal de Lachine. En principe, elle y vient pour discuter du dossier, mais ils n'en parlent jamais. Ils font du troc. Mais ces mensonges et ces secrets deviennent de plus en plus lourds à porter pour Julie. Elle craint sans cesse de se trahir. D'oublier quel nom utiliser, quelle carte d'identité présenter, et ce qu'elle a dit ou n'a pas dit à son père.

Le problème est le même avec Denis Brown. Tout est faux, même ses orgasmes, qu'elle feint avec un réalisme déconcertant. Elle mène tellement d'existences à la fois qu'il lui arrive de ne plus savoir qui elle est en se couchant, et encore moins qui elle devrait être en se levant. Brigitte se répète que tout cela n'est que temporaire – il ne lui reste plus que deux ans à attendre avant d'obtenir son pardon –, que bientôt elle sortira du placard et pourra enfin reprendre le cours de sa vie. Mais elle a beau se dire qu'elle y est presque, entre-temps elle ne s'appartient pas.

Et puis un jour, elle a une idée. Une idée qui lui vient à la fois de Gilbert Bois et de Denis Brown, et à laquelle elle n'a jamais voulu céder auparavant. Puisqu'elle ne peut pas se conformer à la morale publique, car quoi qu'elle fasse elle détonnera toujours, pourquoi ne pas en profiter et abuser des hommes qui ne demandent qu'à abuser d'elle ? Dans la saga judiciaire qui l'oppose à cette garderie où elle n'avait voulu que bien faire, un mot avait été lancé. Julie Sanche est une prostituée. C'est faux. Julie Sanche ne l'est pas encore. Elle n'y a même jamais pensé. Mais elle pourrait très bien le devenir.

L'idée germe. Brigitte est libre, après tout. Et Julie est morte. Quel mal y aurait-il à faire l'amour à sa place ? Le sexe est un commerce comme un autre, il suffit de bien savoir monnayer ses services. Et là-dessus, Brigitte sait y faire. Cette petite entreprise qu'elle veut fonder lui semble plus sûre que le système de fraudes mis au point par son père. Et puis le moment est venu de voler de ses propres ailes. Brigitte se déniche donc un condo dans la tour Nord des Terrasses Crémazie. L'endroit est luxueux. De l'appartement du neuvième étage, on a une vue splendide sur le nord de la ville. Le cycle des petites combines est révolu. Brigitte a maintenant droit de cité, elle a une adresse, un métier, des vêtements et des bijoux à profusion. Son charme n'appartient qu'à elle seule. Dorénavant, elle en fera le négoce.

* * *

L'histoire bascule à nouveau. Brigitte a du mal à suivre. Quelque chose a changé dans le rythme des images. Le film semble défiler plus vite, comme si la fin approchait. Alors qu'elle tente de se retrouver dans le film de sa vie, elle se voit arrivant au logement de la rue Lajeunesse.

Elle a un projet en tête et elle veut en faire part à son père. Elle le trouve au sous-sol en train de bricoler. Il construit un mur derrière la fournaise. Brigitte le dérange, de toute évidence, mais elle insiste. Elle lui parle en long et en large de la compagnie qu'elle veut constituer. Carl finit par poser son marteau :

— Qu'est-ce que tu racontes. Tu veux t'incorporer ? C'est ça ?

— Absolument.

— Mais pourquoi ? Tout va bien en ce moment ! Pourquoi diable veux-tu créer une corporation ?

— Parce que c'est vrai, une corporation ! C'est officiel. Ça existe.

Carl Leclerc regarde le mur à moitié construit, ses outils par terre et l'espace qu'il a dégagé derrière la fournaise. Cette conversation l'ennuie, parce qu'elle va l'obliger à s'opposer à sa fille. À défaut de pouvoir s'esquiver, il tente doucement de la raisonner.

— Je ne suis pas d'accord. Il faut continuer de fonctionner comme on le fait actuellement. Il y a une procédure. Si on suit les règles, l'arnaque est sans failles. La preuve, c'est qu'on ne s'est jamais fait épingler.

— Je veux faire autre chose!

Carl Leclerc n'a pas entendu. Ou il fait mine de ne pas avoir entendu. Il ne veut pas voir que Brigitte cherche à faire cavalier seul. Il s'entête encore à lui parler de procédures.

— La première règle, c'est qu'il ne doit pas y avoir de compte bancaire. Jamais! Tout se fait en *cash*… On ne laisse aucune trace de papier.

— On s'en fout des règles! Elles sont de qui, de toute façon? Qui les a inventées, ces procédures?

Carl ne veut tout de même pas lui avouer que sa conduite est dictée par un homme sans nom qu'il a rencontré au bar de l'hôtel InterContinental. Celui-ci continue de lui envoyer des listes de codes et des numéros de cartes d'identité en les accompagnant chaque fois de suggestions et de rappels. Il lui répète entre autres que le succès de son entreprise repose sur la discrétion et le silence. En aucun cas il ne faut laisser de traces. Mais Brigitte se moque bien de toutes ces précautions. Son inconscience finit par impatienter Carl.

— Pour t'incorporer, tu vas devoir signer des papiers! Il va y avoir un compte bancaire aussi! C'est un problème, le compte bancaire. Il ne doit pas y avoir de compte. Tout doit être en *cash*!

Brigitte est excédée. Son père ne veut rien entendre. Il n'a qu'une idée en tête: reprendre son foutu marteau et construire ce mur, lui qui n'a jamais planté un clou de sa vie. Pourtant, ils cherchent tous deux à atteindre le même objectif. L'un et l'autre cherchent à s'affranchir, mais chacun à sa manière. Brigitte crie à tue-tête, maintenant.

— J'ai décidé de la créer, mon entreprise. Elle va s'appeler Brigitte Julie inc. Le siège social sera aux Terrasses Crémazie. Le studio 974 des Terrasses Crémazie. Est-ce que c'est clair, ça?

— Brigitte Julie? répète Carl Leclerc en écho.

— Oui! Brigitte Julie… inc.

Carl abandonne toute velléité de poursuivre ses travaux. Depuis que Brigitte est sortie de prison, c'est la première fois qu'ils se querellent. D'instinct, il sait qu'il n'aura pas le dernier mot. Il a toujours su que sa fille était plus forte que lui. Alors il s'assoit sur une pile de deux par quatre – du bois tout neuf qu'il s'est fait livrer pour ses travaux – et l'écoute.

— C'est assez tordu, avoue-t-elle d'entrée de jeu. Mais pour qu'il y ait quelque chose de vrai dans ma vie, avec un nom légitime et tout, je n'ai pas le choix. Il faut que je l'invente. Voilà l'idée que j'ai eue. Brigitte Julie inc., c'est mon invention. C'est ce que je suis, maintenant.

Carl Leclerc hésite encore. Il comprend et ne comprend pas à la fois. Brigitte cherche à se prouver quelque chose. C'est louable. Mais sa démarche soulève toutes sortes de questions.

— Et qu'est-ce qu'elle va faire, cette compagnie? Quand on crée une entreprise, il faut avoir une activité. On travaille dans un but, on vise des objectifs.

— Ah! mais ça, c'est réglé. Brigitte Julie inc. n'existe que pour une seule raison. Amasser des fonds pour obtenir le pardon de Brigitte Leclerc.

Son père comprend encore moins. De l'argent, il en a plus qu'il n'en faut. Et en *cash* de surcroît. Brigitte n'a qu'à lui dire combien elle veut et...

— Tu ne veux pas comprendre, l'interrompt-elle. J'ai besoin de réussir quelque chose toute seule. De mon propre chef. J'aime bien cette expression. Je veux être le chef de quelque chose! Et c'est ce que j'ai choisi. Je vais payer pour mon pardon, avec mon argent.

Brigitte n'en démord pas. Même si Julie, son faire-valoir, est poursuivie par Gilbert Bois et la garderie qui l'a jadis employée, même si les procédures s'éternisent depuis trois ans grâce au talent de maître Denis Brown, même si tout semble se liguer contre son projet, auquel son père croit de moins en moins d'ailleurs, elle est convaincue qu'elle va réussir.

— Les cinq années réglementaires suivant ma sortie de prison vont bientôt être écoulées. Tout s'achète dans la vie, papa. Il suffit d'y mettre le prix... Et c'est ce que Brigitte Julie inc. va faire.

Il ne veut plus argumenter avec elle. Il a tellement peur de s'être trompé. En insistant pour qu'elle se substitue à Julie, puis en l'initiant à cette fraude de cartes de crédit, il ne l'a pas aidée. Il ne l'a que condamnée un peu plus. En lui proposant le salut au bout de cinq années de combines, d'hypocrisies et de tricheries, il en a fait un être qui lui ressemble : fourbe et manipulateur. Pourtant, c'est pour protéger sa fille qu'il a fait tout cela. Pour lui donner une deuxième chance. Mais cette chance s'est transformée en risques. Alors qu'il croyait l'extirper de la misère, il l'y a enfoncée. Comment s'étonner qu'elle cherche à s'éloigner ? Comment s'opposer au fait qu'elle veuille se sauver elle-même ? Aucun compromis n'est envisageable et ça, Carl Leclerc le comprend.

— D'accord pour Brigitte Julie inc., même si je ne sais toujours pas ce que tu comptes faire pour gagner cet argent.

Brigitte, qui veut rester vague sur ses activités, cherche plutôt à se justifier.

— Il n'y a pas de mal à s'incorporer. J'ouvre un compte à la banque et j'y maintiens un minimum d'activité. Je m'en tiens à l'essentiel. Mais au moins j'existe ! Tu comprends ? Il y a quelque chose de vrai. Brigitte Julie inc., c'est vrai.

— Je comprends, fait son père. Tu paies ton loyer. Tu paies tes comptes et tu as une vie comme tout le monde.

— Par exemple.

— Pour le reste, tu fonctionnes en *cash*, comme on l'a toujours fait. Je n'ai pas de compte en banque, moi. Je suis la banque.

— Si tu préfères, oui. De toute façon, Brigitte Julie inc. va épargner de l'argent. Beaucoup d'argent. Avec mon trésor de guerre, j'achèterai mon pardon.

Carl reprend son marteau. À ses yeux, les intentions de sa fille sont honnêtes. Elle y tient, à ce pardon, et elle prend les moyens nécessaires pour l'obtenir. Il ne pose donc plus de questions. Trop souvent il s'est trompé. Il se contentera de jouer le banquier cette fois.

— Et à quoi il va servir ce mur ? lui demande Brigitte en s'intéressant à ses travaux à lui.

— Ce n'est pas un mur. C'est une pièce. Il va y avoir une nouvelle pièce derrière la fournaise.

Il indique de la main un imposant coffre-fort caché dans la pénombre.

— Ça va être fermé… Toute cette partie, là.

Brigitte embrasse son père sur le front et s'en va. Elle a obtenu ce qu'elle voulait, mais elle n'est pas dupe. Carl n'est plus le même depuis quelque temps. La fraude des cartes de crédit le mine. Il a peur de commettre une bévue et de se faire coincer. Brigitte ne l'a jamais vu aussi anxieux. L'homme insouciant qu'il était jadis est devenu inquiet et nerveux. Il passe des heures à scruter avec une attention maniaque les cartes de crédit et les papiers d'identité volés et des journées entières à réviser les chiffres minutieusement consignés dans un livre comptable qu'il range ensuite dans le vieux coffre poussiéreux derrière la fournaise.

Dès le moment où Brigitte devient Brigitte Julie inc., tout change. Elle reçoit des hommes dans son condo de la tour Nord des Terrasses Crémazie et y prend un réel plaisir. Brigitte Julie inc. est la plus coquine des inventions. Pour une fois, Brigitte a l'impression de s'amuser. Elle mène son affaire à son gré. Elle n'a pas de mal à recruter des clients. Elle les trie sur le volet et ne garde que ceux qui lui plaisent. Elle ne fait aucune concession. L'affaire est une véritable mine d'or. Toutes les semaines, elle confie des enveloppes brunes bourrées d'argent à son père. Et de façon ponctuelle, elle remet mille ou deux mille dollars à Denis Brown pour qu'il fasse avancer son dossier. Celui du pardon. L'avocat lui assure qu'il fait le nécessaire, tout en travaillant au dossier de Julie

Sanche, toujours accusée de prostitution. Ils dorment toujours ensemble, mais à l'occasion seulement.

Le génie de Denis Brown en fait, c'est de savoir se rendre indispensable. Carl Leclerc ne parvient pas non plus à se passer de lui. À l'insu de Brigitte, il lui verse des sommes importantes pour que la poursuite contre Julie s'éternise devant les tribunaux. Celles-ci sont notées dans le livre comptable. Le droit de cuissage qu'il s'arroge auprès de celle qu'il défend ne l'est pas. L'avocat se fait payer deux fois pour le même travail, mais Carl Leclerc ne pose pas de questions, ni sa fille d'ailleurs.

* * *

Brigitte s'est habituée au silence de la salle d'audience. Après les quatre détonations successives et ce geste maladroit qu'elle a eu en retournant l'arme contre elle, il y a une pause. Le calme après la furie. Sa colère est toujours là, elle est toujours aussi vive, et surtout elle confirme la tendance. Alors que le film de sa vie s'arrêtait sur des moments d'émotion intense, il s'attarde maintenant aux conflits et aux querelles. Elle revoit le sous-sol de Carl Leclerc comme si elle y était.

Le mur que son père a construit forme maintenant la pièce qu'il avait imaginée. Une pièce secrète. Pour y accéder, il faut passer par la chaufferie, se glisser derrière la fournaise et actionner le loquet de la porte dérobée derrière une colonne de ventilation. Lorsque Brigitte et Carl ont à se parler maintenant, c'est ici qu'ils viennent. On dirait la cale d'un grand voilier ou encore une cellule dans laquelle Carl s'enferme lui-même pour se sentir en sécurité.

Brigitte a décidé d'en découdre avec son avocat. Il va bientôt y avoir six ans qu'elle est sortie de prison. Elle devrait avoir obtenu son pardon depuis un an au moins. Le dossier a été préparé et déposé au palais de justice. Elle a rempli toutes les formalités, mais les choses traînent en longueur. Brown a toujours de bonnes excuses lorsqu'elle lui demande où en sont les choses. Ses réponses ne la satisfont jamais. Elle en a assez. Brigitte débarque donc chez son père et lui réclame vingt-cinq mille dollars. En les remettant à Brown et en lui promettant une somme équivalente une fois l'affaire réglée, elle est persuadée que les choses vont bouger.

— Je ne comprends pas pourquoi tu veux lui donner de l'argent avant, s'étonne-t-il.

— Cette histoire a assez duré. Je veux obtenir ce pardon!

— Tu pourrais le payer après.

— Après ou avant, ça n'a aucune importance. Je paie et je m'attends à ce qu'il y ait des résultats!

Leclerc tente de calmer sa fille en lui offrant à boire, mais elle refuse. La pièce secrète est aménagée d'une façon étrange. Tout y est compact et tassé. Un lit escamotable, une table extensible, des chaises pliantes, un minuscule fauteuil au dossier articulé. Cette promiscuité ne convient pas à Brigitte. Elle est de plus en plus agitée.

— Tu n'as pas voulu que je dépose mon argent à la banque. Tu m'as dit que tu serais mon banquier. J'étais d'accord, mais maintenant je viens faire un retrait. Est-ce qu'il y a un problème?

— C'est ton argent, tu en fais ce que tu veux, se défend son père. Mais je ne crois pas qu'en lui donnant vingt-cinq mille dollars les choses iront plus vite.

— Eh bien moi, je crois que si. En voyant la couleur de l'argent, il va bouger !

— C'est une très mauvaise idée, Brigitte. Il faut t'y prendre autrement.

Face à la résistance de son père, Brigitte se cabre. Elle se sent de plus en plus à l'étroit dans cette pièce. Elle étouffe. Elle a l'impression de se retrouver en prison. Elle panique et se met à hurler.

— Je veux que tu me donnes vingt-cinq mille dollars ! Immédiatement !

Brigitte donne un coup de pied sur une chaise. Les poings sur la table, elle insiste et exige son argent. Leclerc est bouleversé. Sa fille lui fait peur. Il ne la reconnaît plus. Il ne l'a jamais vue dans une furie pareille. Il doit la calmer, alors il cède. Comment faire autrement ? Après tout, cet argent est le sien. Il ne peut pas le lui refuser. Les épaules voûtées, il se tourne lentement vers le coffre qu'il ouvre d'une main tremblante. Il en tire une enveloppe brune et y fourre les milliers de dollars demandés sans bien les compter. Brigitte s'empare brusquement de l'enveloppe, tourne les talons et claque la porte en sortant.

Une heure plus tard, elle fait irruption chez Denis Brown. Elle est à cran. D'un geste décidé, elle pose sa valise sur son bureau, l'ouvre et balance l'argent devant lui. Calé dans son fauteuil, l'avocat la regarde, médusé. Brigitte est déchaînée. Elle veut savoir combien il lui en coûtera pour obtenir son pardon et dans combien de temps cette affaire sera réglée.

— Calme-toi, beauté. Ce n'est pas une question d'argent, c'est une question de pouvoir !

Brigitte est interdite. Jamais Denis Brown ne lui a parlé de pouvoir. Depuis deux ans, elle a fait tout ce qu'il lui a demandé. Elle a couché avec lui. Et maintenant, ça ne suffit plus.

— Quand on cherche à obtenir ce que tu veux et qu'on est pressé, précise-t-il, l'argent est inutile. Beaucoup trop compromettant, tu dois me croire. Là où tu en es, c'est une question de pouvoir.

— Là où j'en suis ?

Pour une fois, Denis Brown ne semble pas jouer la comédie. Il paraît sincère. Brigitte est décontenancée. Sa colère tombe.

— Tu connais la différence entre l'argent et le pouvoir, n'est-ce pas ?

Elle se demande où il veut en venir, mais elle devine que ni sa colère ni ses vingt-cinq mille dollars ne feront avancer sa cause.

— Tu ne peux pas coucher avec de l'argent, mais tu peux coucher avec le pouvoir, lui dit-il.

Denis Brown l'invite à s'asseoir, mais elle reste debout à le fixer, les bras ballants.

— La solution à ton problème est toute simple. Je vais te présenter Harry, c'est quelqu'un de très influent au palais de justice. Avec lui, ce sera très facile pour toi d'obtenir ce que tu veux.

— Tu veux que je baise avec ce type ? C'est ce que tu entends par «coucher avec le pouvoir» ? murmure-t-elle.

Denis Brown a réussi à désamorcer la crise en lançant cette idée qui lui a traversé l'esprit à brûle-pourpoint.

Il ignore ce que le principal intéressé en pensera, mais il a assez de relations au palais de justice pour tenter sa chance.

Bilan de santé

Jérôme Marceau arriva aux homicides un peu après treize heures. Il aurait dû y être beaucoup plus tôt, mais le mauvais temps s'était acharné contre lui. Il y avait un monde fou dans le réseau souterrain à cause de la tempête. La neige continuait de s'abattre sur la ville sans répit. O'Leary et Corriveau discutaient ferme dans la salle de conférence lorsqu'il entra. En se versant une tasse de café, il tendit l'oreille.

— Ce qui paraît évident, c'est que tout le monde semblait se connaître dans cette salle d'audience. Ils couchaient tous ensemble.

— Pas le juge quand même ! protesta Corriveau.

— D'accord. Pas le juge. Mais les autres, oui.

— Puis il y a Carl Leclerc.

— Ouais. Lui c'est le fraudeur en série, coupa O'Leary. C'est le banquier. Il plane au-dessus de tout ça.

— C'est vrai. Mais à quoi veux-tu en venir ? demanda Jérôme.

Il s'était glissé dans la conversation sans y avoir été invité. O'Leary maugréa comme si c'était une évidence :

— À l'argent!

— Quoi, l'argent?

— Ben oui, l'argent. Il faut trouver où il est passé! Carl Leclerc exploitait un réseau de fausses cartes de crédit. Brigitte, sa fille, faisait trente ou quarante achats majeurs chaque mois. Ces gens-là roulaient sur l'or, mais il n'y a pas de comptes bancaires. Sauf celui de Brigitte Julie inc., qui ne contient pas grand-chose. On n'a rien. Le néant. Pour trouver un sens à tout ça, il faut retracer l'argent.

— Je ne crois pas! fit sèchement Jérôme.

D'un geste brusque, il posa son café sur la table.

— Ce que nous cherchons, c'est le mobile. Pourquoi a-t-elle tiré sur le juge et sur les autres? L'argent n'a rien à voir là-dedans.

— Comment peux-tu en être aussi sûr? protesta Corriveau.

— Il y a autre chose, avança Jérôme en tirant une chaise.

— Comme?

Il avait quelques idées sur la question, mais le moment n'était pas venu de les partager.

— Les fraudes, c'est la Section des crimes économiques qui s'en charge. On ne veut pas aller dans cette direction pour l'instant.

— Tu as mieux à proposer, peut-être?

O'Leary venait d'engager les hostilités. Jérôme ne savait comment répondre. Il n'avait pas d'arguments pour étayer sa réflexion, quelques intuitions, tout au plus. Mais il lui fallait mettre l'insoumis au pas avant que la situation ne dégénère.

— Le temps joue contre nous, fit-il en fusillant O'Leary du regard. On nous demande des réponses, rapidement. Et il y a cette tempête qui nous fait perdre du temps. Ce n'est pas le moment de s'éparpiller.

— Et pourquoi l'argent ne serait-il pas un motif? demanda O'Leary.

— Il va falloir que tu éclaires notre lanterne, enchaîna Corriveau. Moi je ne vois pas autre chose.

Les deux enquêteurs attendaient une réponse. Secrètement, Jérôme espérait que Brigitte sorte de son coma et que ce soit elle qui fasse la lumière sur cette affaire. Mais au fin fond de lui-même, quelque chose lui disait que cela ne se produirait pas et qu'ils auraient à se débrouiller sans elle.

— Le temps joue contre nous, se limita-t-il à répéter.

Au même moment, Blanchet entra dans la salle de conférence très agitée. Sans prêter attention à O'Leary et Corriveau, elle déposa ses affaires sur la table et chercha le regard de Jérôme.

— Est-ce que Brigitte Leclerc est toujours dans le coma? demanda-t-elle.

— Je… je n'ai pas vérifié, bafouilla-t-il.

— Est-ce qu'on a son bilan de santé? Son bilan complet.

— Euh… non. Pas à ma connaissance. Mais ça doit se trouver.

La communication était embrouillée autour de la table. Blanchet était sur une piste, de leur côté, O'Leary et Corriveau ne voulaient pas lâcher la leur. Les sommes d'argent qu'ils avaient répertoriées étaient trop considérables pour avoir disparu sans laisser de traces. De là à y trouver un motif pour expliquer la fusillade, il n'y avait qu'un pas, selon eux. Blanchet dut hausser la voix pour leur faire comprendre l'importance de ce bilan de santé.

— J'ai mis la main sur celui de Gilbert Bois, finit-elle par lâcher. C'est étonnant, ce qu'on y apprend… sur un directeur de garderie!

Jérôme avait oublié ce détail. Le matin même, il avait rabroué l'enquêteure parce qu'elle avait omis de lui transmettre le dossier médical de Bois. Non pas qu'il y accordât une si grande importance, c'était simplement sa manière de lui river son clou. Blanchet n'avait-elle pas prétendu tout savoir sur l'ex-directeur du CPE?

— Bois était séropositif, laissa-t-elle tomber. Depuis un bon moment déjà. Il l'était quand il s'envoyait en l'air avec Julie Sanche, pendant la courte période où elle a travaillé dans sa garderie.

O'Leary sourcilla. Que Gilbert Bois soit séropositif le laissait plutôt froid, mais la façon qu'avait Blanchet d'en parler l'allumait.

— C'est bien ce qu'on disait avant que tu arrives. Ils s'envoyaient tous en l'air, ces cochons. Ça aussi, ça peut être un mobile, quand on y pense. La jalousie.

Il blaguait, mais Blanchet était tout ce qu'il y a de plus sérieux.

— Si Brigitte Leclerc alias Julie Sanche était devenue séropositive après son aventure avec Gilbert Bois, elle pouvait avoir eu envie de se venger. Et encore plus lorsqu'elle s'est rendu compte qu'il témoignerait contre elle. Ça expliquerait un des quatre meurtres.

O'Leary et Corriveau firent la moue. Il convenait assurément de savoir si Brigitte avait été infectée, même si cela restait une explication bien partielle de l'affaire. Pour Jérôme toutefois, la découverte de Blanchet ne pouvait mieux tomber ; elle écartait momentanément la question de l'argent, ce qui lui permettrait de vérifier certains éléments de l'enquête et de se faire une tête sur le sujet. La thèse d'O'Leary et de Corriveau n'était pas sans intérêt. C'est pour cela, d'ailleurs, qu'il voulait retourner rue Lajeunesse. Pour savoir à quoi exactement jouaient Brigitte Leclerc et son père.

En son for intérieur, Jérôme était persuadé qu'il n'y avait aucun lien entre les fraudes et la fusillade. Mais pour comprendre ce qui s'était passé et pourquoi les choses avaient si mal tourné, il devait retourner toutes les pierres laissées en chemin. Tirer un trait pour relier les points de l'image. Or, le nouvel éclairage qu'apportait Blanchet établissait un lien entre Brigitte et Gilbert Bois. Un lien de sang contaminé.

— En tout cas, je peux vous dire que Julie, enfin Brigitte se gavait de médicaments ! Il y a une tonne de pilules dans l'armoire à pharmacie de sa salle de bain. J'ai aussi trouvé des prescriptions dans ses papiers. Il y en avait comme ça ! fit Corriveau en écartant les doigts pour donner la mesure.

Le regard acéré, Blanchet mitrailla l'enquêteur chauve de questions :

— Tu les as ramenées, ces prescriptions ? T'as trouvé un diagnostic ? Elle les prenait depuis combien de temps, ces médicaments ?

— Je n'y connais rien. Et ce n'est pas ce que je cherchais. Je dis simplement que Brigitte carbure aux médicaments. C'est une accro, de toute évidence.

— Je peux les voir, les prescriptions ? Tu en as rapporté de chez elle ?

— Quelques-unes, oui. Attends voir que je les trouve.

Blanchet avait rejoint Corriveau de l'autre côté de la table. Ensemble, ils cherchèrent les prescriptions parmi les reçus de cartes de crédit et un tas de papiers. Il y en avait plusieurs, mais comment savoir si ces médicaments étaient ceux qu'on prescrit aux séropositifs ? Ils se perdaient en conjectures lorsque Jérôme, calé dans son fauteuil, leur suggéra :

— Vous n'avez qu'à regarder s'il y a de la thalidomide.

— Pardon ?

— Dans les prescriptions… De la thalidomide. Ça fait partie du cocktail de médicaments qu'on prescrit aux séropositifs.

Tous les regards s'étaient tournés vers Jérôme. Impassible, il attendait une réponse.

— Je ne sais pas, lança O'Leary, je ne connais rien aux médicaments, moi.

L'enquêteure Blanchet était revenue vers son ordinateur avec une des prescriptions et tapait furieusement sur le clavier en marmonnant des mots inaudibles. Corriveau revoyait ses notes de perquisition et fouillait dans ses papiers.

— Comment tu dis, encore ? Talido quoi ?

— Thalidomide. T, h, a…

Des trois rencontres qu'ils avaient eues jusque-là concernant cette affaire, c'était la plus désorganisée, la plus erratique. Jérôme s'y était présenté sans agenda et avec plus de questions que de réponses. Il avait cavalièrement repoussé le motif de l'argent pour expliquer la fusillade sans pour autant offrir une piste plus crédible. O'Leary était démotivé, mais Jérôme savait où il allait. Le plan était simple : si Blanchet ne parvenait pas à trouver de réponses à ces questions dans les banques de données, elle se rendrait à l'hôpital Saint-Luc pour obtenir un échantillon sanguin de Brigitte afin de le faire analyser. Quant aux deux autres, O'Leary retournerait au condo de maître Brown, devant le canal de Lachine, et Corriveau à celui des Terrasses Crémazie. Les fouilles devaient être approfondies. O'Leary s'énerva, bien sûr.

— Et tu crois que le sida est un mobile plus sérieux que l'argent, toi ? Qu'est-ce que tu cherches à prouver, Aileron ? Qu'ils baisaient tous ensemble ? Et après ?

— Si quelqu'un m'avait refilé le sida, je pense que je lui en voudrais, argumenta Jérôme.

— Ce n'est pas Bois qui l'a refilé à la fille, voyons ! C'est elle qui le lui a transmis ! T'as vu la vie qu'elle menait ?

— Sexiste ! s'indigna Blanchet.

La jeune femme repoussa son ordinateur brusquement et croisa les bras. Le visage empourpré et le regard fielleux, elle se vida le cœur :

— À quoi vous jouez au juste ? On dirait une bande de gamins dans une cour d'école. C'est à qui pissera le plus loin !

O'Leary se leva carrément en renversant sa chaise. Corriveau, frustré de se faire parler sur ce ton, remballa ses dossiers en annonçant qu'il avait autre chose à faire. Jérôme lui rappela ce qu'il attendait de lui.

— Tu retournes aux Terrasses Crémazie et tu fouilles. Il faut terminer le travail.

— Ça ne se passerait pas comme ça avec Lynda, plaida-t-il.

O'Leary en rajouta :

— Tu as mis les pieds dans des souliers trop grands pour toi, Aileron ! Si ça t'amuse de nous emmerder, tu as beau jeu, mais je ne suis pas sûr que ça serve à grand-chose.

La rencontre se termina sur ce couac. Les deux enquêteurs sortirent en laissant la porte toute grande ouverte. Impassible, Jérôme remit son ordinateur dans son sac. Blanchet ne décolérait pas. Avec une indifférence étudiée, il murmura :

— Est-ce que tu pourrais aller me chercher un mètre électronique ?

— Pardon ?

— Un mètre électronique. Tu sais, ces bidules à rayon qu'on utilise pour mesurer. J'ai perdu le mien.

Déconcertée, elle se leva et quitta la pièce en traînant les pieds. Tout compte fait, Jérôme était plutôt satisfait. Il les avait déstabilisés l'un après l'autre, puis envoyés en mission pour se donner les coudées franches. Grâce à ce stratagème, il avait le 8203 de la rue Lajeunesse pour lui seul. Le logement de Carl Leclerc, devinait-il, n'avait pas encore livré tous ses secrets.

* * *

Jérôme passa par le poste de redistribution de la rue Jarry pour se rendre au 8203, Lajeunesse. Tony, l'ancien du SCS, l'attendait. À cause de la tempête, des incidents s'étaient produits la veille. Des voyous en quête d'un endroit où passer la nuit avaient forcé la porte du métro permettant d'accéder au poste d'Hydro-Québec. Un deuxième groupe avait enfoncé l'accès donnant sur la ruelle derrière la rue Lajeunesse. Ce n'est qu'au petit matin et avec l'aide de la police que les intrus avaient été délogés. En relatant cet épisode, la Belette avait bombé le torse et brandi un bâton de baseball qu'il gardait à portée de la main dans sa guérite. Comme ils n'avaient pas d'armes de service, lui et ses collègues n'hésiteraient pas à s'en servir en attendant la fin de la tempête, si d'autres effractions étaient commises. Jérôme le rembarra en lui rappelant qu'il avait d'autres chats à fouetter, mais la Belette refusa de lâcher l'os.

— Alors dites-moi, est-ce que ça avance, cette enquête ?

— J'espère bien.

L'agent de sécurité comprit que ce n'était pas la peine d'insister.

— Venez, je vous accompagne.

Tony n'était pas peu fier. En discutant avec Marceau et en le guidant ainsi dans le poste, il avait l'impression de collaborer à l'enquête, de contribuer aux recherches. Devant la porte donnant sur la ruelle, l'agent insista pour que Jérôme l'appelle lorsqu'il aurait terminé chez Carl Leclerc.

— Je viendrai vous ouvrir.

— Mais j'ai tout ce qu'il faut pour ça, fit-il en tapotant sa sacoche de cuir.

— Avec les incidents qu'il y a eu, ce serait préférable, je crois.

Jérôme promit donc de le faire. Tony lui ouvrit la porte et il plongea dans la tempête. La neige s'était accumulée au sol, le vent se levait et il avait toutes les peines du monde à mettre un pied devant l'autre. Lorsqu'il atteignit la porte arrière du logement de la rue Lajeunesse, il fit une pause et chercha son passe-partout. Il le trouva tout au fond du sac, et c'est les doigts gelés qu'il l'enfonça dans la serrure. En un tournemain, il ouvrit et se retrouva dans la cuisine du logement. Le mètre électronique que lui avait refilé Blanchet était un modèle plus récent que celui qu'il utilisait habituellement. Il descendit au sous-sol sans prendre la peine de vérifier son fonctionnement. L'endroit était mal éclairé, et il mit un certain temps à allumer l'appareil. Dans la pénombre, un doute l'envahit. N'avait-il pas mieux à faire? Qu'espérait-il trouver dans ce bric-à-brac, ce ramassis d'objets volés qui n'avait rien à voir avec ce qui s'était passé au palais de justice? Il se trouvait ridicule mais pointa tout de même le rayon lumineux du mètre sur le mur du fond, pour calculer la superficie de la cave. Il fit des lectures dans un sens, puis dans l'autre, nota les chiffres affichés sur le petit écran de l'appareil, puis monta au rez-de-chaussée où il répéta l'exercice. Le résultat confirma ce qu'il avait cru remarquer lors de sa visite précédente. Il y avait une différence de cinq mètres carrés entre les deux étages, ce qui n'était évidemment pas normal.

Jérôme repéra deux lampes sur pied dans le salon, dégota une rallonge électrique dans la cuisine et fit de l'éclairage au sous-sol. Un détail lui sauta immédiatement aux yeux. Il n'y avait plus de peinture au pied de la porte de la chaufferie. Les pannes étaient peut-être fréquentes, on y venait peut-être souvent, mais à ce point? Il ajusta l'éclairage et passa la main sur le plancher de ciment. D'un côté de la fournaise, la peinture était rugueuse, tandis que de l'autre elle était patinée. À part ce détail, tout était normal. Une vieille fournaise Detson au mazout occupait presque tout l'espace. On pouvait à peine se glisser derrière. Il allait abandonner lorsqu'il aperçut un bout de papier sur le sol, un peu plus loin. Accroupi, il glissa la main pour l'attraper, et une fois encore il s'étonna que la surface soit si lisse à cet endroit. Mesurant ses gestes, il contourna la fournaise en palpant le mur de sa main valide. Son petit bras pendait, comme d'habitude. Une deuxième main n'aurait pas été de trop. Si un doute l'avait assailli un peu plus tôt, cette fois, il se sentait carrément ridicule. Puis soudain, son doigt glissa sur quelque chose de froid. Un loquet de métal peut-être. Il tira dessus. Un bruit sec se fit entendre et la paroi céda. C'était une porte dérobée; une porte qui ne donnait sur rien. C'est en tout cas l'impression qu'il eut avant d'effleurer un rideau de velours sombre, qu'il écarta prudemment. Il y avait une pièce de l'autre côté.

Jérôme mit un moment avant de trouver l'interrupteur. Lorsqu'il alluma, il eut l'impression d'être dans un bateau, dans la cale d'un grand voilier. L'espace était aménagé de façon spartiate. Une table sur laquelle un livre de comptabilité avait été laissé, deux chaises, un lit rétractable, un téléviseur, une mini cuisinette. Tout semblait graviter autour d'un immense coffre-fort dont la porte était bizarrement entrouverte. Haut d'un mètre cinquante, il était incrusté de lettres d'or.

La lumière tamisée et les murs bleu azur accentuaient encore plus l'impression d'être dans un bateau. Pas un son ne filtrait de l'extérieur, et le rideau de velours, long jusqu'à terre, masquait complètement la porte dérobée, sans doute pour éviter que la lumière ne filtre dans la chaufferie. Tout était propre et ordonné. Rien n'avait été laissé au hasard, hormis la porte entrebâillée du coffre-fort et le livre de comptabilité qui traînait ouvert sur la table.

Jérôme enfila un gant et s'approcha du coffre. Évitant de toucher la poignée, il agrippa la porte par les rebords et l'ouvrit toute grande. L'argent était là.

— *Wow!* fit-il, impressionné.

Il n'y avait pas moins de cinq tablettes dans le coffre. Sur chacune d'elles, des liasses de billets étaient empilées, coincées serré les unes contre les autres jusqu'à ras bord. On n'aurait pas pu y mettre un dollar de plus. Plus bas, il y avait des tiroirs. Des coffrets de sûreté, entrouverts eux aussi. Du bout des doigts, Jérôme en ouvrit un. Des cartes de crédit et des papiers d'identité correspondants étaient réunis en paquets, retenus ensemble par des bandes élastiques. À vue de nez, il devait y en avoir plusieurs centaines. Peut-être un millier.

Jérôme s'agenouilla et ouvrit les deux autres tiroirs. Il s'attendait à y trouver d'autres fausses cartes, mais ils étaient remplis de bijoux. Des colliers sertis de pierres précieuses, des bracelets ornés de diamants et des bagues, des dizaines de bagues en or, serties d'émeraude, de rubis, de saphirs. Ces joyaux étaient emmêlés, entortillés comme des spaghettis oubliés au fond d'un chaudron. Lorsqu'il prit un collier au hasard, une demi-douzaine de bracelets suivirent. Dans le cliquetis de l'opulence, un solitaire, gros comme une noix de Grenoble, tomba sur le sol. Il ramassa le bijou et l'examina un instant avant de se rendre compte qu'une odeur étrange se dégageait du coffre. Il crut d'abord que c'était celle des vieux livres, mais c'était l'odeur de l'argent.

Jamais Jérôme n'avait vu autant de richesses réunies. Songeur, il remit le solitaire dans le tiroir, le referma méticuleusement, puis s'éloigna du coffre. Dans l'espace réduit de la cache, il ne savait plus où se placer; cette fortune avait quelque chose d'irrespirable. C'est à tâtons qu'il recula jusqu'à la table, puis qu'il s'appuya au dossier d'une des deux chaises.

L'ampleur de la fraude imaginée par Carl Leclerc était colossale, le coffre-fort béant lui apparut comme un gouffre. Un gouffre d'avidité. Une phrase se mit alors à lui tourner dans la tête, une phrase maintes fois entendue et qu'il avait toujours trouvée insipide: les coffres-forts ne suivent jamais le corbillard. Cette fois, pourtant, il la trouva de circonstance. Le père de Brigitte était passé de vie à trépas en laissant sa fortune à découvert. Il avait aussi laissé un livre de comptes sur la table, un livre avec des colonnes et des colonnes de chiffres. De quoi expliquer en détail la provenance de ce butin qui empestait. Mais pas nécessairement de quoi expliquer la fusillade du palais de justice. Malgré cette découverte stupéfiante, Jérôme persistait à croire que l'argent n'était pour rien dans le drame de la salle d'audience. Les magouilles de Carl Leclerc et la tuerie orchestrée par sa fille n'avaient selon lui rien en commun.

La thèse de l'argent défendue par O'Leary et Corriveau était pourtant séduisante. On tuait pour beaucoup moins. Mais Jérôme était convaincu qu'il y avait autre chose derrière tout cela. Si les deux enquêteurs avaient mis la main sur le coffre-fort de la rue Lajeunesse avant lui, l'enquête se serait arrêtée dans l'heure. Il allait donc devoir retenir cette information, attendre que toutes les cartes soient sur la table avant de jeter la sienne.

Après avoir passé une demi-heure à examiner les chiffres du livre de comptabilité, Jérôme avait la tête qui tournait. Ces colonnes de chiffres précédés de codes se moquaient des règles de la comptabilité. Les totaux et les sommaires étaient inexistants. Il repoussa le livre sur lequel il peinait, se frotta les yeux, puis jeta un coup d'œil autour de lui. Son regard se posa sur un bâton de rouge à lèvres oublié sur le bord de l'évier. Il en reconnut la couleur. Un vieux rose délicat comme celui des bâtons qu'il avait aperçus dans la salle de bain du condo des Terrasses Crémazie.

Si, de son vivant, Carl Leclerc avait établi ses quartiers généraux dans cette pièce, depuis sa mort, sa fille y était certainement venue. Il avait d'ailleurs l'impression que son parfum flottait dans l'air, mais c'était peut-être lui qui tentait de s'en convaincre. Qu'importe, elle n'avait pas les mêmes intérêts que son père, de toute évidence. Bien que le coffre-fort ait été plein à ras bord, tout laissait croire qu'elle ne s'était pas servie. Elle n'avait pas touché aux bijoux non plus. Brigitte n'avait pas tué quatre personnes, dont un juge, pour quelque chose qu'elle avait déjà et qu'elle semblait ignorer souverainement.

Pendant une heure, Jérôme inspecta la pièce, déplaçant et replaçant les objets, palpant et auscultant tout ce qui lui tombait sous la main. Brigitte était venue là tout récemment. Peu avant la fusillade du palais de justice peut-être. Mais qu'est-ce qu'elle était venue y faire ? Pleurer son père mort six mois plus tôt ? L'endroit avait des allures de mausolée. Un lieu sacré dont le tombeau était le coffre-fort.

Il était seize heures et Jérôme ne savait plus ce qu'il devait faire. Signaler l'existence de la pièce secrète au sous-sol du 8203, Lajeunesse, ce qui déclencherait une nouvelle perquisition, ou gagner du temps de peur que cette découverte ne fasse dérailler l'enquête. Il alluma le téléviseur niché dans une alcôve au-dessus du coffre-fort. Il n'était question que de la tempête de neige. Sur toutes les chaînes, on ne parlait que de ce début d'hiver chaotique ; une journée de pluie verglaçante suivie d'une tempête de neige qui ne donnait aucun signe d'essoufflement. La ville était totalement paralysée. Il allait fermer le poste et quitter la pièce secrète lorsqu'une photo du juge Rochette apparut en encadré au-dessus de l'épaule du lecteur de nouvelles. Sur des images qui avaient passé en boucle le jour de la fusillade, on rappelait les faits en précisant que le juge assassiné serait inhumé le surlendemain.

— Mais qu'est-ce qui presse tant ? bougonna Jérôme.

La ville était sens dessus dessous. Les rues n'étaient pas dégagées, les autos étaient ensevelies, les autobus ne circulaient plus et le réseau électrique était en panne. Le moindre déplacement prenait des heures. Jérôme s'étonna du fait que, malgré tout ce branle-bas, les obsèques du juge n'aient pas été repoussées. Il éteignit le téléviseur en se disant qu'il devait retourner au poste le plus vite possible. Mais son téléphone se mit à vibrer alors qu'il mettait le pied dans la chaufferie. Rebroussant chemin, il tira le rideau, ralluma la lumière et vit que c'était un texto de Blanchet.

« Sonia Ruff, la greffière du palais de justice, veut te rencontrer. Ce soir. Blanchet »

Jérôme relut le message trois fois en se mordant les lèvres. Cet imprévu l'embarrassait. Il souhaitait revoir O'Leary et Corriveau avant de rentrer chez lui. L'idée d'une rencontre aux homicides avait en effet été évoquée avant que les deux enquêteurs ne prennent le mors aux dents et ne décampent. D'ailleurs, peut-être étaient-ils dans de meilleures dispositions ?

« Vas-y à ma place ! » poinçonna-t-il sur le clavier de l'appareil.

La réponse ne mit que quelques secondes à arriver.

« Elle a insisté pour que ce soit toi. »

Jérôme composa le numéro de Blanchet aux homicides. Elle décrocha aussitôt, comme si elle attendait son appel.

— C'est quoi le truc ? Pourquoi a-t-elle insisté pour me voir, moi ?

— Elle te fait confiance.

Il mit un temps à réagir. La greffière aux cheveux poivre et sel qui lui avait remis un dossier dans le corridor du palais de justice lui faisait confiance.

— Mais ce n'est pas tout. J'ai autre chose à te dire. J'ai découvert le système.

— Quel système?

— Celui de Carl Leclerc... Comment il procédait pour frauder.

— Très bien, j'arrive. O'Leary et Corriveau n'ont pas donné signe de vie?

Il sentit une hésitation à l'autre bout du fil. Blanchet s'éclaircit la voix:

— Ils ont dit qu'ils repasseraient au poste en fin de journée, mais avec le temps qu'il fait...

— Je suis là dans trente minutes.

Jérôme raccrocha avant que Blanchet n'évoque la tempête; il ne voulait plus rien entendre là-dessus. Le plus tôt il serait de retour aux homicides, le mieux ce serait. Il regagna le métro en passant par le poste de redistribution d'Hydro-Québec. Tony l'attendait à la porte donnant sur la ruelle. Ils n'échangèrent pas le moindre mot en traversant les installations. Alors qu'ils allaient se quitter, Jérôme lui rappela que rien ne devait transpirer de ses allées et venues.

Quarante-cinq minutes plus tard, Jérôme se penchait sur l'épaule de l'enquêteure Blanchet afin d'examiner de plus près des relevés d'un compte bancaire, ceux de Brigitte Julie inc.

— Il y a deux choses que je veux te montrer. La première, c'est un détail... Quelqu'un qui essaie de cacher quelque chose, je crois...

Le relevé de la dernière année tenait en douze pages. Une pour chaque mois.

— C'est tout ? s'exclama Jérôme.

— On dirait bien, fit la recrue. C'est curieux, tu ne trouves pas ? Carl Leclerc n'avait aucun compte bancaire connu. Brigitte non plus. Ils ont volé pour des milliers de dollars grâce à leur petite magouille de cartes de crédit, et quand on trouve enfin un compte, il est presque vide.

Seules une demi-douzaine de transactions par mois figuraient sur les relevés. De quoi payer les frais de condo, l'électricité et, une fois par année, le compte de taxes. Les dépôts étaient rares aussi. Au début de la période, une somme variant entre mille et deux mille dollars était versée sur le compte en argent comptant. Le 15 de chaque mois, en revanche, mille deux cent cinquante dollars étaient versés par transfert électronique.

C'était le détail qui chicotait Blanchet.

— J'ai cherché à savoir d'où venait cet argent, mais j'ai perdu la piste. Impossible de savoir de quel compte il provient ; les codes sont bloqués. L'argent transite à l'étranger. C'est tout ce que je sais : le 15, mille deux cent cinquante dollars arrivent d'on ne sait trop où, mais de loin.

— Ça doit se trouver.

— Je vais m'y prendre autrement.

Jérôme détourna la tête et fit comme s'il n'avait rien entendu. Blanchet lui proposait à mots couverts de poursuivre son investigation en utilisant des moyens pas tout à fait orthodoxes. Il ne pouvait lui donner sa bénédiction ni la lui refuser. Alors il choisit d'agir comme Lynda l'aurait fait en pareil cas : il s'empressa de changer de sujet.

Ça non plus, Jérôme ne voulait pas l'entendre. Lorsqu'il empruntait lui-même cette formule pour prévenir Lynda qu'il était sur le point de tricher, de mettre son nez là où la loi ne le lui permettait pas, elle s'empressait de changer de sujet.

— Tu voulais me montrer deux choses.

Blanchet ouvrit un deuxième dossier, nettement plus volumineux. Elle invita Jérôme à s'asseoir et lui remit quelques dizaines de relevés de cartes de crédit.

— J'ai passé en revue tous les achats portés aux cartes de crédit trouvées au 8203, Lajeunesse. On sait qu'elle ne faisait qu'un achat par carte et qu'il y avait des papiers d'identité correspondants pour chacune d'elles. C'est beaucoup de boulot pour un seul achat, non ?

— Une façon de limiter les risques.

— Peut-être.

Blanchet s'était remise à son clavier. Des colonnes et des colonnes de chiffres défilaient à l'écran. Certains d'entre eux étaient surlignés en jaune. Elle s'arrêta sur un de ces chiffres au hasard.

— Là, tu vois. Trois mille neuf cent quatre-vingt-six dollars. J'ai trouvé le reçu correspondant. Il s'agit d'un diamant.

Son doigt glissa sur l'écran jusqu'à la colonne de droite.

— Et là, vingt mille dollars. C'est la limite de dépenses quotidiennes permise au véritable détenteur de la carte.

Jérôme siffla. Qu'on puisse dépenser une telle somme en une seule journée sans que personne pose la moindre question l'impressionnait. Blanchet continua de faire passer les chiffres à l'écran. Il y avait d'autres montants surlignés en jaune. Elle en choisit un deuxième.

— Six mille trois cent quatre-vingt-quinze ! J'ai à nouveau trouvé la facture correspondant à cet achat. Une Rolex…

Son doigt glissa vers la droite et s'arrêta sur un chiffre encore plus considérable que le précédent.

— Trente mille dollars, limite quotidienne d'achats.

— Trente mille dollars de dépenses autorisées par jour ! Merde ! Mais qui sont ces gens pour… fulmina Jérôme.

— On s'en fout, fit Blanchet. C'est ce qu'ils ont en commun, qui nous intéresse. Avec des marges quotidiennes autorisées comme celles-là, le système ne se pose pas de questions lorsqu'ils font une dépense importante.

L'enquêteure Blanchet répéta le petit manège. Les colonnes de chiffres dansaient sous les yeux de Jérôme comme sur les écrans des machines à sous du casino. Lorsqu'elle s'arrêtait sur un montant surligné correspondant aux reçus trouvés dans le logement de la rue Lajeunesse, il s'agissait invariablement de l'achat d'une montre ou d'un bijou. Et dans la colonne de droite, bien sûr, la limite permise pour des achats quotidiens était extravagante.

— Ils ont « cracké » les banques de données, résuma Jérôme. Ils ne se sont intéressés qu'aux clients bénéficiant de grosses marges. Ingénieux. Pas de blocage à la caisse. En ne faisant qu'un achat par carte, et bien en deçà du maximum permis, ils atténuaient le risque.

— Un *one night stand*, souligna Blanchet. Le *one night stand* de la carte de crédit.

Jérôme croisa son regard. Il y avait quelque chose de suave dans sa façon de dire cette expression. Elle empruntait la langue de l'autre solitude, mais il y avait plus que cela. L'expression même laissait supposer qu'elle parlait d'expérience. Jérôme ne connaissait rien d'elle. Blanchet s'adonnait peut-être à ce genre de pratique, après tout. Imperturbable, la jeune femme continua de faire dérouler des chiffres à l'écran.

— Quand on regarde de près, il y a une conclusion qui s'impose. Ils ne volaient que des bijoux et des montres. Haut de gamme de préférence.

Jérôme se mordit les lèvres. Les bijoux, il savait où ils étaient.

— J'ai fait d'autres recoupements à partir de la même prémisse.

Blanchet avait du vocabulaire. Contrairement à O'Leary et Corriveau, qui finissaient rarement leurs phrases et ne parlaient qu'en grognements et en onomatopées, elle avait le mot juste et l'esprit aiguisé.

— Dans la région, trente pour cent des clientes ayant de très grosses marges de consommation quotidiennes auprès des compagnies de cartes de crédit ont été victimes d'un *one night stand*, depuis trois ans. Une fois, mais une fois seulement, on a fait une transaction en utilisant leur carte. Immanquablement, c'était pour acheter des bijoux ou des montres de luxe.

Elle survolait une avalanche de chiffres à peine munie de deux indices : des fraudes uniques faites auprès de clients riches. Et des achats qui étaient toujours les mêmes, des bijoux ou des montres de luxe. L'ordinateur détectait ces transactions sans peine. Parfois l'arnaque était récente, mais elle pouvait aussi remonter à deux ou trois ans. Les montants dépassaient rarement cinq mille dollars, et l'incident ne se répétait jamais. De vrais et authentiques *one night stands* !

— Si on se fie à cette petite enquête, il y a d'autres cartes de crédit volées, d'autres papiers d'identité qui existent quelque part. À mon avis, les cartes trouvées rue Lajeunesse n'ont servi qu'aux achats récents. Contrairement aux autres, qu'on a sûrement cachées ou détruites, on a laissé traîner celles-là.

— Cette découverte est intéressante, admit Jérôme, mais ça n'explique pas pourquoi Brigitte a décidé d'éliminer quatre personnes. La piste de l'argent, ça nous mène à Carl Leclerc. C'était lui qui était derrière la fraude. Creuser de ce côté, c'est s'éloigner de Brigitte.

L'enquêteure Blanchet se rembrunit. Elle croyait détenir le bon filon, mais voilà que Marceau remettait tout en question. Elle avait toujours les mains rivées au clavier de son ordinateur, cependant ses doigts étaient immobiles. Sans se laisser démonter, Jérôme se pencha sur la table, souleva le relevé de compte bancaire de Brigitte Julie inc. et désigna un montant au milieu d'une page.

— Il faut savoir d'où vient ce transfert électronique de mille deux cent cinquante dollars, celui qui revient le 15 de chaque mois. Si on s'est donné tant de mal pour cacher la provenance de ce virement, et si une crack de l'informatique comme toi ne parvient pas à en retracer l'origine, c'est que quelqu'un cherche à dissimuler quelque chose.

— C'est un détail, protesta Blanchet. Les cartes de crédit, c'est une fraude majeure. On ne peut pas fermer les yeux là-dessus.

— Il n'est pas question de fermer les yeux. Si tu as découvert la petite combine de Brigitte et de son père, c'est qu'elle était cousue de fil blanc. Ça ne semble pas être le cas des transferts électroniques opérés sur le compte de Brigitte Julie inc. Quelqu'un essaie de nous berner.

Blanchet accusa le coup. Elle retira ses mains du clavier et se cala dans son fauteuil. Elle croyait avoir bien travaillé, mais cela ne semblait pas être l'avis de Marceau.

— Tu as des nouvelles d'O'Leary et Corriveau?

— J'ai parlé à O'Leary, fit-elle mollement. Il est toujours dans le condo de maître Brown. J'ai cru comprendre qu'il avait trouvé quelque chose.

— Comme?

— Il a simplement dit qu'on serait passé à côté de quelque chose d'important s'il n'y était pas retourné. Il a d'ailleurs insisté pour que je te le dise. Il paraît, lança-t-elle sur un ton sarcastique, que tu as eu une sacrée intuition en le renvoyant là-bas.

Jérôme ne savait pas s'il devait prêter foi aux paroles de l'Irlandais. Un tel compliment de sa part lui paraissait suspect. Il préféra ne pas élaborer sur le sujet.

— On se revoit en fin de journée?

— Ou demain matin, suggéra-t-elle en lui remettant l'adresse de Sonia Ruff.

Il hocha la tête en évitant de répondre, attrapa son anorak et sortit. Outremont était une ville sans souterrains, sans couloirs et sans corridors reliant les édifices entre eux. Comme cette enclave n'était desservie que par de rares stations de métro, il n'aurait d'autre choix que de sortir et d'affronter la tempête pour se rendre chez la greffière. Peut-être aurait-il envie de rentrer chez lui, après cette sortie nocturne.

* * *

Jérôme s'était posté devant une des fenêtres de la bouche de métro Édouard-Montpetit. Lorsqu'il avait dit à Sonia Ruff qu'il n'était pas suffisamment habillé pour braver la tempête, il y avait eu un silence au bout du fil. Un très long silence.

— Vous vous déplacez en métro ? s'était-elle étonnée.

Il avait confirmé en disant que c'était plus facile, compte tenu du nombre réduit de voitures de police qui circulaient en ce moment. C'était un mensonge, bien sûr.

— Dans ce cas, je vais me déplacer. Ce que j'ai à vous dire est important.

Ils s'étaient donné rendez-vous à l'entrée de cette bouche de métro sans charme, construction de béton oblique aussi froide que l'hiver lui-même. De gros flocons de neige tombaient, les rues étaient désertes. Les chasse-neige jouaient au chat et à la souris avec le temps. Ils peinaient à nettoyer les grandes artères, qui se congestionnaient dès qu'ils avaient le dos tourné. Des bancs de neige bloquaient la vue où que l'on regarde. Le vent violent tordait les branches des arbres et soulevait la neige en rafales. Jérôme commençait à croire que Sonia Ruff ne viendrait pas. Il faisait vraiment trop mauvais. Puis, à travers un coin de vitre qu'il avait dégivré, il aperçut une silhouette toute ronde s'avançant sous un réverbère. Il n'en croyait pas ses yeux. La greffière avançait raquettes aux pieds. Lorsqu'elle arriva devant les portes vitrées, Jérôme se rendit compte que son équipée n'avait rien d'une partie de plaisir. Sonia Ruff était clairement effrayée.

— Enquêteur Marceau, annonça-t-il en lui tendant la main.

— Vous êtes seul ?

Il la rassura en lui ouvrant la porte en grand. Agile, elle se pencha et fit sauter les attaches à ses pieds. Ses raquettes d'aluminium de petit format s'emboîtaient l'une dans l'autre. Ses gestes étaient ceux d'une vraie sportive. Elle passa à l'intérieur et attacha ses raquettes à son sac à dos.

— Je vous remercie d'être venue jusqu'ici, lui dit Jérôme.

Sonia Ruff l'examina de pied en cap. Ses chaussures n'étaient absolument pas appropriées au temps qu'il faisait, et son anorak, grand ouvert, était un coupe-vent davantage qu'un manteau d'hiver.

— Vous n'avez peur de rien, marmonna-t-elle.

— Vous non plus !

Il parlait de la tempête, du fait qu'elle était sortie dans la tourmente pour venir à sa rencontre. Mais elle avait autre chose en tête.

— Vous vous trompez. J'ai très peur. Il fallait que je vous en parle.

Elle descendit la fermeture éclair de son manteau, plongea une main à l'intérieur et exhiba un dossier. Un cartable, en fait, très semblable à celui qu'elle serrait sur sa poitrine, la dernière fois qu'ils s'étaient croisés au palais de justice.

— Vous trouverez tout là-dedans.

— C'est-à-dire ?

Il n'y avait pas un chat dans l'entrée de la station de métro, mais Sonia Ruff prit tout de même le temps de regarder autour, et même de l'entraîner plus loin derrière une colonne en béton. Ses cheveux poivre et sel tombèrent sur ses épaules lorsqu'elle se décoiffa. Son visage avait dix ans de moins que son épaisse chevelure.

— Les accusations de fabrication et usage de faux étaient très graves. L'autre matin au tribunal, celle qui a écopé d'une amende pour prostitution s'appelait Julie Sanche, mais en réalité la personne qui aurait dû comparaître était une certaine Brigitte Leclerc.

— Nous savons déjà cela, fit Jérôme.

Les traits de Sonia Ruff se figèrent. Elle mit un moment à se remettre de sa surprise. Du coup, Jérôme la sentit hésitante. Craintive même. Il s'empressa de la rassurer :

— Vous ne devez pas avoir peur. Il ne vous arrivera rien. Que savez-vous encore ?

Elle jeta un œil par-dessus son épaule. On aurait dit qu'elle regrettait d'être venue jusque-là et qu'elle préparait sa sortie. Jérôme chercha à la retenir :

— Vous devez le savoir, vous, pourquoi ces accusations ont été retirées à la dernière minute. Les preuves ne semblaient pas manquer.

Du menton, elle pointa le dossier qu'elle venait de lui remettre.

— Elles sont toutes là, les preuves. Photocopiées... Parce que le dossier original a disparu. Enfin, j'ignore où il se trouve.

— Il faut être sacrément bien placé pour faire disparaître une preuve comme celle-là.

— Mmmm...

Sonia Ruff était de plus en plus tendue. Blanchet lui avait dit qu'elle lui faisait confiance, qu'elle ne voulait parler qu'à lui, mais Jérôme commençait à en douter. La lèvre inférieure de la greffière tressaillait comme si elle était sur le point de se mettre à pleurer. Dans un geste qui l'étonna lui-même, il passa son bras gauche derrière son épaule et la tira vers lui. Sonia Ruff s'abandonna complètement et fondit en larmes. Il la laissa pleurer un moment, puis lui souffla à l'oreille :

— Vous avez peur des conséquences, c'est ça ?

Elle hocha imperceptiblement la tête.

— Et qui pourrait vous faire payer votre indiscrétion ?

Sonia Ruff portait un anorak si épais, si chaud, que Jérôme distinguait à peine les formes de son corps. Et pourtant, il la sentait frissonner.

— Si le prix à payer est trop élevé, fit-il encore, ne me dites rien.

— Ce serait trop injuste.

— Alors laissez-moi le dire à votre place. Vous n'aurez qu'à confirmer. Qu'à me dire si je me trompe ou non.

Elle se dégagea légèrement, le jaugea du regard et mesura sa proposition. Au bout d'un moment, elle opina de la tête. Elle voulait bien entendre ce qu'il avait compris jusque-là.

— Les accusations qui pesaient contre Julie Sanche ont été abandonnées au cours du week-end précédant la tuerie… sans préavis.

— Même l'avocat de Gilbert Bois n'était pas au courant, précisa-t-elle. Le juge Rochette m'a envoyée le chercher parce qu'il n'était pas à la séance.

— C'est ce qui vous a sauvé la vie, fit remarquer Jérôme.

À nouveau, la greffière chercha son épaule et se remit à pleurer. L'échange se poursuivit sans qu'il desserre son étreinte.

— Seul le juge Rochette était en mesure de faire tomber ces accusations de fabrication et usage de faux. Comme il était le seul, d'ailleurs, à pouvoir faire passer Julie Sanche alias Brigitte Leclerc par l'allée des Huissiers pour se rendre à son procès.

— Elle est passée par l'allée des Huissiers ? s'étonna-t-elle.

Jérôme ne répondit pas. Il cherchait à étirer le moment. Habituellement, les étreintes le gênaient. Avec son seul bras, il avait l'impression de ne donner que la moitié de son affection.

— Vous avez peur d'Evelyne Lebel, la femme du juge, fit-il en lui parlant à l'oreille.

Il sentit sa tête bouger au creux de son épaule. Un sursaut brusque qui laissait croire qu'elle était en fait terrorisée.

— Vous avez peur de François Sévigny également, le procureur de la Couronne.

Elle acquiesça une nouvelle fois.

— Il est venu vous voir. Il vous a interrogée… Non, je devrais plutôt dire qu'il vous a intimidée ?

Sonia Ruff disait oui à tout, sans jamais relever la tête. Jérôme aurait voulu l'écarter doucement pour contempler son visage, qu'il avait trouvé si beau avant qu'elle ne se décoiffe et que ses cheveux ne viennent dissimuler ses traits. Il aurait voulu lui dire combien il était touché qu'elle lui accorde sa confiance. Mais il se garda bien de le faire :

— Vous avez peur de me dire que le juge Rochette était un client de Brigitte Leclerc.

Elle hocha la tête en pleurant à chaudes larmes. Jérôme avait bien fait de venir la rencontrer. Elle avait tout dit sans prononcer un seul mot. Mais surtout, elle avait confirmé ce qu'il savait depuis un moment déjà. Le juge Rochette était une victime en trompe-l'œil.

Quatre secondes

Brigitte tient encore le pistolet de l'agent de sécurité dans sa main, sa brûlure à la lèvre est toujours aussi douloureuse et elle sait qu'elle va appuyer sur la détente, mais elle n'y est pas encore. Elle se revoit, deux ans plus tôt, à la porte de son condo, épiant à travers le judas. Harry a téléphoné deux fois pour s'annoncer. Il est de l'autre côté de la porte. Le visage crispé, la bouche tordue, il appuie frénétiquement sur la sonnette. Il trépigne d'impatience. Brigitte savoure cet instant. Le désir des hommes ne résiste pas à l'attente. Elle l'a déjà vérifié, mais pas auprès de Harry. Dès qu'elle lui ouvre, il se précipite dans l'appartement sans même la regarder. Vexé, il l'aborde immédiatement de haut.

— Qu'est-ce qui vous a pris tant de temps? Pourquoi n'avez-vous pas ouvert tout de suite?

Harry s'agite, il fait des moulinets avec ses bras. Il a une peur bleue qu'on le reconnaisse, qu'on sache qu'il est ici. Tout est calculé chez lui. Il a un alibi, un horaire, et pour les questions d'argent, il a une façon bien personnelle de procéder.

— Est-ce que vous me connaissez ? lui lance-t-il d'entrée de jeu.

Denis Brown, son avocat, ne lui a pas dit grand-chose à propos de Harry. Sauf peut-être qu'il est juge. Elle hésite à le dire, mais c'est pourtant la raison pour laquelle elle a accepté de le voir.

— C'est toujours une bonne chose d'avoir un juge dans sa poche, lui a dit Brown. C'est une question de pouvoir.

Alors qu'elle hausse les épaules, il répond à sa place :

— Tu m'appelles Harry. Tu n'as pas besoin d'en savoir plus. Et pour l'argent, maître Brown t'expliquera comment on procédera.

— Harry, dit-elle en feignant la surprise.

Sans que Brigitte l'y invite, le juge fait le tour du condo. Il semble apprécier le luxe. Il se calme peu à peu. Puis il la détaille des pieds à la tête. Il remarque ses bijoux, sa robe au décolleté plongeant et ses jambes vertigineuses, mais il ne dit rien. S'il éprouve quelque désir, il n'en laisse rien paraître. Elle lui offre à boire, mais il lui répond qu'il ne boit pas à cette heure. Brigitte le regarde d'un air coquin. Elle voudrait le séduire, mais il faut du temps. Et il ne lui en laisse pas.

C'est la première fois qu'elle se fait traiter ainsi. Habituellement, c'est elle qui mène le jeu. Cette fois, elle n'a pas le choix. Elle doit suivre les recommandations de Denis Brown, qui lui a répété de ne pas contrarier Harry, et surtout de ne pas lui faire part de sa requête lors de leur première rencontre. Elle doit d'abord gagner la confiance du juge si elle veut obtenir ses bonnes grâces.

— La chambre, c'est par là ?

Elle fait signe que oui et il s'y précipite. Le temps est compté. Brigitte fait des pieds et des mains pour qu'il se détende, mais c'est peine perdue. Harry aime que les choses se passent à sa façon. C'est lui qui décide.

— Tu te déshabilles, lance-t-il.

Elle s'exécute.

— Maintenant, tu te mets à genoux, exige-t-il encore.

Elle le fait.

— Tu me mets un condom et tu viens sur moi.

Elle obéit, lui enfile le caoutchouc en un tourne-main, glisse son corps alangui sur le sien et hop, c'est déjà terminé ! Brigitte n'a rien vu venir. Harry a poussé un petit soupir, ses yeux ont roulé dans leur orbite et il a souri. Il gît sur le côté, l'air satisfait. Elle croit qu'il va s'en aller, mais il la surprend encore en se mettant à parler. Après l'amour, Harry aime parler. C'est en fait ce qu'il aime le plus. Comme s'il avait un trop-plein de secrets à déverser.

— Je ne peux plus la voir, commence-t-il par dire.

Brigitte devine qu'il est question de sa femme.

— Je n'éprouve plus aucun désir lorsqu'elle est au lit avec moi. Que de la répulsion.

Ses autres clients ne parlent jamais ainsi. En fait, ils se confient très peu. Elle ne sait rien de leur femme ou de leur vie en général. La plupart ne prennent pas la peine de retirer leur alliance lorsqu'ils viennent la voir. Et cela lui convient. Elle n'a pas envie de s'attacher. Mais Harry est différent. Il a besoin de s'épancher.

— Elle est juge elle aussi. Mais à la Cour supérieure.

Il y a du mépris dans sa façon de prononcer les mots «Cour supérieure». Elle en déduit qu'il officie à une cour inférieure. Elle voudrait en savoir plus. Tout ce qui touche les tribunaux l'intéresse. Mais Denis Brown lui a bien dit de ne pas poser de questions. Du moins pas lors de leur première rencontre.

— Elle s'appelle Evelyne. C'est l'orgueil incarné.

Brigitte n'est pas certaine de comprendre. Harry l'a bien vu froncer les sourcils, il veut savoir pourquoi.

— Quelquefois je mêle le sens des mots, ou alors je ne sais pas très bien ce qu'ils veulent dire. L'orgueil, c'est… c'est quand on est fier, non?

Harry est amusé. Pendant une fraction de seconde, il semble tout à fait détendu. Il a oublié sa montre, oublié qu'il est nu comme un ver et même oublié qu'il est juge.

— On ne peut pas savoir ce qu'est l'orgueil lorsqu'on n'en a pas, affirme-t-il avec un soupçon de mépris.

Il se trouve drôle, et Brigitte rit avec lui. Elle a de l'orgueil, mais elle se garde bien de le lui montrer. Cela pourrait l'effrayer. Il pourrait alors jeter un œil à sa montre, s'habiller en quatrième vitesse et la laisser en plan. Erreur tactique s'il en est. Elle doit le garder au lit, car dans ce périmètre de satin blanc il est sous sa juridiction. Parfaitement à l'aise, Harry poursuit:

— C'est ce que j'aime avec les filles comme toi. Vous n'avez pas d'orgueil. Je te dis «mets-toi à genoux» et tu te mets à genoux. Je te dis «fais-moi une pipe» et tu me fais une pipe. Je te dis que je veux t'attacher au lit et tu te laisses faire. C'est ça, ne pas avoir d'orgueil.

— Si je comprends bien, minaude Brigitte, ta femme, la juge, elle n'aime pas que tu l'attaches au lit et que tu lui fasses l'amour. Elle n'a jamais voulu essayer ?

Harry rit de bon cœur, mais il est aussi très excité. Brigitte ne dit-elle pas à mots couverts qu'elle ne s'opposerait pas à un tel jeu sexuel ?

— C'est très excitant, dit-elle d'une voix suave en lui mordillant le lobe de l'oreille gauche.

— C'est très excitant, effectivement. C'est ce que je préfère... Enfin, j'aime bien... Mais elle n'a jamais voulu.

Harry en bave, tellement le fantasme l'émoustille. Brigitte joue le jeu jusqu'au bout, même si elle ne s'est jamais adonnée à ce genre de perversion. Pas question de reculer toutefois. Il a mordu à l'hameçon. Il faut s'assurer qu'il revienne la voir, qu'ils amorcent une liaison.

— La prochaine fois, peut-être.

— Tu vois que tu n'as pas d'orgueil ! s'exclame-t-il.

Harry se lève et se pavane nu dans la chambre. L'endroit lui plaît bien, tout compte fait. Brigitte aussi, d'ailleurs. Il va revenir, lui déclare-t-il comme s'il s'agissait d'une faveur. Il correspond au type de client que la jeune femme envoie généralement valser dès le premier rendez-vous. Trop sûr de lui, trop arrogant, trop laid, trop bedonnant. Mais Brigitte tient à son pardon plus qu'à son orgueil, alors elle enfile une robe de chambre en susurrant qu'elle se languit déjà de le revoir. Il ne l'entend pas, bien sûr. Il a retrouvé ses préoccupations en même temps que ses habits. La seule chose qui l'intéresse maintenant, c'est de sortir sans se faire remarquer. Elle s'assure qu'il n'y a personne dans le corridor, Harry l'embrasse furtivement sur la joue en lui promettant de la rappeler bientôt. La porte se referme. Brigitte est perplexe. Elle n'imaginait pas le pouvoir ainsi. Harry, dont elle ne connaît pas le vrai nom, n'est resté que vingt-cinq minutes, et il a parlé les trois quarts du temps. Mais il reviendra, c'est tout ce qui compte.

* * *

La mort rôde dans la salle d'audience du palais de justice, mais pour Brigitte, elle se fait attendre. Le canon de l'arme frôle son sein gauche, mais elle n'appuie toujours pas sur la détente. Même si plus jamais il ne l'inquiétera, le souvenir de Harry la hante. Il soulève encore sa colère.

Depuis deux ans maintenant, elle voit le juge tous les jeudis à la même heure. Ils discutent quelquefois du pardon qu'il promet de lui obtenir. Harry affirme que les documents sont sur son bureau et qu'il attend le moment propice pour les passer en douce. Mais ce moment ne vient pas. Il ne vient jamais. Et sa sœur Julie est toujours poursuivie par le centre de la petite enfance. Son avocat, Denis Brown, jure qu'il fait tout son possible pour brouiller les cartes, pour retarder l'affaire dans l'espoir que la poursuite soit abandonnée. Mais rien ne se règle, rien n'avance, pas plus dans un dossier que dans l'autre.

Le juge et l'avocat n'en finissent plus de tergiverser. Ils parlent plus qu'ils n'agissent. Brigitte a les nerfs à vif, elle a du mal à dormir et a perdu l'appétit. Elle ne se sent pas bien. Elle a vu un médecin qui lui a fait faire des analyses sanguines, et elle attend les résultats sans vraiment les attendre. C'est la deuxième fois qu'elle rate un rendez-vous avec le docteur Luce. Cette fois, c'est le médecin lui-même qui a téléphoné pour s'assurer qu'elle soit présente à la première heure le lendemain.

— Il est important que je vous voie, lui a-t-il dit d'une voix insistante.

Il fait un soleil magnifique ce jour-là. Elle s'est coiffée, maquillée, a revêtu une jolie robe et garni son porte-monnaie de billets. Elle devra sûrement acheter des médicaments après la consultation. Des gélules ou des fortifiants. Si elle n'avait pas ces rendez-vous hebdomadaires avec Harry, elle s'offrirait volontiers une semaine ou deux à la mer, au soleil. Mais le juge est un véritable métronome. Il rapplique tous les jeudis à quatorze heures précises. Il ne reste jamais plus d'une heure, et chaque fois il en profite pour l'humilier. Dominé par sa femme, Harry a besoin à son tour d'écraser, et Brigitte est une victime consentante. Dès leur première rencontre, elle a choisi de se prêter au jeu.

Harry a une imagination perverse. Il se livre à tous les vices sans scrupules. Il attache Brigitte à la tête du lit avec des foulards de soie ou des menottes, ou encore lui passe une laisse au cou et s'amuse à la dresser. Sous sa cravache, elle est une tigresse à quatre pattes, et lui, un dompteur de fauve nu. Tout cela pour un pardon qui tarde à venir, un pardon qui est devenu une véritable tyrannie.

Le docteur Luce la reçoit dans son cabinet. Il l'invite à s'asseoir devant lui. Il replace ses lunettes sur son nez, ouvre un dossier, s'y absorbe un instant, relève la tête et plante son regard dans le sien.

— Vous êtes si jeune, mademoiselle…

Brigitte croit qu'il s'agit d'un compliment. Elle lui sourit candidement. Mais le visage du médecin s'assombrit davantage.

— J'ai une bien triste nouvelle à vous annoncer, poursuit-il. Selon vos analyses sanguines, vous êtes atteinte du VIH. Vous êtes séropositive.

Soudain, Brigitte n'entend plus ce que lui dit le médecin. Elle voit bouger ses lèvres, elle sait qu'il lui parle, qu'il lui dit des choses graves, mais ses paroles ne l'atteignent pas.

— Vous avez le sida, mademoiselle Leclerc.

Cette fois, les mots portent. Brigitte a le vertige, elle va s'évanouir. Mais le docteur Luce ne semble pas conscient de son malaise. Sa voix est d'un calme dérangeant, son discours d'une technicité agaçante.

— Nous avons poussé les analyses. Vous avez sans doute contracté le virus il y a trois ou quatre ans. Mais le virus est resté en dormance. Puis, il y a quelque mois, il s'est manifesté, d'où ces fatigues que vous ressentez. Il serait important que vous en informiez vos partenaires, enfin les partenaires que vous avez eus depuis…

Brigitte a l'impression que tout s'écroule, qu'elle est aspirée vers des abysses. Elle s'est fait baiser sur toute la ligne. Elle n'a pas à chercher bien loin pour trouver celui qui lui a refilé le sida, elle le connaît. C'est Gilbert Bois. Cette ordure avec qui elle a eu des relations non protégées. Les seules qu'elles aient eues peu après sa sortie de prison.

* * *

206

Malgré ce diagnostic dévastateur, Brigitte ne parle de son état ni à son père, ni à Denis Brown, ni à Harry. La situation est accablante, mais elle n'est pas désespérée. Elle prend ses médicaments, vit normalement et se protège lorsqu'elle fait l'amour. Ses clients n'en savent rien. Elle joue le tout pour le tout. La poursuite intentée contre Julie par la garderie ne peut s'étirer davantage. La fin est proche, lui promet Denis Brown. Quant au pardon, Harry finira bien par le lui procurer. L'homme n'est pas malhonnête. Dans leur petit commerce en tout cas, il est irréprochable. Le 15 de chaque mois, une somme de mille deux cent cinquante dollars est versée sur le compte de Brigitte Julie inc. Le paiement se fait par transfert électronique. Brigitte et le juge n'échangent jamais d'argent liquide.

Harry est un homme d'habitudes; chaque jeudi, il précède ses visites d'un coup de fil, car il ne tient pas à faire le pied de grue dans le couloir. Brigitte a de plus en plus de mal à le supporter. Ce salaud se croit tout permis et elle est trop lâche pour lui résister. Pourtant, certains jours, elle a envie de le plaquer, de l'injurier ou, encore pire, de le contaminer. Mais elle sait qu'elle n'y arrivera pas. Harry et Denis Brown ne sont pas de ceux qui s'abandonnent. Même dans le sexe, ils cherchent à garder le contrôle. Ils ne font jamais l'amour sans condom, ils ont bien trop peur d'attraper une maladie ou de faire un enfant illégitime. Alors Brigitte refoule ses sentiments et fait comme si de rien n'était. Tout cela dans le seul but de blanchir son nom.

Ce jour-là, Brigitte a un moment d'impatience en consultant son agenda. C'est un jeudi. Harry sera là dans deux heures. Mais ce n'est pas ce qui l'agace le plus. C'est plutôt le mois et l'année indiqués tout en haut de la page. Il y a maintenant sept ans qu'elle est sortie de prison, et Denis Brown lui demande encore de patienter. Il croit que les choses sont sur le point de se régler. Mais quand ?

À quatorze heures pile, alors qu'il traverse le hall de la tour Nord des Terrasses Crémazie, Harry donne un bref coup de fil pour s'annoncer. Comme d'habitude, Brigitte lui dit qu'elle l'attend. Sauf qu'elle l'attend de pied ferme, cette fois. Elle a décidé de lui parler, de vider la question. La porte est entrouverte, Harry entre en coup de vent et l'embrasse sur la joue. Sa respiration est plus saccadée qu'à l'ordinaire. Il est pressé. En défaisant le nœud de sa cravate, il regarde du côté de la chambre. Brigitte le prend par le bras et l'entraîne vers le lit comme s'ils étaient amoureux. Il desserre les lèvres lorsqu'elle défait son pantalon et caresse son sexe.

— Tu sais ce qui me ferait plaisir, Harry ? Que tu me donnes une date. Les papiers pour mon pardon… Dis-moi, quand vas-tu les signer ?

Cette approche frontale le déroute totalement. De toute évidence, il n'a pas la tête à cela. Quels papiers devait-il signer encore ?

— J'y pensais justement, marmonne-t-il pour se défiler.

— Il me semble que ça fait longtemps que tu y penses, non ? Denis Brown m'a dit que c'était sur le point de se régler.

Harry n'y est pas du tout. Qu'est-ce que Denis Brown a inventé encore ? Il faudra qu'il lui parle, à celui-là, qu'il le prévienne de le laisser tranquille avec cette histoire. Cherchant à mettre un terme à la confusion, il s'éclaircit la voix :

— Tu m'excuseras, ma chérie, je suis un peu fatigué en ce moment. Mais rappelle-moi de quoi il s'agit exactement. J'ai tellement de dossiers dont je dois m'occuper.

— Mais voyons ! Tu n'as pas pu oublier ma demande de pardon ! s'indigne Brigitte. Denis Brown a dû t'en parler ! Le dossier de Brigitte Leclerc !

— Bien sûr, que je ne l'ai pas oublié. Je vais m'en occuper… très bientôt.

Cette fois, Brigitte ne marche pas. Elle voit bien que son dossier n'est pas une priorité pour Harry. À moitié nu devant elle, le juge n'a qu'une idée en tête. Faire l'amour. Mais la sonnerie du téléphone freine son élan. Jamais Brigitte ne répond lorsqu'elle reçoit des clients. Aujourd'hui toutefois, elle défie Harry du regard en mettant la main sur le combiné.

— Oui, allô.

— Brigitte, est-ce que tu peux venir ? Je ne me sens pas très bien.

Elle reconnaît la voix de son père à l'autre bout du fil. La respiration de Carl est irrégulière et bruyante.

— Ça va, papa ?

— Oui… je t'attends !

Quelque chose ne va pas, c'est évident. Sans prendre la peine de s'expliquer, elle se rhabille prestement. Son pantalon à ses pieds, Harry la regarde, interdit. Elle sort de la chambre en enfilant ses chaussures.

— Ne me fais pas ça, Julie. Je te préviens !

Le juge hurle dans la chambre, mais elle ne se retourne même pas. Brigitte va et vient dans le condo, elle cherche ses clefs, attrape son manteau. Elle récupère son sac près de la porte et lance avant de quitter :

— Tu n'as qu'à refermer la porte en sortant. Désolée.

— Ne me fais pas ça, crie encore Harry. Tu vas le regretter !

Brigitte saute dans l'ascenseur et tire le rideau sur le juge. Ses menaces ne l'atteignent pas. Depuis le temps qu'il la fait attendre, elle n'a aucun remords à le laisser en plan. Et si c'était la dernière fois qu'ils se voyaient ? Eh bien, tant pis. Elle trouve un taxi au pied de la tour, monte devant pour convaincre le chauffeur de faire vite en lui glissant deux billets sur la banquette. Elle n'est qu'à dix minutes de chez son père.

— Le 8203, Lajeunesse… vite.

Pendant le trajet, elle essaie de joindre Carl sur son portable. Il ne répond pas. Sa voix lui revient sans cesse. Elle l'entend lui dire : « Brigitte, est-ce que tu peux venir ? Je ne me sens pas très bien.»

Brigitte a la main agrippée sur la poignée de la portière lorsque le taxi s'arrête devant le logement de son père.

— J'vous dois combien ?

— Vous m'avez déjà payé, madame.

Brigitte n'a plus toute sa tête. Elle craint le pire. La porte du taxi claque derrière elle. Affolée, elle grimpe les marches quatre à quatre, sort les clefs de son sac et ouvre.

— Papa ?

Il n'y a pas de réponse. Brigitte passe en trombe d'une pièce à l'autre. Son père n'est pas au rez-de-chaussée.

Elle se précipite au sous-sol, entre dans la chaufferie, se glisse derrière la fournaise et le trouve, étendu par terre dans sa cache. Elle tente de le réanimer. Mais Carl a déjà les mains froides. Il est mort. Brigitte le sait, mais elle tente quand même l'impossible. Un massage cardiaque maladroit. Puis le bouche-à-bouche. Elle s'arrête au bout d'un moment. Faut-il appeler les secours ? Elle hésite. Les ambulanciers ne doivent pas voir cette pièce. Personne ne doit la voir. Elle n'a d'autre choix que de le sortir de là et le ramener à l'étage. Brigitte extrait son téléphone de sa poche et compose le 911 :

— C'est une urgence ! crie-t-elle. Une crise cardiaque au 8203, Lajeunesse. Un homme de soixante-quatre ans. C'est mon père.

— Le 8203, Lajeunesse ? répète le répartiteur.

Elle s'énerve. L'homme a qui elle parle ne réalise pas à quel point la situation est désespérée.

— Il faut envoyer une ambulance immédiatement !

— 8203, Lajeunesse, dit-il encore.

— Vous ne comprenez pas ! Il va mourir. Combien de temps…

— Une ambulance est en route, madame.

La conversation s'arrête brusquement. Le téléphoniste a raccroché. Brigitte est à genoux à côté de son père. Il est mort. Son âme a quitté les lieux. Elle est seule dans cette pièce cachée du sous-sol, et elle a très peu de temps pour réagir. Les ambulanciers vont arriver d'une minute à l'autre.

Avant tout, il faut sauver les apparences. Brigitte se lève d'un bond et repousse la lourde porte du coffre sans la refermer complètement. Ce serait une erreur. Elle ignore la combinaison. Elle se tourne ensuite vers son père. Jamais elle n'a côtoyé la mort d'aussi près. Elle soulève son corps en s'étonnant qu'il soit aussi léger. Libéré de ses secrets, Carl ne pèse plus que la moitié de son poids. Heureusement d'ailleurs. Pour le sortir de là, elle doit le traîner derrière la fournaise, puis le hisser dans l'escalier.

Brigitte le serre contre elle en se disant que Carl aura triché jusqu'au bout. L'ultime mise en scène, celle de sa mort, a une signification qui ne lui échappe pas. Le poids que son père laisse derrière lui, c'est elle qui le portera dorénavant. La porte entrouverte du coffre-fort, c'est la signature au bas de son testament. C'est son héritage. Un héritage lourd à porter.

Brigitte est à bout de souffle lorsqu'elle dépose Carl sur le sol du rez-de-chaussée. Sa première idée était de le mettre au lit dans sa chambre pour que les ambulanciers l'y trouvent. Mais elle en est incapable. Les forces lui manquent pour aller plus loin. Sa maladie la fatigue. Abandonnant son père dans le passage, elle redescend au sous-sol pour éteindre les lumières. En tirant le rideau de la porte dérobée, Brigitte s'arrête un instant. Le lettrage doré du coffre attire son attention.

«Pour obtenir ce que tu veux, l'argent est inutile. Beaucoup trop compromettant. Tu dois me croire, c'est une question de pouvoir.»

Pourquoi ces paroles de Denis Brown lui reviennent-elles en cet instant? Parce que l'avocat l'a flouée, mais aussi parce qu'il a sans doute floué son père également. La colère de Brigitte se mêle à sa peine. Carl est mort. Il ne reviendra pas. Anéantie, elle a du mal à remettre le loquet de la porte dérobée en place.

Le son d'une sirène retentit dans la rue. C'est trop tôt. Elle n'a pas eu le temps de trouver une histoire, un mensonge. Dans l'affolement, rien ne lui vient. Puisque c'est ainsi, elle dira la vérité. Elle était chez elle lorsqu'elle a reçu un coup de fil de son père. Il n'était pas bien, elle est accourue et elle l'a trouvé gisant sur le plancher. Seule la fin diffère. Mais ce n'est qu'un petit mensonge, un si petit mensonge, comparé au reste.

Déjà on sonne à la porte. Tout va très vite. Les ambulanciers ne lui posent pas de questions. Ce n'est pas leur travail. Ils hissent Carl Leclerc sur une civière et la poussent devant eux. L'effort est louable, mais Brigitte ne se fait plus d'illusions. Son père est mort.

Redoux

Il était quatre heures du matin lorsque la sonnerie du téléphone le réveilla. Jérôme était en plein milieu d'un rêve. Lui et Sonia Ruff marchaient dans la rue en pleine tempête, sous des arbres accablés par le verglas, craquants. Ils étaient en raquettes et elle le tenait par la main, celle de son petit bras. La greffière souriait et le couvait du regard. Il se pencha, effleura ses lèvres et... et... plus rien. Le téléphone sonnait depuis un moment déjà lorsqu'il le prit sur son chargeur.

— Enquêteur Marceau! Ici le quartier général. Il y a eu de la bagarre dans les souterrains de la Place Bonaventure. On signale un mort.

— J'entends...

— Une voiture vous attend devant la porte de votre immeuble.

— Vous avez prévenu O'Leary?

— C'est fait.

— Rejoignez Corriveau.

— Très bien, monsieur.

La voix de la téléphoniste lui rappelait celle de Sonia Ruff, ce qui ne fit qu'ajouter à sa confusion.

— Vous êtes là ?

— Oui, oui, je… je descends. Est-ce qu'il neige toujours ?

— Non, non, c'est terminé. La température s'est adoucie pendant la nuit. On prévoit un retour aux normales saisonnières. Je préviens l'enquêteur Corriveau.

— Merci.

Il y avait d'immenses hangars souterrains dans le secteur de la Place Bonaventure. Le ravitaillement du réseau se faisait en bonne partie par ce port d'entrée. Pour alimenter les milliers de commerces établis sous la ville, on avait aménagé des quais aux allures de basses-fosses. Le dépôt Bonaventure, dont les tentacules s'étendaient sous la gare ferroviaire, était la plaque tournante du réseau souterrain. En prévision de l'ouverture des commerces, il y régnait une activité intense pendant la nuit. Jérôme n'avait pas de mal à imaginer ce qui s'y était passé. L'approvisionnement de la ville souterraine était déjà une véritable corrida en temps normal. Avec la tempête et tous ces gens qui s'étaient réfugiés dans le métro, la marmite avait dû exploser.

La voiture de police mit une demi-heure à faire le trajet des Cours Mont-Royal jusqu'au dépôt Bonaventure. Les chasse-neige et les souffleuses avaient dégagé les grandes artères durant la nuit. Comme il ne faisait pas encore jour, il était difficile d'évaluer l'ampleur des dégâts. À l'entrée des garages, Jérôme aperçut O'Leary, un sourire énigmatique aux lèvres.

— Tu avais raison, tout compte fait. L'argent n'a rien à voir avec la fusillade du palais de justice, lui lança-t-il à sa descente de voiture.

— Ah oui ? C'est ce que tu as trouvé chez Denis Brown hier soir ?

— Ça et un peu plus.

Quelque chose avait changé dans le regard de l'Irlandais. Dans sa façon de lui parler aussi.

— C'était une bonne idée de garder le cap. On serait passés à côté de quelque chose, concéda-t-il le regard franc.

Pour la première fois depuis la fusillade, Jérôme tenait quelque chose. Il ne savait pas exactement quoi, mais le fait qu'O'Leary se soit rallié le confortait dans ses intuitions. Peu importe le coup de théâtre que préparait l'Irlandais pour la réunion de huit heures, il sentait qu'ils poussaient la roue dans le même sens.

Le temps était compté. Il fallait expédier cette histoire de bagarre. Toute leur attention devait se concentrer sur la fusillade du palais de justice. Voilà pourquoi Jérôme avait demandé à ce qu'on réveille Corriveau. C'est lui qui se chargerait de l'enquête du dépôt Bonaventure. En l'attendant, il s'enfonça dans les sous-sols de l'immense complexe avec l'Irlandais.

— Tu les connais, ces tunnels. Qu'est ce qui s'est passé, d'après toi ? lui demanda O'Leary.

À grands traits, Jérôme lui traça le portrait du dépôt Bonaventure et de la mafia qui le contrôlait. Chaque nuit, des dizaines et des dizaines de camions de livraison s'engouffraient dans cette crypte urbaine pour y décharger leur cargaison. Vêtements, matériel de toute sorte et victuailles destinées aux restaurants et aux épiceries souterraines étaient acheminés à destination par des wagons de livraison empruntant le métro, hors service à ces heures. Pendant que la ville dormait, une véritable fourmilière s'agitait dans ces catacombes. Le dépôt Bonaventure était contrôlé par un syndicat de camionneurs qui favorisait ses membres, bien entendu, et imposait une taxe à ceux qui ne faisaient pas partie de la confrérie. Avec la tempête, la donne avait changé. Le réseau souterrain était resté actif toute la nuit, des centaines de sinistrés s'y étant réfugiés. Cela faisait plus de bouches à nourrir, plus de gens à accueillir, beaucoup plus d'activités à surveiller. Le chaos s'était installé peu à peu.

— Aux petites heures, les camions se sont mis à arriver pour livrer leur cargaison, précisa Jérôme. Les gars du syndicat ont perdu le contrôle, alors ils se sont tapés dessus.

— Résultat des courses, un mort, fit O'Leary. À mon avis, Corriveau n'en aura que pour quelques heures. Après, il pourra revenir travailler avec nous.

Alors qu'ils approchaient du périmètre de sécurité, au fond d'un garage froid et humide où une douzaine de camions étaient immobilisés, O'Leary tira sur la manche de Jérôme. Il murmura sur le ton de la confidence :

— Tu savais que le juge était un client de Brigitte Leclerc ?

— Je le sais, lui renvoya-t-il sur le même ton complice.

— Ce n'est pas banal, avoue. Elle tue son client en plein tribunal.

Jérôme le gratifia d'un sourire et se tourna vers un agent du SPVM à qui il avait parlé un peu plus tôt au téléphone. Celui-ci, en arrivant sur les lieux, avait constaté le décès du livreur. Ceux qui l'avaient tabassé avaient disparu. Le garage était rempli de camions, mais il n'y avait pas de témoins. Ça s'était passé trop vite. Tout le monde était affairé dans son coin. O'Leary, de son côté, discutait avec un représentant du syndicat. Ses hommes n'étaient pour rien dans cette affaire, plaidait-il.

— Nous, on est là pour assurer la sécurité. Quand des camionneurs indépendants s'amènent, ils suivent pas les règles, alors c'est le bordel… Ça fait des frictions, et inévitablement, les gars se battent !

Lorsque Nick Corriveau se pointa, vingt minutes plus tard, Jérôme mit un terme à la conversation téléphonique dans laquelle il était engagé et vint à sa rencontre.

— Ça s'est bien passé, hier ? demande-t-il d'un ton presque enjoué. Bourru, le vieil enquêteur marmonna :

— Ça va. Je suis passé aux homicides en fin de soirée. Il n'y avait personne.

— T'as du nouveau ?

— Pas grand-chose, fit-il laconique. J'ai déposé deux-trois trucs aux pièces à conviction. Il y a un carnet d'adresses, entre autres…

S'approchant d'eux, O'Leary les interrompit. Corriveau, qui faisait deux fois son âge à cette heure matinale, s'étonna que son collègue ait si peu d'égards à son endroit. Expéditif, c'est à peine si l'Irlandais l'avait salué.

— On sait à peu près ce qui s'est passé. Trop d'achalandage dans le dépôt. Une guerre territoriale. La bagarre a éclaté et les choses ont mal tourné.

— J'ai discuté avec le type de la sécurité, tout à l'heure, enchaîna Jérôme. L'endroit est rempli de caméras de sécurité. Si on visionne les bandes, on devrait trouver le ou les suspects.

Corriveau était de plus en plus irritable.

— Dis, Aileron, est-ce qu'on a vraiment besoin d'être trois sur un truc comme ça ?

— Non, justement, lui renvoya Jérôme. Tu devrais être capable de t'en occuper tout seul. Alors le plan, c'est que tu règles ça ici. Nous, on va préparer la réunion. On va faire le point avec Blanchet…

— Pour la fusillade, on a une assez bonne idée de ce qui s'est passé, enchaîna O'Leary.

Corriveau crut d'abord qu'il avait mal entendu. Marceau et O'Leary parlaient d'une seule voix. Le vent avait tourné. Quelque chose s'était passé pendant la nuit. Le patron et l'Irlandais faisaient maintenant équipe. Cynique, il maugréa :

— Léveillée commence à me manquer.

— Tu as trois heures, lui dit Jérôme. Après, on va pouvoir travailler les mains libres.

Jérôme était ravi du ralliement d'O'Leary. L'instinct, ou l'opportunisme, l'avait convaincu de changer de camp. Exclu de cette nouvelle alliance, Corriveau n'eut d'autre choix que de s'incliner. Sans grand enthousiasme, il resta derrière et prit en charge l'enquête du dépôt Bonaventure tandis que les deux autres montaient dans une voiture du SPVM. Lorsque le véhicule qui les ramenait aux homicides émergea des garages, l'Irlandais, qui était assis devant, s'indigna :

— *Look at that mess!*

C'était la première fois que Jérôme l'entendait parler anglais. La tempête avait déversé des tonnes de neige sur la ville.

— On annonce un redoux, ce matin. Et cet après-midi, de la pluie. C'est le serpent qui se mange la queue, fit remarquer Jérôme. Dans trois jours, ce ne sera plus qu'un souvenir.

O'Leary parut soulagé par cette réponse. Il desserra les dents, sans toutefois ajouter un mot du reste du trajet.

* * *

À l'instar de Corriveau, Blanchet était à prendre avec des pincettes lorsqu'elle arriva aux homicides avec plus d'une heure de retard. La pagaille dans le métro l'avait rendue irritable.

— C'est l'enfer là-dessous, déclara-t-elle en posant sèchement son ordinateur sur la table de conférence. Il y a des flics partout, le SCS est débordé.

Jérôme tenta de l'apaiser en lui donnant l'heure juste. Il avait parlé au directeur de la police. L'envoi de deux cents agents du SPVM dans le réseau souterrain avait calmé le jeu. Les choses étaient sous contrôle. Puis de but en blanc il lui lança :

— Brigitte Leclerc. Son bulletin de santé. Est-ce que tu as du nouveau ?

Blanchet mit un moment à répondre. Elle affectait un air détaché :

— J'ai téléphoné à l'hôpital avant de venir. Elle est toujours dans le coma. Pour ce qui est de l'autre question, Brigitte Leclerc était effectivement séropositive.

La nouvelle n'eut aucun effet. Jérôme s'était tourné vers son ordinateur et jurait à voix basse. Nathalie Blum, l'attachée de presse, lui annonçait la tenue d'une conférence de presse. Blanchet insista :

— J'ai son dossier complet. Elle aurait attrapé le virus il y a environ quatre ans...

— Ça se complique, fit O'Leary d'un ton moqueur. La maîtresse de Harry était séropositive.

Jérôme réprima un sourire. Blanchet ne s'amusait plus du tout.

— Mais qui est Harry ?

Elle chercha le regard de l'Irlandais. Il poussa un dossier volumineux sur la table devant lui.

— Harry, c'est celui qui versait les mille deux cent cinquante dollars dans le compte bancaire de Brigitte Julie inc. le 15 de chaque mois.

Jérôme se redressa sur sa chaise. On entrait dans le vif du sujet. Il s'appuya sur la table alors que Blanchet bafouilla :

— Je n'ai rien trouvé là-dessus. Tu sais quelque chose ?

— Je sais tout, annonça l'Irlandais, triomphant.

L'amour-propre de Blanchet en fut froissé. O'Leary l'avait doublée. Pendant des heures, elle avait écumé des banques de données, vérifié des comptes bancaires, suivi toutes les pistes possibles et imaginables, mais sans rien trouver. L'Irlandais poussa le dossier un peu plus au centre de la table.

— Là-dedans, il y a tout sur les relations entre Denis Brown et Harry.

— Mais de qui parles-tu ? s'énerva Blanchet.

Jérôme se jeta en arrière dans son fauteuil pour mieux apprécier le spectacle. Si le ton montait, c'était signe que l'enquête progressait.

— Ce Brown était vraiment tordu, continua O'Leary, de plus en plus énigmatique. J'ai suivi la piste de l'argent. C'est absolument fabuleux.

Blanchet n'en pouvait plus. Elle repoussa son ordinateur en soupirant. O'Leary sortit un cahier ligné de son sac et le fit glisser sur la table en direction de Jérôme.

— Détail cocasse, précisa-t-il, maître Brown gardait son livre de comptes dans son lit, entre le matelas et le sommier. À la première fouille, ça m'avait échappé. Mais à la deuxième, je l'ai trouvé. C'est pas un ordinateur ça, spécifia-t-il à l'intention de Jérôme. Tu suis les colonnes de chiffres. C'est écrit noir sur blanc.

Blanchet perdit définitivement son aplomb. Elle se sentait laissée pour compte. O'Leary et Jérôme continuaient de discuter sans se soucier d'elle. L'Irlandais se leva pour aller remettre le cahier à Jérôme. Il lui donna des précisions en pointant des chiffres à l'aide de son crayon :

— Tous les mois, pendant près de deux ans, Carl Leclerc remettait mille deux cent cinquante dollars à maître Denis Brown pour services rendus.

Jérôme tournait les pages du cahier. O'Leary était surexcité.

— Ces paiements en argent liquide étaient faits le 10 de chaque mois. Pour ce qui est des services rendus en question, aucune précision n'est donnée, comme tu peux le voir.

L'enquêteure Blanchet s'était approchée. Elle regardait par-dessus l'épaule de Jérôme, réjoui par ce qu'il avait sous les yeux :

— Excellent… Excellent…

La suite était encore plus ahurissante.

— Le 12 de chaque mois, Denis Brown faisait un virement électronique dans un compte à numéro aux îles Caïmans. C'est ici que ça se complique. Impossible de savoir à qui appartient ce compte, pour les raisons qu'on imagine. Nous ne l'aurions jamais trouvé en suivant la filière normale, ni en fouillant les banques de données, stipula-t-il en croisant le regard de Blanchet. La jeune enquêteure s'efforça de lui sourire. La trouvaille était belle. D'un mouvement de la tête, elle l'encouragea à poursuivre.

— À deux endroits, dans la marge de son cahier de comptabilité, Brown a inscrit le nom de Harry. Une fois à côté du numéro de transit de la banque aux îles Caïmans, et à la toute dernière page du cahier.

— Ça ne nous dit toujours pas qui est Harry, fit remarquer Blanchet, de nouveau irascible.

Jérôme s'interposa en déposant la pièce à conviction P-83 sur la table. Il ouvrit le sac de plastique transparent et en sortit un carnet d'adresses.

— C'est Corriveau qui a trouvé ça, hier soir, dans le condo des Terrasses Crémazie. Le bottin personnel de Brigitte Leclerc.

Il en fit tourner les pages entre son pouce et son index.

— Elle y conservait les noms de ses clients réguliers. En fait, il serait plus juste de dire les *prénoms* de ses clients réguliers. À côté de Harry, il y a la mention : « Jeudi à 14 h. »

Blanchet était pendue à ses lèvres. Jérôme regardait la marge du bottin où était inscrite l'heure d'un rendez-vous et lança :

— Corriveau a fait des heures supplémentaires, hier soir, pour avoir la preuve que Harry et le juge Rochette ne sont qu'une seule et même personne.

— Vous avez vérifié les enregistrements des caméras de sécurité des Terrasses Crémazie ? l'interrompit Blanchet.

— Ceux du grand hall de la tour Nord, précisa l'Irlandais. On vient tout juste de le faire. Le juge était réglé comme un métronome ! Tous les jeudis, à 13 h 55 précises, il se pointait devant l'ascenseur, donnait un coup de fil et montait au neuvième étage, où se trouve le condo de Brigitte Leclerc. Les enregistrements sont de bonne qualité. On le reconnaît clairement. La dernière visite du juge Rochette remonte à six mois. Après, il n'y est plus retourné, et les paiements ont cessé.

Blanchet était médusée. Elle bégaya :

— Le juge Rochette... Un client de Brigitte Leclerc...

O'Leary ignora ces mots. Toute son attention allait à Jérôme, comme s'il cherchait à le convaincre. En faisant tourner les pages du cahier de comptabilité, il postillonnait, tellement l'affaire lui paraissait énorme.

— T'imagines ce que ça veut dire ? Tu vois la magouille ? C'est l'argent de Carl Leclerc qui servait à payer les services sexuels rendus par sa fille au juge Adrien Rochette. Parce que le juge tenait sans doute à payer sa petite baise du jeudi après-midi. Les juges n'ont pas de dettes. Et comme c'était compromettant, c'est Denis Brown qui s'en chargeait, par transfert électronique, de manière que personne ne retrouve jamais le point de départ de l'argent.

— Ça ne tient pas la route, protesta Blanchet. Il nous faut des preuves. On ne peut pas lancer des accusations à tort et à travers. Ce compte, aux îles Caïmans, appartenait-il vraiment au juge Rochette ?

— On s'en fout, fit O'Leary en haussant le ton. La piste nous a menés aux enregistrements de sécurité. La preuve, elle est là. Tous les jeudis, le juge Rochette s'envoyait en l'air avec Brigitte Leclerc, qui l'a descendu mardi dernier dans une salle d'audience du palais de justice alors qu'ils ne s'étaient plus vus depuis six mois.

Blanchet résistait, mais c'était de l'entêtement. Les méthodes d'O'Leary l'agaçaient. Les hypothèses qu'il échafaudait ne tenaient pas la route à ses yeux. Elles s'écraseraient comme un château de cartes au premier souffle de contestation.

— Alors, le juge était le client de Brigitte Leclerc, reprit O'Leary. Ce qu'on veut savoir maintenant, c'est pourquoi elle a descendu son amant.

— Mais ce n'était pas son amant ! objecta Blanchet. Un client peut-être, mais...

On aurait dit qu'elle défendait le juge Rochette. L'idée de remettre en question l'intégrité de la magistrature la scandalisait peut-être.

— C'est Brigitte qui s'est emparée du flingue et qui a tiré sur tout le monde. C'est elle la coupable ! Pas le juge. On ne peut tout de même pas nier les faits !

— On ne cherche pas de coupable pour l'instant. On cherche à savoir ce qui s'est passé, lança O'Leary en frappant sur la table.

— Tu n'iras pas jusqu'à dire que Brigitte Leclerc était une victime dans cette affaire !

— Mais personne ne dit cela ! gueula O'Leary.

Jérôme en avait assez. Blanchet et l'Irlandais se criaient littéralement par la tête. Inquiète, la téléphoniste était accourue pour voir ce qui se passait. Pour mettre fin à cette empoignade, Jérôme assena à son tour un grand coup de poing sur la table.

— Si on établit hors de tout doute que Brigitte Leclerc avait pour client Adrien Rochette, on comprendra peut-être mieux ce qui unissait tous ces gens et pourquoi cette affaire a si mal tourné. Je dis bien *tous* ces gens. Parce qu'il y a les autres aussi. Il ne faudrait pas les oublier.

Blanchet baissa aussitôt les bras.

— Je suis désolée. C'est tellement inusité... je... Qu'est-ce que je dois chercher encore ?

— Brigitte Leclerc. Son état de santé. Est-ce que son coma risque de se prolonger encore longtemps ? Il faudrait penser à interroger son médecin traitant.

Le ton de Jérôme et la précision de sa demande signalèrent la fin de la rencontre. Sans grand enthousiasme, Blanchet remballa ses affaires et quitta la salle de conférence.

— Dès que j'ai des nouvelles, je vous préviens.

— J'y compte bien.

O'Leary n'était pas peu fier. Avec le bottin retrouvé par Corriveau la veille et le cahier de comptabilité sur lequel il avait mis la main, Denis Brown et le juge Rochette étaient mis en cause. L'enquête avançait à grands pas, et il y était pour quelque chose. Sa complicité nouvelle avec Marceau lui permettait de dire ce qu'il pensait.

— Même si elle sortait du coma, je ne suis pas certain qu'elle déballerait toute son histoire. Ça pourrait être très long avant qu'elle accepte de parler. Et il n'est même pas dit qu'elle sortira du coma.

Jérôme n'eut pas la moindre réaction. O'Leary pensa qu'il avait peut-être envoyé Blanchet aux nouvelles pour ne pas l'avoir dans les jambes. Marceau referma son ordinateur, le glissa dans sa sacoche et attrapa son anorak sur la patère. En quittant la salle, il se ravisa. Faisant volte-face, il tapota l'avant-bras d'O'Leary de sa main gauche :

— Tu as fait du bon travail. Du très bon travail. Mais ce n'est pas terminé. Il nous en manque encore des grands bouts.

* * *

Jérôme devait retourner au dépôt Bonaventure. Il l'avait promis à Corriveau, un peu plus tôt, en se débarrassant de cette bagarre de troisième sous-sol et de ses funestes conséquences. Mais il souhaitait aussi revoir Sonia Ruff. Sa rencontre de la veille l'avait laissé sur sa faim. Comme la réunion de huit heures avait été plus expéditive que prévu, il se demandait dans quel ordre procéder. Qui, de Corriveau ou de Sonia Ruff, privilégier ? Il n'eut pas le temps d'y réfléchir, Nathalie Blum entra dans son bureau sans frapper.

— Ça va, Aileron ?

Il la fusilla du regard.

— C'est à moi que tu parles ?

L'attachée de presse accusa le coup. Jérôme Marceau ne ressemblait en rien à celui qu'elle avait côtoyé deux jours plus tôt, à la tribune de presse. À commencer par ce nouveau veston. Il était déjà froissé, mais il était nettement mieux que l'ancien. Et la manche épinglée dans sa poche ne laissait rien voir de sa main flasque. Nathalie Blum mit un moment à retrouver ses moyens.

— Je… je voulais t'informer qu'il y a un point de presse à onze heures… Il va surtout être question de la tempête, de la sécurité et de cette bagarre qui a fait un mort au dépôt Bonaventure. Mais il va certainement aussi y avoir des questions sur la fusillade du palais de justice.

— J'ai vu ton message, mais à onze heures, je serai au dépôt Bonaventure. Si les journalistes tiennent à me rencontrer, ils peuvent venir me rejoindre là-bas.

Secrètement, il était persuadé qu'ils ne se déplaceraient pas. Un tel argument aurait normalement dû mettre un terme à l'échange, mais elle enchaîna d'une voix plus grave encore :

— Il y a cent mille personnes de plus que d'habitude dans le réseau souterrain, en ce moment.

Jérôme grimaça en entendant une nouvelle fois le chiffre.

— Pendant la crise du verglas, personne ne s'était réfugié sous terre. C'est inquiétant, tu ne…

Surprise par l'émotion, Nathalie Blum n'avait pu aller au bout de sa phrase.

— Les gens étaient allés ailleurs, en 1998, fit Jérôme d'une voix rassurante. Maintenant, le réseau souterrain est plus sûr. Il s'est considérablement agrandi aussi.

C'était pour cela que Nathalie était venue discuter avec lui. Ses années passées au SCS donnaient à Jérôme une perspective qu'elle n'avait pas. Il fit une longue pause, comme s'il considérait la question. Elle pensa qu'il allait lui donner un conseil. En fait, il cherchait à organiser son avant-midi. Passer chez Sonia Ruff lui prendrait bien une heure et demie aller et retour. Il n'aurait d'autre choix que de s'y rendre en voiture de police, parce que c'était devenu l'enfer dans le réseau souterrain.

— C'est un nouveau comportement social, fit-il pompeusement après avoir fait semblant de réfléchir. Un mouvement spontané vers le réseau souterrain pour y trouver refuge, comme à Londres, durant les bombardements, pendant la guerre. À mon avis, les sociologues vont finir par étudier la question. Peut-être nous apprendront-ils qu'avec le réchauffement de la planète ce genre de comportement risque de se reproduire.

Contrairement à la plupart de ses collègues des homicides, Jérôme avait une certaine facilité avec les mots. Nathalie Blum le savait, et elle le laissait parler, bien sûr. Lors du point de presse de onze heures, elle reprendrait l'essentiel de ses propos. Elle le faisait sans gêne, d'ailleurs.

— C'est très bien. Avec ça, je devrais pouvoir nous couvrir.

— Sans avoir à parler du juge Rochette, précisa Jérôme. De toute façon, il n'y a rien à dire pour l'instant.

— Et s'il y a tout de même des questions sur la fusillade, qu'est-ce que je dis ?

— Tu parles de la pluie et du beau temps ! Et tu as de quoi dire ! Un épisode de verglas qui provoque un demi-million de pannes d'électricité, avec une bordée de neige par-dessus le marché… Suivie à son tour d'un redoux qui fait tout fondre ! Je suis certain que tu peux leur servir quelque chose qui ne porte pas à conséquence. Avec un peu de chance, il va pleuvoir cet après-midi. Tout ça pourrait disparaître sans laisser la moindre trace. Rendus là, ils auront peut-être oublié la fusillade du palais de justice.

Jérôme n'avait plus envie de discuter. Il cherchait l'adresse de Sonia Ruff dans ses dossiers, tandis que Nathalie Blum admirait encore son nouveau veston. Était-ce l'habit qui l'avait à ce point transformé ? Difficile à dire. Mais Aileron, qu'elle n'osait plus appeler ainsi, n'était plus le même. Affairé et très sûr de lui, il notait quelque chose dans son calepin tout en consultant le plan d'Outremont sur son ordi. L'attachée de presse allait battre en retraite lorsque Blanchet surgit. Elle avait les pommettes rouges et semblait toujours aussi agacée.

— François Sévigny, le procureur de la Couronne, est là. Il est dans la salle de conférence et voudrait te rencontrer.

— Pourquoi la salle de conférence ? demanda Jérôme. Pourquoi ne l'as-tu pas emmené ici ?

Jérôme consulta sa montre et fit une moue irritée. Il n'avait pas envie de le voir. Il demanda pourquoi l'avocat ne s'était pas annoncé, mais la question resta sans réponse. Ce nouvel imprévu le gênait dans son projet de visite à Outremont.

— Je n'ai que cinq minutes à lui consacrer. Pas une seconde de plus.

Nathalie Blum changea définitivement d'opinion à propos de Jérôme. Il n'était pas l'homme qu'elle avait cru, et l'enquête sur la fusillade du palais de justice en témoignait. Celle-ci avançait plus vite que Jérôme ne le laissait croire. Elle éviterait donc le sujet lors de la conférence de presse, et se permettrait même de mentir si cela s'avérait nécessaire. Jérôme remballa son ordinateur, agrippa sa sacoche en cuir et attendit Sévigny debout derrière son bureau.

— Enquêteur Marceau, marmonna le procureur.

Jérôme lui présenta sa main gauche, ce qui déstabilisait toujours les gens lorsqu'ils le rencontraient pour la première fois. Sévigny ne montra aucun signe de surprise, pas plus que pour la couleur de sa peau d'ailleurs, ce qui laissait croire qu'on l'avait informé à son sujet.

— Il serait important que j'obtienne le rapport intérimaire de votre enquête, annonça-t-il, afin de voir où vous en êtes.

— Il n'y a pas de rapport intérimaire! Et il n'y en aura pas.

Sévigny s'humecta les lèvres et chercha une façon de dire la même chose, mais autrement. Jérôme le devança:

— L'enquête suit son cours. Nous avons beaucoup de chats à fouetter en ce moment.

Mais le procureur n'entendait pas s'en laisser imposer par ce petit enquêteur présomptueux. Et cela n'avait pas besoin d'être dit, ça se lisait dans ses yeux. Jérôme voulut devancer l'insulte, mais Sévigny ne lui en donna pas le loisir:

— Je dois porter des accusations contre Brigitte Leclerc. C'est mon boulot, c'est ce que je fais dans la vie. Si jamais elle sort de son coma, je dois m'assurer qu'elle sera accusée et condamnée. Vous n'avez rien contre ça, j'espère?

Il y avait quelque chose de très désagréable chez cet homme. Une façon de s'adresser aux gens en les acculant systématiquement au pied du mur. Riposter ne ferait qu'attiser la confrontation, prolonger la rencontre et réduire encore plus la possibilité pour Jérôme de revoir rapidement la greffière. Sonia Ruff avait à son avis d'autres secrets à livrer. Ce n'était qu'une impression, un rêve interrompu par un coup de fil à quatre heures du matin, mais il devait en avoir le cœur net.

Jérôme s'appuya sur le bord de son bureau et emprunta un ton plus conciliant :

— Le jour de l'assassinat de son mari, j'ai rencontré la juge Evelyne Lebel, et je lui ai dit qu'elle saurait très vite ce qui s'est passé dans cette salle d'audience. Je lui en ai fait la promesse. Une promesse que j'ai bien l'intention de tenir. Mais pour l'instant, comme je ne sais pas tout…

— Nous en savons déjà assez…

Sévigny regretta immédiatement ces paroles. Jérôme le vit dans ses yeux. Il essaya de se rattraper, mais ne fit que s'enfoncer davantage.

— … Je veux dire que vous en savez assez pour rédiger un rapport intérimaire.

— Je vous l'ai dit, il n'y aura pas de rapport. Pas pour le moment.

— Mais le juge Rochette doit être inhumé demain matin ! continua le procureur sur un ton de plus en plus outré. La femme qui l'a abattu ne mourra pas de ses blessures. Je dois monter un dossier, préparer l'accusation…

— Je ne vois pas le lien entre les deux faits dont vous parlez. Si Madame la juge Lebel veut savoir comment progresse l'affaire avant de mettre son mari en terre, ça me fera plaisir de m'entretenir avec elle. C'est tout à fait légitime, et je m'y suis d'ailleurs engagé...

— Vous n'avez plus d'engagement envers elle.

— Ah bon? fit Jérôme.

— C'est à la justice que vous devez des comptes.

François Sévigny passait à la contre-attaque, mais Jérôme n'avait plus de temps à lui consacrer. Les cinq minutes qu'il lui avait allouées étaient écoulées.

— Nous cherchons à établir le mobile de ce quadruple meurtre, rappela-t-il. Nous ne pouvons dissocier celui du juge Rochette des autres. Pour découvrir le mobile, nous devons savoir quels étaient les liens entre ces personnes.

Le procureur était si contrarié qu'il en postillonnait:

— Ces liens que vous tentez d'établir n'existent pas ailleurs que dans votre tête, Marceau!

Cette conversation n'allait nulle part. Jérôme défia son interlocuteur du regard et l'invita à sortir. Sévigny y alla d'une dernière salve:

— Vous n'avez aucune compassion, monsieur. Aucune! Cette femme a perdu son mari!

François Sévigny était à la solde d'Evelyne Lebel, conclut Jérôme. Il était son porte-parole, son messager. C'était sans doute lui qui menait l'enquête parallèle repérée par Blanchet, et lui aussi qui inquiétait Sonia Ruff. Le procureur serait son porte-documents, hésitant à se retirer lorsque O'Leary entra dans le bureau. Alerté par les hauts cris, il venait en renfort. Sévigny comprit que ce n'était pas la peine d'insister. Il leur fit un signe de la tête et partit. O'Leary était sidéré.

— Est-ce que j'ai bien entendu ? Evelyne Lebel ne veut pas en savoir plus ?

Jérôme ne voulait pas discuter. Il prit le téléphone et réquisitionna la voiture de service de Lynda Léveillée. Mais l'Irlandais n'allait pas se laisser écarter aussi facilement.

— Elle ne t'a vraiment pas fait de cadeau, la patronne. Tu te rends compte ? Elle te fait surveiller !

Jérôme, croyant qu'il parlait de ce procureur prétentieux, lui dit que Sévigny ne le surveillait pas, qu'il faisait du bruit autour de l'enquête. O'Leary s'empressa de rectifier le tir.

— Blanchet est une taupe. Léveillée l'a fait entrer aux homicides pour te surveiller pendant qu'elle serait absente. Elle est peut-être partie se marier, mais elle garde quand même un œil sur toi !

Jérôme n'en fit pas de cas. C'était selon lui de la provocation. Il pensa qu'O'Leary était en panne d'inspiration et qu'il l'aiguillonnait pour savoir comment il allait réagir. Pour se dispenser de l'enquête dans les garages froids et humides du dépôt Bonaventure, il avait momentanément été de mèche avec lui. À présent, sa vraie nature resurgissait.

— Je te jure, Jérôme. Blanchet te surveille. Dès que tu as le dos tourné, elle fait rapport à Léveillée. Tu as vu comment elle a réagi lorsqu'on a déballé l'histoire du juge. C'était trop. On dépassait les bornes. En sortant de la réunion, elle a envoyé un courriel à Lynda.

Jérôme l'écoutait d'une oreille en tirant sur la languette de la fermeture éclair de son anorak. La secrétaire l'appela pour le prévenir que la voiture l'attendait au garage. Comme O'Leary insistait, il le dévisagea d'un air agacé.

— Pourquoi tu me regardes comme ça ? lui lança O'Leary. Tu devrais comprendre.

— Qu'est-ce que je devrais comprendre ? répliqua sèchement Jérôme.

— Tu vois, ce que j'aime de toi, Jérôme, c'est que tu n'as peur de rien. Même si tes idées te mettent dans la merde, tu vas jusqu'au bout !

— Et ?

— Je fais la même chose. Je te dis que Blanchet te surveille et raconte tout ce que tu fais à Léveillée. Je sais que tu ne veux pas l'entendre, mais je te le dis quand même…

— Tu dis n'importe quoi, l'Irlandais !

— Et tu es raciste, en plus. Tu te méfies de tout. Dès qu'on n'est pas comme toi, on est suspect, alors que tu n'es comme personne. Tu vois le portrait ?

— Raciste ! Moi, je suis raciste ? répéta Jérôme.

Le mot lui restait coincé de travers dans la gorge.

— Oui. Mais depuis que tu joues à être le patron, c'est moins pire.

— Je ne joue pas à être le patron !

— Léveillée est toujours là, et la preuve, c'est qu'elle t'a collé Blanchet aux fesses !

O'Leary le faisait suer, mais il ne le croyait pas mal intentionné. Pour une fois, il mettait ses ambitions de côté et disait les choses telles qu'il les ressentait. C'était presque touchant.

— Et qu'est-ce qui te fait dire que Blanchet est là pour me surveiller ?

— L'enquête vient de basculer, Jérôme. On a traversé une frontière en mettant le juge en cause, et Blanchet ne pouvait pas s'engager sur cette voie sans consulter Lynda. J'ai d'ailleurs une assez bonne idée du message qu'elle a dû lui envoyer après la réunion de ce matin. Prisonnier de son anorak, Jérôme commençait à croire qu'il avait mis les pieds dans un fichu guêpier. Les théories de complot d'O'Leary ne faisaient rien pour arranger les choses.

— On en reparlera plus tard, conclut-il en sortant. Mais je ne suis pas prêt à jeter la pierre à Blanchet.

* * *

Lorsque Sonia Ruff ouvrit la porte, un large sourire illumina son visage. Jérôme ne s'était pas annoncé, mais elle semblait ravie de le revoir. Elle n'avait rien à cacher, pensa-t-il. Peut-être s'était-il déplacé pour rien.

— Que me vaut ce plaisir ? lui dit-elle en l'invitant à entrer.

— Ce ne sera pas long, je suis à la course.

D'un geste, il indiqua la voiture de police, dont le moteur tournait au ralenti dans la rue. La pluie s'était mise à tomber. Le chaos météorologique se poursuivait. Courtois, Jérôme lui serra la main avant qu'elle ne l'invite à passer dans la pièce voisine. Les cheveux poivre et sel de Sonia Ruff étaient attachés en chignon, cette fois. Son visage était dégagé et ses yeux brillaient. On ne sentait plus aucune trace d'inquiétude chez elle.

Jérôme s'étonna à peine de voir autant de livres dans le salon. La bibliothèque, qui courait sur trois des quatre murs de la pièce, suffisait à peine à les contenir tous.

Elle lui offrit un café, mais il déclina l'offre en choisissant un fauteuil où s'asseoir. En se mettant dos à la fenêtre, il l'obligea à prendre place dans l'unique rayon de lumière qui traversait la pièce. Il tenait à observer attentivement ses moindres réactions.

— J'ai une ou deux questions à vous poser.

Le sourire de la greffière s'étiola. Cette mise en garde équivalait aux trois coups de maillet, avant le début d'une séance.

— Hier soir, lorsque nous nous sommes rencontrés, est-ce que vous m'avez tout dit ? Est-ce que vous m'avez remis tous les documents qui pourraient être susceptibles de nous aider ?

Elle baissa imperceptiblement les yeux. Jérôme tenait sa réponse. Elle hésita un moment avant d'avouer :

— Je ne vous ai pas parlé de la demande de pardon de Brigitte Leclerc, si c'est ce à quoi vous faites allusion.

Jérôme s'éclaircit la voix. Il avait oublié ce détail. Il en avait été question lors des premières réunions, le jour de la fusillade et le lendemain. À deux reprises, il avait demandé à Blanchet d'explorer cette piste, mais il avait oublié de la relancer à ce propos.

— Cette demande remonte à deux ans, deux ans et demi, révéla la greffière. J'ai conservé les différentes copies… ainsi que les brouillons.

Sonia Ruff avait fait une pause avant de préciser qu'elle avait aussi les brouillons. Mais Jérôme était à l'affût.

— Qu'est-ce qu'ils ont, ces brouillons ?

— Rien de particulier. C'est plutôt le fait que le juge les ait eus en sa possession pendant si longtemps qui pose problème.

Elle s'était mordu les lèvres dès qu'elle avait prononcé ces mots. Sonia Ruff était un livre ouvert, dans la lumière raréfiée de son salon.

— Et vous savez pourquoi elle ne l'a pas obtenu, son pardon, Brigitte Leclerc ?

— Le juge n'avait pas intérêt à le lui procurer ?

— On peut le dire comme ça. En réalité, les juges n'ont rien à voir avec les demandes de pardon. Ce sont des tribunaux administratifs bien distincts qui s'en chargent. Les documents de Brigitte Leclerc n'auraient jamais dû se retrouver chez le juge Rochette.

— Autrement dit, il la faisait marcher.

La greffière était embarrassée cette fois. Son visage empourpré affichait la couleur du scrupule, même si elle continuait de le regarder droit dans les yeux.

— Vous les avez, ces documents ? demanda-t-il.

Elle répondit par l'affirmative et se leva. Elle passa ensuite un long moment dans la pièce voisine à rassembler des papiers. Jérôme l'épiait par la porte entrouverte. Penchée sur les documents, elle les classait méticuleusement. Elle tenait à lui présenter un dossier en bon ordre. De retour au salon, elle lui tendit d'abord une feuille qui se trouvait sur la pile de chemises. Le regard acéré, elle le fixa avec une telle intensité qu'il se sentit intimidé. Comme il hésitait, elle lui désigna le bas de la page. Jérôme lut une première fois pour lui-même avant de répéter à voix haute :

— « L'amour ne tient pas debout, il ne tient que couché… Lui faire obtenir son pardon serait me priver du peu d'amour qu'il me reste. »

Il réprima un sourire. Le juge Rochette n'aurait jamais deviné qu'un jour on trifouillerait dans le secret de ses réflexions. Il s'agissait d'une photocopie. Celle d'un brouillon qu'il aurait dû détruire. Mais il ne l'avait pas fait. La greffière remit une deuxième page à Jérôme.

— Vous voyez ce numéro de téléphone, là? Le même revient à quelques reprises sur d'autres photocopies.

Elle lui remit d'autres pages de la demande de pardon où le même numéro apparaissait, gribouillé dans la marge. La greffière lui apprit qu'elle avait téléphoné à ce numéro à plusieurs reprises. Chaque fois, elle s'était butée au message d'un répondeur. La voix suave au bout du fil n'avait rien à voir avec celle de la juge Evelyne Lebel. Loin de se décourager, elle avait réessayé jusqu'à ce qu'un jour elle ait l'audace de faire le numéro à partir du bureau du juge Rochette. Quelqu'un avait enfin répondu. Et cette personne s'appelait Julie Sanche.

— Je ne vous dis pas ma surprise. Le dossier de Julie Sanche traînait lui aussi sur le bureau du juge… et depuis des années également.

Jérôme eut un sourire entendu. Le petit jeu de double identité de Brigitte alias Julie avait de moins en moins de secrets pour lui. Plus rien ne le surprenait. En revanche, découvrir que les demandes de pardon étaient traitées par des tribunaux administratifs, et non par des juges, ajoutait encore plus de cynisme à une histoire qui en était déjà largement tissée. Rochette faisait chanter Brigitte en couchant avec Julie.

— Est-ce que je vous fais perdre votre temps avec ces histoires? lui demanda la greffière. Dites-le-moi franchement.

— Au contraire, répondit-il. Elles sont très instructives. Elles nous aident beaucoup, ces histoires.

Jérôme avait insisté sur le mot. Réconfortée, Sonia Ruff desserra les lèvres et lui sourit timidement.

Cinq secondes

Brigitte entend des bruits à l'extérieur de la salle d'audience. Le palais de justice est en émoi. Dans le corridor, des gens crient. D'autres donnent des ordres. Mais la porte ne s'ouvre toujours pas. Brigitte pointe l'arme sur son cœur, et elle se demande pourquoi elle ne tire toujours pas. Celui qu'elle a connu sous le nom de Harry est dans son champ de vision, effondré sur son pupitre. Elle est contente. C'est ce qu'elle voulait.

Elle a mis un long moment à découvrir le vrai nom de Harry, mais elle sait maintenant qu'il s'appelle Adrien Rochette. C'est par hasard qu'elle a découvert son identité.

Un soir de la mi-septembre, Denis Brown, qui a trop bu, l'appelle à une heure tardive. D'une voix lasse, il lui annonce qu'il a épuisé tous les recours possibles dans l'affaire de sa sœur Julie. Le tribunal propose une date en décembre pour le procès.

— Tu peux accepter ou refuser cette date. C'est ton choix.

— Est-ce que je peux y penser, aussi ?

— Tu peux y penser.

Brown a eu une longue journée. Il glisse parfois dans ses propos.

— Un procès... Il faut le dire vite. Le dossier est entre les mains de Rochette. Tu ne l'as jamais maltraité, à ce que je sache, celui-là.

— Si on parle du même homme, Harry n'a pas été maltraité, non.

Le long gloussement de Denis Brown lui confirme que Harry est bien le juge Rochette. Elle n'a pas le courage de lui avouer qu'elle ne le voit plus depuis cinq ou six mois.

— Est-ce que je peux te rappeler, Denis ? J'ai besoin de penser à tout ça.

— D'accord. Mais le 1er décembre, ça vient vite.

Après avoir déposé le combiné, Brigitte tente d'y voir clair. Elle a toujours cru que Harry l'aiderait à obtenir son pardon, mais Brown ne lui a jamais dit qu'il avait quelque chose à voir avec le procès de Julie. L'avoir su, elle aurait fait un effort pour le revoir, après la mort de son père.

Depuis que le virus s'est manifesté, depuis que le sale souvenir de Gilbert Bois s'est incrusté, Brigitte est beaucoup moins déterminée. Ce sont les médicaments, peut-être. Elle met plus de temps à se faire une idée. La voix de Brown était d'ailleurs pressante à la fin de leur conversation. Elle en a des palpitations. Le 1er décembre lui paraît une date convenable. Et pour ce qui est de Harry, à la grâce de Dieu. Elle fait volteface, reprend le téléphone et compose le numéro de Denis Brown, qui répond presque aussitôt.

— Oui...

— C'est encore moi. Je veux que tu acceptes cette date pour le procès de Julie. On ne repousse plus. Le plus tôt sera le mieux.

— Très bien. Je fais le nécessaire. Ce sera le mardi 1ᵉʳ décembre.

— On laisse tomber la demande de pardon aussi. Lorsqu'on saura que je suis à la fois Brigitte et Julie, ce ne sera plus nécessaire.

— Pour ça, on verra. Il y a peut-être d'autres avenues à explorer.

— Pas d'avenues, pas de rues, pas de fleuves et pas d'autoroutes, Denis Brown. On n'explore plus rien. Trop difficile, le pardon. On laisse tomber.

Long silence au bout du fil. L'avocat n'a pas la moindre réaction. Brigitte se demande s'il est encore là.

— Tu m'as entendue, Denis ? On arrête !

Brigitte raccroche sans savoir s'il l'a entendue.

* * *

À tout moment, quelqu'un peut entrer dans la salle d'audience. Brigitte sait qu'elle joue avec le feu. Mais les souvenirs n'ont pas encore fini de défiler. Il y a un nouvel arrêt sur image au début de novembre, un mois avant le procès.

C'est un matin, très tôt. Elle ratisse son appartement, fouille dans tous les coins. Elle cherche désespérément les papiers que maître Brown l'enjoint de produire : le titre de propriété de son condo, une copie de sa demande de pardon, les relevés bancaires du compte de Brigitte Julie inc. Elle s'énerve, parce qu'elle ne les trouve pas.

Si elle n'arrive pas à mettre la main sur les documents qu'on lui demande, c'est que son père les a sûrement rangés à l'abri dans son coffre-fort. Il lui faut aussi de l'argent. Brown lui en réclame pour préparer le procès. Depuis la mort de Carl, Brigitte passe très rarement au logement de la rue Lajeunesse. Mais elle n'a pas le choix. Par cette froide nuit de novembre, elle s'habille chaudement et quitte la tour Nord des Terrasses Crémazie. Elle pourrait sauter dans un taxi, mais elle préfère marcher. Ses médicaments la rendent somnolente. Une marche lui fera du bien.

Rien n'a bougé, dans le logement de son père, depuis le jour où elle l'a trouvé au sous-sol, terrassé par une crise cardiaque. La petite pièce derrière la fournaise est intacte. Brigitte déniche les papiers qui lui manquent dans un des tiroirs du coffre : le livre de comptabilité de son père, accompagné d'une enveloppe scellée contenant le titre de propriété, les relevés de compte et la copie de la demande de pardon. Tout, dans ce réduit, est propre et ordonné, contrairement au reste de l'appartement, qui n'est qu'un fouillis monstre.

Après avoir rangé ces documents dans son sac, Brigitte revient vers le coffre-fort et y prend de l'argent. Deux paquets de grosses coupures coincés sur le haut d'une tablette. Elle inscrit ce retrait dans le livre comme l'aurait fait son père. Du doigt, elle suit une des colonnes de chiffres et s'arrête sur la dernière inscription faite par Carl, le 10 juin précédent. Une somme de mille deux cent cinquante dollars avait été retirée. Brigitte note son retrait de dix mille dollars, gribouille la date et repousse le livre sur la table. Elle ne veut pas s'attarder dans cet endroit sinistre. Tirant le rideau et refermant la porte dérobée, elle s'enfuit comme une voleuse.

Le lendemain, Brigitte fait les cent pas dans son condo des Terrasses Crémazie. Elle n'arrive pas à s'expliquer pourquoi Brown tient tant à recevoir une copie de sa demande de pardon alors qu'elle a renoncé à sa requête. Elle n'a plus confiance en lui. Pour se protéger, elle décide de photocopier les documents qu'elle doit lui remettre, quand soudain un détail attire son attention. Au bas de la page frontispice de sa demande, dans la case où devrait figurer un tampon, l'espace est vierge. Elle lit et relit les indications imprimées en petits caractères. L'inconcevable se confirme. Pour qu'une demande de pardon soit officiellement mise à l'étude par le tribunal administratif qui s'occupe de ces questions, la demande doit avoir reçu le tampon officiel du palais de justice. Or, son document n'en a pas.

Il y a un numéro de téléphone où il est possible d'appeler pour avoir de l'information. Brigitte adopte un ton conciliant en entendant la voix du préposé qui lui répond. Il semble vouloir l'aider. Elle lui parle de sa demande de pardon, du fait qu'un juge dont elle préfère taire le nom pour l'instant aurait sa demande en main et serait sur le point de la signer.

— C'est impossible, madame, intervient calmement son interlocuteur. Les juges n'ont rien à voir avec les demandes de pardon. Ces demandes sont évaluées par un tribunal administratif. Cinq ans après…

— Oui, je sais monsieur. Cinq ans après la fin de la peine à purger. Mais c'est ce que j'ai fait ! Si vous voulez, je peux vous donner le nom du juge.

— Je vous l'ai dit, madame. Pour obtenir un pardon, vous devez vous adresser au tribunal administratif…

— Alors pouvez-vous consulter votre registre pour me dire si mon nom y figure ? S'il y a une demande de pardon enregistrée pour Brigitte Leclerc ?

Pendant que le téléphoniste s'agite sur son clavier, Brigitte tourne nerveusement les pages de sa demande de pardon. La réponse ne tarde pas à venir.

— Non, madame. Je suis désolé. Il n'y a aucune demande à ce nom. Sous Brigitte Leclerc, je n'ai rien. Est-ce que je peux faire autre chose pour vous ?

Au terme de ce consternant échange, Brigitte s'effondre par terre avec tous ses papiers. Si le juge a conservé sa demande de pardon alors qu'il aurait dû la confier à un tribunal administratif, si personne n'y a apposé de tampon et si son nom n'apparaît sur aucun registre, c'est que quelqu'un lui a menti. Quelqu'un a profité de sa naïveté et de son ignorance. Elle pense à Denis Brown, bien sûr. Mais aussi au juge Rochette, alias Harry. Jamais sa requête n'a été prise au sérieux, ni par l'un ni par l'autre.

* * *

C'est un 1er décembre gris acier. Brigitte s'est levée tôt. Elle a mal dormi et il n'y a plus de café chez elle. De la fenêtre du salon, le mauvais temps s'annonce à perte de vue, mais elle n'y prête aucune attention. Plus tard, ce matin, elle a rendez-vous avec maître Denis Brown au palais de justice. Elle est sommée de comparaître devant le juge Adrien Rochette, et elle sait que les choses vont se compliquer encore davantage. Hier, à plusieurs reprises, elle a tenté de lire la requête introductive d'instance amendée et précisée, un document d'une centaine de pages. Elle est accusée de fabrication et usage de faux pour s'être fait passer pour sa sœur. L'affaire est sérieuse et elle doute que Denis Brown ait déployé tous les efforts nécessaires pour l'étouffer. Pourquoi en serait-il autrement ? Il a été lamentable dans sa façon de mener son dossier de demande de pardon.

Brigitte est tourmentée. Elle n'arrive à rien. Pour une énième fois, elle remet ses papiers en ordre avant d'appeler un taxi pour se rendre au palais de justice. Après une courte hésitation, elle extirpe sa copie de demande de pardon de la pile. Ce document n'est plus nécessaire. Elle plie méticuleusement les autres, le titre de propriété et les relevés de compte. Au moment de les glisser dans sa mallette, une facture s'accroche dans la fermeture éclair du porte-documents. La pile de papiers tombe par terre.

— Merde !

Brigitte est à genoux au milieu du salon. En ramassant les papiers un à un, elle s'arrête sur le compte bancaire récalcitrant, celui de Brigitte Julie inc. Le relevé compte douze pages. Elle le déplie et le défroisse avant de le mettre dans son sac. Mais son regard s'arrête soudain sur une somme de mille deux cent cinquante dollars. Elle tourne les pages et détaille les chiffres de plus près. Pendant les six premiers mois de l'année, un virement électronique à ce montant a été effectué sur son compte chaque mois. Se rappelant son entente avec Harry, elle hausse les épaules. Côté finances, elle n'avait rien à lui reprocher, il s'acquittait de ses dettes de façon exemplaire. Le dernier paiement datait du 15 juin.

Brigitte est épuisée. Depuis sa sortie de prison, rien ne s'est passé comme elle l'aurait voulu. Elle a peut-être de l'argent, mais elle n'a plus ni famille ni amis. Elle ne sait plus qui elle est. Trop de choses lui échappent. Elle est victime d'un complot. Tous les hommes qu'elle a connus l'ont leurrée, à commencer par ce bellâtre de Gilbert Bois, qui l'a contaminée. Sa solitude lui pèse, son père lui manque. Elle éprouve le besoin de le voir, de se faire réconforter. Mais il est mort, elle n'a pas d'endroit où le prier, hormis le logement de la rue Lajeunesse. Comme il est encore tôt – l'audition n'est qu'à onze heures –, elle décide d'y passer avant de se rendre à son rendez-vous.

Une pluie verglaçante tombe sur la ville. Blottie contre la portière, Brigitte écoute vaguement le chauffeur. Il parle du mauvais temps qui pourrait durer toute la semaine. Elle ne l'entend pas. Elle ne se préoccupe que de la circulation qui est paralysée. Il est presque dix heures lorsque la voiture s'arrête enfin devant le logement de Carl Leclerc.

— J'en ai pour cinq minutes, lance-t-elle au chauffeur en lui refilant un billet de cinquante dollars. Et j'en ai un autre comme ça pour vous si vous êtes patient.

L'escalier donnant accès au logement est impraticable. Un mélange de neige fondante et de glace a fait disparaître les marches. Brigitte s'agrippe à la rampe pour se hisser sur la galerie et atteindre la porte. Une fois à l'intérieur, tout s'apaise. Rien n'a changé. Depuis la mort de son père, tout est resté en suspens. Brigitte traverse le rez-de-chaussée et descend au sous-sol. La main sur le loquet, elle ouvre la porte dérobée, écarte le rideau et allume. Pendant un moment, elle croit qu'il est là. Que son père est tapi dans l'ombre, près du coffre-fort, à l'attendre. Mais il n'en est rien. Il n'y sera plus jamais.

Nerveuse, Brigitte se demande pourquoi elle est venue. Elle est sur le point de tirer le rideau, de sortir en courant et de sauter dans le taxi qui l'attend quand le livre de comptes capte son attention. Il est tout grand ouvert sur la table. Elle s'approche, le regarde de plus près. Le dernier chiffre à apparaître dans la colonne des déboursés est de dix mille dollars. C'est elle qui a retiré cet argent, pour payer Denis Brown. Juste au-dessus, on peut voir la dernière écriture faite par Carl Leclerc, le jour de sa mort : mille deux cent cinquante dollars. Dans la marge, un code indique BWN, pour Brown.

Brigitte comprend alors pourquoi elle est venue ici. Son intuition ne l'a pas trompée. Elle se savait bernée, mais elle se rend compte qu'elle l'est doublement. Même son père était dans le coup. Chaque mois, il versait de l'argent à Brown pour payer les services sexuels qu'elle rendait au juge. La preuve est là sous ses yeux. Son cœur bat à tout rompre, ses mains tremblent, elle est ivre de colère. Carl ne pouvait ignorer à quoi servait cet argent. Il n'avait qu'à poser la question pour le découvrir. S'il ne l'a pas fait, il est d'autant plus condamnable. Elle sent le gouffre se creuser sous ses pieds. À quoi bon vivre si on ne peut se fier à son père ? N'a-t-il pas fait ce que les hommes font toujours ? Avec Brown, avec Harry, ils se sont arrangés entre eux. Elle se sent trahie !

Pendant une fraction de seconde, elle se dit que Carl a peut-être été berné, lui aussi. Mais elle écarte l'idée. Son désespoir est si grand qu'elle n'a pas la force de l'excuser, de lui accorder le bénéfice du doute. À ses yeux, le juge Rochette, Gilbert Bois, Denis Brown et Carl Leclerc sont tous issus du même moule : celui du mensonge et de la tromperie.

Le temps file, on l'attend au palais de justice, mais elle ne sait plus si elle veut y aller. À quoi bon ? Sa vie s'est arrêtée net lorsqu'elle a vu ce chiffre dans le livre de comptes. Le coffre-fort déborde d'argent, les tiroirs sont remplis de bijoux et de montres. Elle pourrait fermer les yeux sur cette affaire, pardonner l'impardonnable et aller refaire sa vie ailleurs, mais le rôle de son père dans cette duperie lui a asséné le coup fatal. Tout compte fait, elle n'a d'autre choix que d'y aller, au palais de justice, et de régler ses comptes une fois pour toutes. Pourvu que le taxi soit toujours là, pourvu qu'il l'attende encore dans la rue. Brigitte tire le rideau, ferme la porte de la pièce secrète, remet le loquet et quitte la chaufferie en courant.

* * *

Brigitte Leclerc se présente au palais de justice en passant par l'allée des Huissiers. Denis Brown a tout intérêt à ce qu'elle n'arrive pas par l'entrée principale. Il a fait les arrangements nécessaires. Lorsqu'elle le rejoint, au troisième étage de l'édifice, une surprise l'attend. Bien qu'elle se soit fait passer pour sa sœur, elle n'est plus accusée de fabrication et usage de faux. Faute de preuve, la garderie a dû faire marche arrière dans ce dossier. Tout cela est devenu une simple affaire de prostitution, dont Julie Sanche fera les frais. Gilbert Bois est le témoin à charge. Brigitte, se faisant passer pour Julie, n'a qu'à plaider coupable. L'amende sera de deux cents dollars.

Maître Brown l'entraîne dans un isoloir situé au fond d'un corridor. L'endroit est exigu. Il dépose des documents sur la table devant elle. Il la regarde à peine, consulte ses dossiers, puis en retire une feuille qu'il lui tend en lui indiquant la ligne du bas.

Très convaincant, il pointe la ligne du bas en précisant :

— L'avantage de cet arrangement, c'est qu'une fois l'amende payée on ferme le dossier de Julie définitivement. Et celui de Brigitte Leclerc pour usage de faux est vierge. Dans quelques semaines, sans faire de vagues, on réactivera le dossier de demande de pardon et…

Mais Brigitte a renoncé au pardon. Depuis qu'elle sait que Harry n'a jamais rien fait pour l'aider, elle a perdu tout espoir de l'obtenir. Pour ce que ça vaut. Denis Brown et le juge Rochette ont imaginé un autre mensonge pour couvrir les précédents sans lui demander ce qu'elle en pensait. Ils se sont arrangés entre eux. Le verdict est habile, d'ailleurs. Julie s'en tire avec une amende pour prostitution. Brigitte s'en sort indemne. Peut-être que Harry voudra reprendre ses petites visites du jeudi après midi, au condo des Terrasses Crémazie, histoire de réactiver sa demande de pardon.

— Je ne suis pas d'accord, réplique-t-elle sèchement. Je ne veux plus qu'on traîne Julie dans la boue. Ça suffit !

— Tu es folle ! Il ne s'agit que d'une amende de deux cents dollars !

— C'est ma faute tout ça. C'est moi qui suis accusée, pas elle.

— Tu ne peux pas dire non à ça, Brigitte ! C'est le meilleur arrangement qu'on ait trouvé. Signe !

Denis Brown consulte sa montre. La séance va commencer dans quelques minutes. L'avocat ne lui a même pas demandé les papiers qu'il avait réclamés. Ils sont toujours dans son sac. Il lui tend un stylo et attend qu'elle s'exécute. Brigitte ravale sa colère, baisse les yeux et appose sa signature. Dommage qu'ils n'aient pas un peu de temps, elle voudrait lui dire tout ce qu'elle a appris. Lui mettre ses mensonges sous le nez. Mais Brown se défile.

— Nous sommes attendus dans la salle 3.08.

Brigitte cherche à comprendre cette volte-face de la cour et les conséquences du retrait des accusations qui pesaient contre elle. Elle lui pose des questions à voix basse, mais il marche tête baissée, comme s'il craignait qu'on le reconnaisse à ses côtés.

Sans manières, l'avocat entre dans la salle d'audience, suivi par sa cliente. L'endroit est moins intimidant que ce qu'elle avait imaginé. L'atmosphère y est presque feutrée. Brigitte met un moment à reconnaître Gilbert Bois, assis en retrait sur le banc des témoins. Il a les traits tirés, les yeux cernés. Il est malade, de toute évidence. Voilà bien la seule chose qu'ils aient en commun, maintenant. Brigitte lui tourne le dos. Le silence est gênant, l'atmosphère s'alourdit un peu plus lorsque le juge Adrien Rochette fait son entrée. Constatant que l'avocat de la Couronne est absent, il demande à la greffière de le faire appeler. Son nom résonne dans les haut-parleurs du palais de justice. De longues minutes s'écoulent. Rien ne se passe. Le malaise est de plus en plus grand. Adrien Rochette finit par s'impatienter. Il demande à la greffière d'aller chercher le retardataire. La femme aux cheveux poivre et sel se fait prier. Elle se lève en rechignant et quitte la salle d'audience.

Brigitte aussi se lève. Il y a de la provocation dans son geste. Elle marche de long en large dans la salle, comme un fauve enragé. Denis Brown la fusille du regard.

— Julie, il faut être raisonnable, lui dit doucement le juge Rochette.

Brigitte trouve normal qu'il la tutoie. Si elle ne connaît pas le juge Rochette, elle connaît très bien « Harry ». Et Harry la tutoie depuis toujours. Denis Brown et Gilbert Bois en revanche, sont estomaqués. Les propos du juge sont si directs et si inhabituels.

— Tu dois plaider coupable. Ce sera mieux pour tout le monde. On n'aura plus à penser à cette affaire.

Brigitte croise le regard de Gilbert Bois. Il approuve d'un signe de la tête, Denis Brown aussi. Doit-elle les croire ? Ils lui ont tous déjà menti. Feignant de s'incliner, elle revient docilement vers sa place, mais sa colère est à son paroxysme. Qui ne dit mot consent. Elle est aussi coupable qu'eux. En faisant porter l'odieux à sa sœur, elle la déshonore un peu plus. Elle en a assez de tous ces mensonges, de toutes ces supercheries. Elle veut en finir. Puis brusquement, elle aperçoit le pistolet de l'agent de sécurité, pendu à sa ceinture, le fourreau ouvert. L'homme ne semble pas concentré sur ce qui se passe dans la salle. Il est ailleurs. Brigitte entend alors une musique dans sa tête. C'est un rythme de guerre. Mais en fait, c'est son cœur qui bat qui l'éperonne. Suivant le tempo, elle marche vers l'agent et le prend de court en lui dérobant son arme. Il n'a pas le temps de réagir. Le canon est déjà sur sa tempe. Elle tire un premier coup.

Adrien Rochette est subjugué. Brigitte le voit bien lorsqu'elle pointe l'arme dans sa direction. Elle n'avait pas pensé en arriver là. Les supplications et les regrets sont inscrits dans les rides de Harry. C'est le front qu'elle vise, parce qu'il faut en finir et qu'elle ne veut pas perdre le rythme. Harry s'effondre sur son bureau.

Dans la foulée, Brigitte a toutes les raisons d'abattre Denis Brown et Gilbert Bois. Quatre morts plutôt que deux ne la condamneront pas davantage. De toute façon, elle a de bonnes raisons de leur en vouloir. L'un après l'autre, ils tombent devant la porte de la salle d'audience.

Pressée d'en finir, Brigitte retourne l'arme contre elle et glisse le canon dans sa bouche. La brûlure est instantanée. Erreur impardonnable. Une douleur fulgurante lui traverse le corps. Elle met un moment à reprendre ses esprits. Un long moment. Le pistolet descend le long de son sein gauche. Des milliers d'images lui traversent l'esprit en un éclair. Elle tente de se ressaisir, de remonter l'arme vers sa tête, mais n'y parvient pas. Puisque c'est ainsi, elle visera le cœur. Mais, manque de chance, le canon continue de descendre. Des bruits lui parviennent du corridor voisin. D'un coup sec, la porte s'ouvre et percute la tête de Gilbert Bois, étendu par terre. Brigitte se ressaisit et tire enfin. Il y a un bruit sourd, son corps tressaille et elle s'effondre.

Le voyage de noces

Il était treize heures lorsque Jérôme quitta le dépôt Bonaventure. Il tombait des cordes, la neige fondait à vue d'œil et la ville reprenait vie. L'incident matinal était déjà une affaire oubliée. Comme la tempête d'ailleurs. Aux dernières nouvelles, il ne restait plus que cent cinquante mille pannes d'électricité dans le Grand Montréal, et moins de cinquante mille réfugiés dans le réseau souterrain. À ce rythme, on retirerait bientôt les souffleuses et les chasse-neige des rues. La pluie, qui devait se poursuivre jusque tard dans la soirée, se chargerait de terminer le travail.

Après son passage chez Sonia Ruff, Jérôme joignit O'Leary au téléphone et le mit au parfum. Le juge Rochette était depuis longtemps en possession de la demande de pardon de Brigitte Leclerc, mais il ne l'avait jamais déposée au tribunal administratif chargé de ces questions. Cette omission, ajoutée au retrait de l'accusation de fabrication et usage de faux portée contre Brigitte, l'incriminait. Une perquisition dans le bureau du juge s'imposait donc, et O'Leary se porta volontaire. Ils se donnèrent rendez-vous aux homicides un peu plus tard dans la journée. Mais un coup de fil de Blanchet, alors que la voiture de police roulait sur la rue Notre-Dame, fit voler ces plans en éclats.

— Enquêteur Marceau. Blanchet à l'appareil. J'ai une bien triste nouvelle. Brigitte Leclerc vient de mourir.

Jérôme s'y attendait tellement peu qu'il fit signe à l'agent qui conduisait de s'arrêter. Il ne pouvait rouler sous cette pluie battante et réfléchir en même temps.

— Tu en es sûre? finit-il par dire. Je croyais qu'elle était sur le point de…

— Elle est morte! Ils ont tenté de la réanimer. Rien à faire. Ça s'est passé il y a quinze minutes à peine. On vient tout juste de nous prévenir.

— O'Leary est avec toi?

— Il est toujours au palais de justice, mais ça aussi, ça ne se passe pas comme prévu. On lui a refusé l'accès au bureau du juge Rochette.

— …

Jérôme cherchait ses mots. Son chauffeur, quant à lui, trépignait derrière son volant, une main sur le commutateur des gyrophares. Il n'attendait qu'un signe de Jérôme pour foncer.

— Rappelle-le et dis-lui de venir me rejoindre à l'hôpital Saint-Luc. Il faut savoir ce qui s'est passé.

— Elle est morte, Jérôme. Elle était dans le coma depuis trois jours et elle est morte!

Blanchet était si sûre d'elle-même, si empressée de tirer des conclusions qu'il se garda de lui répondre. Comme si cette mort faisait l'affaire de la jeune enquêteure. Les choses revenaient dans l'ordre. L'éclairage était à nouveau mis sur l'assassin présumé, et non sur les victimes. Et O'Leary avait peut-être raison de croire que Blanchet était une taupe. Mais il serait bientôt fixé sur cette question, la mort de Brigitte Leclerc lui en donnerait l'occasion.

C'était le déluge lorsque Jérôme descendit de la voiture devant l'entrée principale de l'hôpital Saint-Luc. Des clous tombaient sur les bancs de neige, les rues passées à grande eau reluisaient comme des pare-chocs, et la glace concassée, vestige de l'épisode de verglas, n'était plus qu'une bouillie bloquant les caniveaux.

— Sale temps, lança Jérôme aux quelques patients sortis fumer une cigarette devant les portes vitrées.

Il passa à l'intérieur sans entendre leurs râlements approbateurs et se précipita vers la chambre de Brigitte. Il n'y avait toujours pas d'agent de sécurité devant la porte, et à première vue, pas âme qui vive à l'intérieur. Un silence trouble régnait dans la pièce. On avait tiré un drap sur le corps, les moniteurs et autres appareils électroniques s'étaient tus.

— Je vous attendais.

Jérôme sursauta. Ses yeux, qui ne s'étaient pas encore habitués à la pénombre, mirent un moment à repérer Élisabeth Gonzalez. Elle était assise dans le fauteuil près de la fenêtre, celui-là même où il s'était réfugié, la première fois qu'il était venu rendre visite à la moribonde. L'infirmière était en deuil, aurait-on dit. Toute à ses pensées, elle semblait prier.

— J'ai essayé de joindre la famille, murmura-t-elle au bout d'un moment, mais il semble qu'elle n'ait personne.

— Il n'y a personne, confirma-t-il.

— Alors j'ai pensé à vous. C'est moi qui ai téléphoné au service des homicides. C'est une jeune dame qui m'a répondu.

— L'enquêteure Blanchet.

— C'est ça.

La voix d'Élisabeth Gonzalez était pétrie de tristesse. L'infirmière savait soigner les malades, mais ne savait pas éloigner la mort. Chaque fois qu'elle y était confrontée, elle se heurtait au même sentiment d'injustice et d'échec. Elle ne connaissait pourtant ni Brigitte Leclerc ni Julie Sanche. Qu'à cela ne tienne. Sa compassion n'en était pas moins grande.

— Qu'est-ce qui est arrivé? demanda-t-il.

— Le cœur.

La réponse ne tenait qu'en un mot. Épuisé par le combat, par tous les combats en fait, le cœur avait cédé.

— Et c'est normal? Je veux dire… Elle était censée se réveiller, il me semble. À tout moment.

— Plus un coma se prolonge, plus les chances de s'en sortir s'amenuisent. C'est une équation. Et puis elle était séropositive.

Élisabeth Gonzalez était sûre de ce qu'elle avançait, mais Jérôme n'en fit pas moins preuve de scepticisme.

— C'est donc une mort naturelle? Je veux dire, personne n'est intervenu? Personne n'a cherché à lui faire de mal?

L'infirmière comprit à quoi il faisait allusion. Sans détourner la tête, sans le regarder, elle murmura:

— Ce n'est pas une mort suspecte, si c'est ce que vous cherchez à savoir. Elle a fait une tentative de suicide. On a cru un moment qu'elle s'en sortirait, mais de toute évidence, cela n'a pas été le cas. Elle ne s'est pas ratée, finalement.

— Est-ce que le médecin traitant a déjà rédigé l'acte de décès ?

— Il l'a examinée. Ça ne devrait pas tarder.

Jérôme n'avait aucune raison de douter d'Élisabeth Gonzalez. Elle avait fait tout ce qu'elle pouvait pour sauver Brigitte. Et sa peine était réelle. Ce sursis de quelques jours, ce répit n'avait été qu'une illusion. La vie de Brigitte Leclerc s'était bel et bien arrêtée dans la salle d'audience du palais de justice, le mardi précédent.

— Nous allons demander une autopsie, fit Jérôme en prenant un air désolé. Dans les circonstances, cela s'impose.

Plus rien n'étonnait Élisabeth Gonzalez, mais il sentit tout de même son malaise. L'ultime repos n'était pas gagné pour elle. Une fois encore, Brigitte allait devoir se laisser toucher et tâter de la tête aux pieds.

— Évidemment, se contenta-t-elle de dire.

Ils restèrent un long moment dans la pénombre sans échanger un mot. Le drap blanc qui recouvrait le corps s'était transformé en linceul. Brigitte était si seule qu'il n'y avait qu'une infirmière et un enquêteur de police dérouté pour la pleurer. Parce qu'elle était bien réelle, la déroute de Jérôme. Pendant trois jours, il s'était accroché à la survie de Brigitte plus qu'elle ne l'avait fait elle-même. Il avait fini par comprendre ce qui s'était passé, mais il n'avait pu recueillir sa déposition, l'entendre se raconter. Son témoignage ne viendrait jamais.

— Je vous la confie, murmura Élisabeth Gonzalez en se levant doucement. Prenez-en soin. J'ignore ce qu'on lui a fait pour qu'elle en vienne à cela, mais je crois qu'elle a payé sa dette.

Jérôme ne trouva rien à répondre. Alors que l'infirmière se dirigeait vers la porte, celle-ci s'ouvrit et O'Leary entra en coup de vent. Lui et Élisabeth Gonzalez se croisèrent sur le seuil. On aurait dit une relève de la garde. Ils se firent un signe de la tête, et l'instant suivant, l'Irlandais prenait place dans le fauteuil que l'infirmière venait de quitter.

— Qu'est-ce qui s'est passé ? lança-t-il. Ça fait trois jours que tu nous serines qu'elle va se réveiller.

Jérôme n'écoutait pas. Il pensait aux derniers mots qu'avait prononcés l'infirmière : «Je crois qu'elle a payé sa dette.» Mesurant son effet, il laissa tomber :

— Mort suspecte.

O'Leary n'eut aucune réaction. Il s'enfonça un peu plus dans le fauteuil, baissa les yeux et finit par dire :

— Ce serait le quarante-troisième homicide, si je comprends bien.

— C'est ça.

— Qu'est-ce qu'on fait ?

— On délimite un périmètre de sécurité. Il nous faut un relevé d'empreintes… une autopsie. Et on demande à Corriveau de venir renifler. Si quelqu'un est venu l'achever, il est évident que le travail a été bien fait. On n'a négligé aucun détail.

O'Leary n'y croyait pas vraiment. Il était persuadé que Jérôme faisait un numéro, qu'il lançait une hypothèse pour voir comment il réagirait.

— Et le mobile, d'après toi ?

— Le mobile est écrit dans le ciel. On avait tout intérêt à ce qu'elle ne se réveille pas. Qu'elle ne se réveille jamais. Trop compromettant.

— Et c'est qui, on ?

Jérôme ne répondit pas. Il s'approcha du lit pour soulever le drap et regarder Brigitte, mais au dernier moment il se ravisa. Il se tourna plutôt vers l'Irlandais.

— Tu es vraiment certain que Blanchet travaille pour Léveillée ? Je veux dire, qu'elle est là pour me surveiller ?

Lorsque Jérôme ne répondait pas aux questions qu'on lui posait et qu'il sautait du coq à l'âne, il y avait anguille sous roche. Le malaise d'O'Leary s'accentua, mais il s'efforça de n'en rien laisser paraître.

— Je sais qu'elle communique régulièrement avec elle pour lui dire ce qui se passe, dit-il abruptement. Mais je ne vois pas le rapport avec la mort de Brigitte.

— Moi, oui !

Jérôme prit son téléphone et composa le numéro des homicides. La téléphoniste le mit tout de suite en communication avec Blanchet.

— Je suis à l'hôpital Saint-Luc, lança-t-il, expéditif. O'Leary est avec moi. Il y a tout lieu de croire que la mort de Brigitte Leclerc est un assassinat camouflé. Le quarante-troisième homicide. Tu veux prévenir Corriveau, lui dire qu'on l'attend et envoyer les techniciens ? Je veux un relevé des empreintes !

— Elle n'est pas morte des suites de ses blessures ? s'étonna Blanchet.

— Tu fais ce que je te demande, s'il te plaît. On en a plein les bras, ici.

— Oui, enquêteur Marceau, fit-elle, médusée.

Il raccrocha sans la saluer. O'Leary, qui était de plus en plus irrité, s'approcha de Jérôme. S'il ne s'était pas retenu, il l'aurait pris au collet et l'aurait écrasé contre un mur.

— Qu'est-ce que tu racontes, tu en as plein les bras ? Depuis que je suis dans cette chambre, tu n'en fous pas une. On dirait une veillée mortuaire. Et puis qu'est-ce qui te fait croire que c'est une mort suspecte ? Et les empreintes de quoi ? Les empreintes de qui ?

— Tu ne comprends rien, O'Leary.

— Tu as raison, je ne comprends rien. Et toi non plus. Personne n'est venu ici l'achever, pour la simple et bonne raison que personne n'aurait pris ce risque !

— J'attends un appel !

L'Irlandais parlait de plus en plus fort

— Et moi, j'attends mes consignes ! On a fait du bon boulot ensemble. Je t'ai tendu la main, on était sur le point de la boucler, cette enquête. Mais là, si tu joues en solo et si tu te payes ma tête…

— Léveillée devrait téléphoner d'un moment à l'autre. Sinon, tu t'es trompé. Blanchet ne me surveille pas.

O'Leary se tut. Debout au pied du lit, il se sentit ridicule. Jérôme faisait effectivement un solo, mais ce n'est pas lui qu'il cherchait à prendre en défaut.

— Pas si suspecte que ça, alors, la mort de Brigitte ?

— Pas si suspecte, répéta Marceau en écho.

O'Leary eut envie de rire. Le moment et l'endroit étaient mal choisis. Le corps de Brigitte était encore chaud, et la tristesse bien réelle d'Élisabeth Gonzalez planait toujours dans la chambre, mais c'était plus fort que lui, Jérôme l'épatait.

— Je t'en prie, murmura le principal intéressé en regardant son téléphone.

Le délai s'expliquait sans doute par le décalage horaire. Il devait être trois ou quatre heures du matin là-bas, en Asie. Réveillée en pleine nuit, Léveillée avait assurément pris le temps de se faire un café avant d'appeler. Quelques minutes s'écoulèrent et, comme prévu, la sonnerie du téléphone se fit entendre. Jérôme consulta l'afficheur et grimaça.

— Allô, maman! Écoute, j'attends un appel important. Je ne peux pas te parler en ce moment!

— Jérôme, c'est toi?

— Oui, oui, c'est moi. Mais je ne peux pas te parler.

— J'ai eu une discussion très très intéressante, ce matin. Tu sais, ce type, cet avocat dont je t'ai parlé… Celui qui s'occupe du recours collectif pour les victimes de la thalidomide…

— Maman, ce n'est pas le moment. Je ne veux pas parler de thalidomide et je ne peux pas te parler!

— Mais c'est très important! Il faut absolument que je te voie!

O'Leary tendait une oreille. Le désarroi de Jérôme et son empressement à mettre fin à la conversation rendaient la situation presque cocasse. L'enquêteur, si sûr de lui l'instant d'avant, était devenu un enfant devant cette mère insistante.

— Je ne peux pas te voir aujourd'hui. Tu m'en parleras mardi. Je dois raccrocher, maintenant.

— Jérôme, si tu me raccroches au nez, je ne t'adresse plus jamais la parole! Tu as compris?

— Je ne te raccroche pas au nez, maman. Je n'ai plus rien à dire sur le sujet et j'attends un autre appel. On se parle plus tard si tu veux.

— Alors j'attends ton appel.

Et c'est elle qui lui raccrocha au nez. Jérôme regarda l'appareil un instant, l'air de se demander ce qui venait de se passer. Il murmura à l'intention d'O'Leary :

— Ma mère.

O'Leary se garda bien de commenter. Cette brève conversation avait modifié l'atmosphère dans la chambre. La supériorité agaçante que Jérôme affichait depuis l'arrivé de l'Irlandais avait disparu. L'un comme l'autre espérait que Léveillée appelle pour dissiper le malaise. La sonnerie du téléphone retentit presque aussitôt.

— Aileron, c'est Lynda!

Pour une fois, Jérôme était presque content de s'entendre interpellé par son sobriquet. C'était bien la patronne. L'appel, en revanche, donnait raison à O'Leary. Blanchet était une taupe. Elle l'avait espionné toute la semaine. Chacun de ses faits et gestes avait été rapporté à l'enquêteure chef à l'autre bout du monde.

— J'aimerais que tu passes me voir, lui dit-elle d'une voix éteinte.

La patronne était loin d'avoir recouvré sa voix. Ses cordes vocales étaient en lambeaux.

— Ça me paraît difficile, rétorqua-t-il. J'ignore à quelle heure est le prochain vol pour l'Asie et j'ai un nouveau meurtre sur les bras.

— Elle est morte des suites de ses blessures. Celles qu'elle s'est infligées.

— C'est ce que je crois aussi, mais j'avais envie de te l'entendre dire.

L'enquêteure chef se mit à tousser. Une toux grasse et profonde qui obligea Jérôme à éloigner l'appareil de son oreille. O'Leary ne le quittait pas des yeux. Il n'entendait que la moitié de la conversation, mais il voyait bien que quelque chose ne collait pas.

— Je suis à l'Hôpital général de Montréal depuis vendredi dernier. Neuvième étage, pavillon C. Oncologie. Si tu passes maintenant, on va pouvoir discuter. J'ai un traitement à dix-huit heures.

Jérôme était si interloqué qu'il faillit en laisser échapper l'appareil.

— Neuvième étage, pavillon C ? bredouilla-t-il.

— Oui, c'est ça. Chambre 932.

— J'arrive.

Il glissa le téléphone dans sa poche et s'appuya lourdement contre le mur, le temps de retrouver ses esprits.

— Elle est en ville, dit-il.

— Donc, elle n'est jamais partie ?

L'Irlandais voulait l'accompagner, mais elle ne l'avait pas invité à venir. De toute façon, il y avait plus urgent.

— Tu parles à Corriveau et tu lui dis qu'on n'a plus besoin de lui. Pas d'expertises non plus, et pas d'empreintes. On s'en tient à l'autopsie de routine pour l'instant. Je veux savoir quand elle sera pratiquée, quand on obtiendra les résultats.

Alors qu'il s'apprêtait à quitter la chambre, Jérôme revint vers le lit et souleva le drap blanc. Le temps suspendit son cours, et pendant un moment, il admira le joli visage de Brigitte. Ses traits étaient fins. Sa bouche, légèrement affaissée, donnait l'impression qu'elle souriait. Un sourire narquois, un sourire retenu qui le désarçonna tout autant que l'appel qu'il venait de recevoir de Lynda. Brigitte s'était soustraite d'une situation intenable, et cela semblait la faire sourire. Sans insister, il remit le drap en place et la laissa dormir en paix.

***

Jérôme avait renvoyé la voiture de service. Il aurait pu en appeler une autre, mais il préféra prendre le métro pour se rendre de l'hôpital Saint-Luc à l'Hôpital général. Cela lui permit de constater l'état de la situation dans le réseau souterrain. L'achalandage était revenu à la normale, mais le désordre et la saleté étaient spectaculaires. On aurait dit un parc souillé d'immondices au lendemain d'un concert rock. Il faudrait des jours pour nettoyer ce vaste chantier, alors qu'au-dessus le ménage se faisait tout seul. La neige suait à grosses gouttes sous l'assaut de la pluie.

Avant de quitter la chambre de Brigitte, il avait pris soin de consulter le plan souterrain du SCS. Un corridor de sécurité creusé à même la montagne reliait depuis peu le métro Guy-Concordia à l'Hôpital général. Ce passage, qui n'avait encore jamais servi, faisait partie des nouveaux plans d'urgence de l'administration municipale. Après la crise du verglas de 1998, la ville souterraine avait été reconfigurée pour servir de refuge en cas de nouvelle catastrophe. Au cœur de ces travaux tenus secrets, les grands hôpitaux avaient été reliés à l'ensemble du réseau. Toutefois, malgré l'épouvantable semaine que Montréal venait de traverser, les autorités n'avaient pas jugé bon d'activer ce plan d'urgence. Le temps leur avait donné raison. Le flux spontané de la population vers le réseau souterrain avait été géré avec succès. Il avait largement suffi.

À partir de la station de métro, Jérôme emprunta une enfilade de couloirs en béton, direction nord, passant d'un pavillon de l'Université Concordia à un autre. Un avant-poste de la SCS était blotti sous l'intersection des rues Sherbrooke et Guy. Jérôme s'arrêta un moment pour discuter avec l'agent qui était de faction. Il était franchement impressionné par ce passage tout neuf aménagé dans les sous-sols des édifices qui jalonnent la rue Guy. Si impressionné d'ailleurs qu'il en oublia Lynda et son cancer. Ce qui l'étonnait surtout, c'était l'énormité du secret qui entourait cette nouvelle structure. Cette rue souterraine réalisée au nom de la sécurité n'avait fait l'objet d'aucun article dans la presse, d'aucune annonce de la part des politiciens, et ne figurait sur aucun plan de la ville. On attendait une catastrophe majeure pour en révéler l'existence.

Après avoir marché pendant dix longues minutes dans ce couloir tout en zigzags, Jérôme se retrouva au fond d'un puits au milieu duquel s'élevait un imposant escalier en métal. Véritable tour Eiffel enfermée dans le roc, l'armature s'élançait sur une dizaine d'étages au moins. L'agent croisé au poste de la SCS, sous la rue Sherbrooke, lui avait suggéré d'emprunter l'ascenseur pour rejoindre l'hôpital. Vingt mètres plus haut, les portes s'ouvrirent sur le quatrième sous-sol du pavillon principal de l'Hôpital général. Un autre agent de la SCS l'attendait. Sans échanger le moindre mot, ils longèrent une salle des machines où l'on traitait vraisemblablement les eaux usées du complexe hospitalier, une forte odeur de chlore flottant dans l'air.

— Vous allez au pavillon C, je crois ?

Jérôme fit signe que oui et l'agent pointa un deuxième ascenseur, un peu plus loin.

— Montez jusqu'au rez-de-chaussée, lui dit-il. Quand vous y serez, tournez à gauche et empruntez le corridor jusqu'au bout. À cet endroit, vous verrez d'autres ascenseurs. Il faut prendre celui qui mène au pavillon C. Ne vous trompez pas.

Jérôme erra un long moment dans l'hôpital. Bien que Lynda lui ait demandé de venir rapidement, plus il approchait du but, moins il allongeait le pas. Inconsciemment, il repoussait l'échéance comme s'il appréhendait le pire. En entrant dans la chambre, il eut envie de faire marche arrière. Sa patronne était méconnaissable. Pelotonnée dans un lit, le regard éteint, le teint blême, elle n'était plus que l'ombre d'elle-même.

— Aileron, je te préviens, lança-t-elle en guise d'introduction, si tu t'apitoies, je te fais renvoyer dans les souterrains de la ville.

Il y avait quelque chose d'affectueux dans sa façon de lui balancer son surnom. Contrairement aux autres, à tous les autres, lorsqu'elle disait «Aileron», ce n'était pas de la raillerie, mais de la complicité qu'on entendait. Jérôme n'en était pas moins secoué. Jamais il ne l'aurait imaginée dans un état pareil. D'une voix enrouée mais soutenue, elle lui raconta une histoire de plaquettes à laquelle il ne comprit rien, pour la bonne raison qu'il n'écoutait pas. Il la croyait atteinte d'un cancer ; c'était d'une leucémie qu'elle souffrait. Une forme de leucémie dont on ne meurt pas nécessairement, avait-elle pris soin de préciser. Mais à la voir, il était permis d'en douter.

— L'idée, c'est de parvenir à augmenter le nombre de plaquettes, ne cessait-elle de répéter.

Lynda en faisait une obsession. Le mot revenait toutes les deux phrases. Ces plaquettes étaient en nombre insuffisant dans son sang. Une transplantation de moelle était imminente, mais entre-temps on lui faisait des transfusions sanguines toutes les vingt-quatre heures dans l'espoir de la stabiliser. La suivante était prévue pour la fin de l'après-midi, et comme elle mettait habituellement huit heures à s'en remettre, c'était maintenant qu'ils devaient discuter.

— Tu t'es trompé de cible. On veut connaître les motifs de la petite. Pourquoi elle a descendu tout le monde dans la salle d'audience. La vie privée du juge Rochette, c'est une autre affaire ! On ne veut pas savoir avec qui il couchait, lui reprocha-t-elle.

Il accusa le coup sans répondre. Lynda donnait l'impression de maîtriser la situation, mais rien n'était moins sûr. Le ton sévère qu'elle empruntait sonnait creux.

— Envoyer O'Leary au palais de justice pour fouiller le bureau du juge était carrément stupide. C'est moi qui ai téléphoné pour lui en interdire l'accès.

Elle avait le souffle court. C'est de peine et de misère qu'elle terminait ses phrases.

— Et l'autre truc… oser penser que Brigitte Leclerc a été assassinée…

Jérôme réprima un sourire.

— Ç'aurait bien pu être le cas.

— Ridicule! fit-elle en claquant la langue.

— En fait, je voulais savoir combien de temps Blanchet mettrait pour te joindre.

Ces mots lui arrachèrent un sourire, mais elle n'en resta pas moins expéditive.

— Il faut que tu t'arrêtes, maintenant, Jérôme. Nous en savons assez.

François Sévigny, le procureur de la Couronne, ne lui avait-il pas dit la même chose? Pourtant, il ne faisait qu'honorer l'engagement qu'il avait pris auprès d'Evelyne Lebel, lors de leur brève rencontre. Jérôme commençait à saisir ce qui s'était passé dans cette salle d'audience, mais étrangement, ses découvertes n'intéressaient plus personne.

— On va l'enterrer demain, fit-elle encore. C'est trop tôt pour parler de ça. Plus tard peut-être. Mais pas maintenant.

Jérôme décela une certaine ouverture dans ces propos. Lynda ne voulait pas enterrer l'affaire, elle cherchait à aller au plus pressant. C'était une question de diplomatie sans doute. Le moment était mal choisi pour mettre la magistrature au banc des accusés, elle devait d'abord enterrer ses morts, panser ses plaies. Sauf que Jérôme ne l'entendait pas ainsi.

— Si la juge Evelyne Lebel ne veut pas savoir, c'est son droit. Mais ça ne veut pas dire que la justice ne doit pas suivre son cours.

— Plus tard, la justice! se plaignit-elle. De toute façon, il va falloir monter la preuve…

— On y est presque, affirma-t-il.

Jérôme était conscient qu'il la contrariait en insistant de la sorte. Si Lynda s'acharnait, c'est qu'on lui avait demandé de suspendre l'enquête sans vraiment lui en donner le choix. Elle savait des choses qu'elle ne lui confierait pas, peu importe la façon dont il s'y prendrait pour lui tirer les vers du nez.

— Je ne fais pas de politique, moi. Ça m'ennuie profondément. Je me tiens à l'écart de tout ça. Je suis un enquêteur, mon boulot, c'est de trouver la vérité. Et quand il y a des meurtres, j'essaie de comprendre ce qui s'est passé. J'essaie de savoir ce qui motive les gens à commettre des actes pareils. Et là, je pense que j'ai trouvé.

— Suffit, Aileron ! Je ne veux plus entendre un mot.

— Qui essaies-tu de protéger, Lynda ?

Recroquevillée dans son lit, elle se cramponnait à ses draps et ne répondait pas. Cette conversation l'épuisait. Le silence se prolongea et devint gênant, car Jérôme ne savait pas si elle cherchait vraiment à protéger quelqu'un ou si elle n'avait tout simplement plus la force de parler. Elle le surprit en lui lançant un ordre.

— Je veux que tu rédiges un rapport intérimaire… qui s'arrêtera à la mort de Brigitte Leclerc, cet après-midi, à l'hôpital Saint-Luc. Je me fiche de tes hypothèses, de tes recoupements à la gomme et de tout ce que tu ne peux pas prouver. Une forcenée a fauché quatre vies, dont celle d'un juge, dans une salle d'audience du palais de justice. Puis elle s'est donné la mort. S'il y a autre chose derrière cette affaire, nous regarderons cela de plus près quand je sortirai d'ici. Entre-temps, tu vas m'écrire ce rapport. Compris?

Jérôme savait reconnaître un ordre, et s'y plier. Sa profession le lui avait appris. Cela ne l'empêcha toutefois pas de demander:

— Tu veux que je mente? Tu veux que je fasse abstraction du fait que le juge Rochette couchait avec la meurtrière?

Flairant le piège, Lynda se racla la gorge et tourna les yeux vers la fenêtre. Jérôme avait l'impression de la décevoir en lui tenant tête. Il était honteux d'être grossier dans un endroit et à un moment aussi inconvenant, mais il ne pouvait s'en empêcher.

— La preuve n'est pas un véritable problème.

Du fond de son lit, tout en le dévisageant de ses grands yeux creux, Lynda répéta en articulant bien chaque mot comme s'il s'agissait de sa dernière volonté:

— Jérôme, je te le demande une dernière fois. Tu me fais ce rapport intérimaire et tu l'arrêtes à la mort de la forcenée. Le reste, pour l'instant, c'est de la fantaisie. On remet ça à plus tard.

Jérôme aurait dû s'incliner. Vu l'état dans lequel Lynda se trouvait, il aurait dû faire amende honorable. Mais il en était décidément incapable.

— Je sais que je t'en demande beaucoup, Lynda, mais est-ce que je peux y réfléchir quelques heures?

— Mon prochain traitement est à dix-huit heures. Il faut régler cette affaire avant.

— Très bien. Avant dix-huit heures.

Jérôme n'en démordait pas. Écrire ce que Lynda lui demandait, c'était taire l'essentiel. S'il obtempérait, son silence deviendrait la vérité, ajoutant un mensonge de plus à ce tissu de faussetés, à cette construction alambiquée qui avait mené à la fusillade du palais de justice.

— Je comprends que tu es dans une situation délicate, ajouta Jérôme, mais crois-moi, ce n'est pas une fantaisie.

D'entrée de jeu, Lynda lui avait fait comprendre qu'elle ne voulait pas d'apitoiement. Il l'avait prise au pied de la lettre, mais il se sentait cruel. Elle avait les yeux tournés vers la fenêtre et ne parlait plus. Puis, très lentement, elle posa son regard sur lui en murmurant d'une voix distincte.

— Très bien. Avant dix-huit heures, finit-elle par dire. J'attends ta réponse avant dix-huit heures.

* * *

Jérôme était à ce point perturbé par sa rencontre avec Lynda qu'il prit un taxi en sortant de l'hôpital. Emprunter les corridors vierges d'une ville souterraine ne l'amusait plus. Effondré sur le siège arrière de la voiture, il regardait tomber la pluie en faisant le compte des options qui s'offraient à lui. S'il retournait aux homicides, il n'aurait d'autre choix que de confronter Blanchet et la congédier. Malgré tous leurs défauts, Corriveau et O'Leary n'avaient jamais joué double jeu. Ils ne l'avaient jamais trahi comme la jeune recrue venait de le faire. Il ne pouvait supporter qu'elle reste en poste une journée de plus. Mais le moment était mal choisi. Il s'était engagé à donner une réponse à Lynda. Il devait trancher cette question d'abord. Son téléphone portable se mit à vibrer.

— Et alors ?

O'Leary venait aux nouvelles. Il emprunta une voix neutre :

— Elle est mal en point. Leucémie. Ils vont lui faire une greffe de moelle osseuse.

Il y eut un long silence. L'Irlandais était pantois. Au départ, O'Leary n'avait pas cru à cette histoire d'hospitalisation, pas plus qu'il n'avait cru au voyage de noces. Sauf qu'on ne ment pas à propos de la maladie, surtout pas lorsque sa propre vie est en jeu.

— Je peux te poser une question ? lui dit Jérôme.

Celui-ci profitait du désarroi de son interlocuteur. L'enquêteur s'attendait à ce qu'il l'interroge sur ses ambitions, sur ce qu'il comptait faire si Lynda ne revenait pas aux homicides. Mais le tir vint d'ailleurs.

— Comment as-tu découvert que Blanchet informait la patronne de ce qui se passait ?

Silence radio. O'Leary calculait, mesurait, soupesait ce qu'il allait répondre. Son cerveau faisait tant de bruit qu'on l'entendait penser. Avec une candeur que Jérôme ne lui connaissait pas, il finit par avouer :

— On s'est arrangés, Corriveau et moi. Hier, il est parvenu à l'éloigner de son ordinateur pendant une heure. Corriveau l'a réquisitionnée pour classer les pièces à conviction trouvées dans la salle d'audience. J'en ai profité pour copier le disque dur de son ordinateur. Elle faisait un rapport à Léveillée deux fois par jour.

Il s'efforça de ne pas réagir. L'irréprochable enquêteure du SCS lui avait joué dans les pattes et il ne s'en était pas rendu compte. Il était beaucoup trop occupé à tenir O'Leary et Corriveau en échec pour s'apercevoir que, pendant ce temps, Blanchet tirait les ficelles. L'orgueil à vif, il cherchait une remarque lapidaire, un expédient pour s'élever au-dessus de la mêlée. Et pour mettre un terme à l'échange.

— Rusé, comme toujours, se contenta-t-il de dire.

— Elle doit partir. Corriveau est aussi de cet avis.

Alors que Jérôme allait lui donner raison, un signal interrompit leur échange. On l'appelait sur une autre ligne.

— Tu m'attends une seconde. Je te reviens.

Il consulta l'afficheur et roula les yeux. C'était encore sa mère. Il s'excusa une deuxième fois auprès d'O'Leary et mit l'appareil en veille.

— Oui, maman !

— Je suis au métro Berri-UQÀM, dans un petit café, près de la librairie Le Parchemin. Il faut que je te voie. Je t'attends. Et ça m'agace lorsque tu m'appelles maman. Je m'appelle Florence.

— Impossible. On se voit mardi. Je discute avec un collègue...

— J'en ai pour quinze minutes. C'est important. C'est une chose que tu dois savoir.

Il allait s'énerver lorsqu'il se rappela leur dernière rencontre. Elle lui avait encore parlé de la thalidomide, mais l'information lui avait servi. Lorsque Blanchet leur avait appris que Gilbert Bois était séropositif, il savait déjà, grâce à sa mère, qu'on employait ce médicament pour traiter la maladie.

— La librairie Le Parchemin, marmonna-t-il. Attends-moi un instant.

Il reprit sa conversation avec O'Leary :

— J'ai une urgence. Et puis il faut que j'écrive ce rapport. Je vais travailler à partir de chez moi cet aprèsmidi. Si tu veux me joindre, tu m'appelles.

— C'est bon. Un dernier détail. Je n'ai pas pu inspecter le bureau du juge Rochette, mais la demande de pardon de Brigitte, celle qu'il n'a jamais voulu signer, il l'avait avec lui le jour du meurtre. On l'a retrouvée sur son pupitre, dans la salle d'audience. C'est la pièce à conviction P-64.

Jérôme esquissa un sourire. Il aimait bien O'Leary. L'Irlandais ne perdait jamais le nord. Il ne se laissait jamais distraire par les enquêteures Blanchet de ce monde. Quand on lui poussait un peu trop dans le dos, il rechignait, mais il revenait immanquablement à l'essentiel.

— Si on résume, dit Jérôme, le mobile était sur le bureau du juge le jour de son assassinat.

— C'est à peu près ça, oui.

— On se reparle plus tard, d'accord ?

— D'accord.

Il rejoua du clavier et reprit la conversation avec sa mère.

— Très bien, la librairie Le Parchemin, dans une demi-heure.

La conversation s'interrompit aussi sec. Après avoir rangé son téléphone, il se cala sur la banquette arrière du taxi et regarda la pluie qui tombait. Les essuieglaces battaient la mesure au même rythme que le sang frappait contre ses tempes. Partagé entre l'idée de boucler cette enquête comme bon lui semblait et celle de confronter Blanchet, il opta pour une petite discussion avec Florence. Cette parenthèse le calmerait peut-être. Les obsessions de sa mère avaient au moins le don de lui changer les idées.

Il retrouva Florence quarante-cinq minutes plus tard, assise à une table du petit café voisin de la librairie. Le dos bien droit, le visage sévère, elle lisait un livre qu'elle referma aussitôt en l'apercevant. Elle s'intéressa d'abord à son nouveau veston, qui était déjà tout défraîchi. Comme il devinait ses pensées, il la devança :

— Je sais, il est un peu froissé, mais il n'a pas beaucoup dormi depuis trois jours. Dès que j'ai un moment, je le mets au lit et je reprends l'ancien.

— Surtout pas !

Florence se rendit bien compte que son fils était fatigué. Il cherchait ses mots, n'avait pas le sourire facile et n'offrit aucune résistance lorsqu'elle se mit à parler de la thalidomide, ce qui lui enleva une partie de son plaisir.

— Il y a du nouveau ? fit-il curieux.

Elle lui montra la couverture du livre qu'elle lisait, puis le déposa sur la table devant lui. Le titre, *The History of Thalidomide*, du docteur Widukind Lenz, sembla l'intéresser. Contre toute attente, elle lui demanda :

— Quel jour es-tu né, Jérôme ?

Il fit la moue. Si elle lui avait demandé de venir pour lui poser cette question, c'est qu'elle allait encore plus mal qu'il n'imaginait.

— Le 2 novembre 1962, marmonna-t-il en espérant qu'elle comprenne que ce genre de devinette ne l'amusait pas.

— Les dates sont très importantes. Dans le livre du docteur Lenz, tout est affaire de dates. Lorsqu'on le comprend, on réalise à quel point tu serais en droit de poursuivre le gouvernement canadien.

— Maman, je ne poursuivrai pas le gouvernement canadien !

Faisant mine de ne pas l'entendre, elle ouvrit le bouquin à une page préalablement cornée et annonça, très sûre d'elle-même :

— Alors, écoute bien ceci. La thalidomide a été retirée du marché en Allemagne et au Royaume-Uni le 2 décembre 1961, parce qu'on la jugeait dangereuse. Plusieurs mères qui en avaient consommé avaient donné naissance à des enfants morts-nés ou encore à des enfants victimes de malformations graves. Or, la thalidomide est demeurée légalement disponible au Canada jusqu'au 2 mars 1962, soit pendant trois mois complets après son interdiction dans les autres pays. Et ce n'est pas tout. Aussi incroyable que cela puisse être, certaines compagnies canadiennes ont conservé la thalidomide sur leurs tablettes jusqu'au milieu de mai 1962.

— Et alors ?

— Au moment où je t'ai conçu, et pendant les trois premiers mois de ma grossesse, j'ai pris de la thalidomide alors que ce médicament aurait déjà dû être retiré du marché. Seul le Canada ne l'avait pas fait. C'est abominable !

— Pas de chance.

Le visage de Florence s'empourpra en entendant ces mots. Elle se mit à postillonner :

— Tu ne veux vraiment pas comprendre! Tu crois que c'est mon problème? Tu crois que je fais tout cela parce que j'ai un grain dans la tête? Qu'il y a quelque chose qui ne tourne pas rond là-dedans? Mais c'est pour toi que je le fais. À cause de cette foutue histoire, tu n'as jamais eu de femme. Tu n'as pas d'enfants. Tu n'as jamais eu d'amis.

Elle donna un grand coup sur le livre et reprit, presque hystérique:

— Tu sais ce qu'on a découvert? Tu sais ce qu'on soupçonne? Que les handicaps et les déformations des survivants de la thalidomide se transmettent à leurs propres enfants par le truchement de l'ADN modifié. Tu savais ça, Jérôme? Tu le savais?

Elle criait maintenant. Dans le café, les gens se retournaient en se demandant qui était cette vieille femme qui faisait une scène. Jérôme chercha à la calmer:

— De toute façon, la question ne se pose pas, maman. Je n'ai pas l'intention d'avoir d'enfants. C'est un peu tard.

Les yeux de Florence se remplirent d'eau. C'était la chose à ne pas dire. L'injure ajoutée à l'insulte. Non seulement son fils refusait de s'émouvoir sur le sort des victimes de la thalidomide, non seulement il ne voulait pas poursuivre le gouvernement du Canada, mais il renonçait également à avoir des enfants. À lui donner des petits-enfants. Plutôt que de chercher à rassurer sa mère, Jérôme passa à l'offensive:

— Florence, il y a une question qui me ronge. J'ai toujours voulu te la poser. Pourquoi as-tu pris de la thalidomide? C'était un somnifère. Pourquoi avais-tu tellement besoin de dormir alors que tu étais enceinte ?

Elle sécha ses larmes.

— À l'époque, on avait qualifié la thalidomide de médicament miracle… Il devait procurer un sommeil profond et sécuritaire, renifla-t-elle.

— Tu ne réponds pas à ma question. Pourquoi avais-tu tant besoin de dormir ? N'étais-tu pas heureuse d'attendre un enfant ?

Elle connaissait la réponse. Jérôme aussi, d'ailleurs. C'était à cause de lui qu'elle ne dormait pas. À cause de lui qu'elle était anxieuse, à cause de lui qu'elle avait besoin de ce sommeil profond et rassurant.

— Tu étais enceinte et tu ne savais pas s'il resterait avec toi. S'il me reconnaîtrait comme son fils. C'est ça l'histoire, Florence ? Il t'avait fait un enfant, mais il ne voulait pas en être le père. Il disait qu'il allait retourner dans son pays et qu'il ne pouvait pas se permettre de ramener un enfant.

— Ton père a un nom, Jérôme.

— Pour moi, il n'en a pas. Les lâches n'ont pas de nom.

— Je l'aimais.

— Je n'ai aucun souvenir de lui. Tout ce que j'en sais, c'est qu'il est reparti dans son pays alors que je n'avais que deux ans. Il est revenu plus tard, quand j'en avais dix, mais je ne me souviens de rien. J'ai tout effacé. Il n'existe pas, pour moi. Et si tu as pris de la thalidomide, c'est parce que tu savais bien qu'il n'existerait jamais pour toi non plus. Plutôt que de faire face à cette réalité, tu préférais dormir.

— Je me suis trompée. C'était une erreur.

— Que tu sois devenue amoureuse de lui, oui, c'était une erreur! Et je suis le résultat de cette erreur-là!

— Non, pas toi. Prendre de la thalidomide était une erreur. Une erreur impardonnable.

— Tu dois pardonner à la thalidomide, maman, et surtout te pardonner à toi. Tu te fais souffrir inutilement.

— Pardonner, c'est donner le droit de recommencer. Et c'est ce que font les grandes compagnies pharmaceutiques. Elles ne se gênent pas. Elles font à nouveau des millions avec ce «médicament miracle». Mais elles n'ont jamais reconnu leur faute! Elles n'ont jamais payé leur dette!

— Tu dois oublier. Oublier comme je l'ai oublié, lui.

— Tu joues les donneurs de leçon, Jérôme, mais tu es très mal placé pour le faire. Tu voudrais que je pardonne, mais tu en es toi-même incapable. Pardonner, ce n'est pas oublier.

La douleur de Florence était insupportable. Elle serrait le livre du docteur Lenz dans ses mains comme s'il y avait dans ces pages la négation d'une erreur de jeunesse, la rémission d'une vie entière. Malgré ses efforts et malgré le temps passé, jamais elle n'avait pu se racheter. Elle se sentait toujours aussi coupable. À ses yeux, son fils, dès sa naissance, avait hérité de deux tares dont elle était responsable : son handicap et la couleur de sa peau. L'homme que Jérôme refusait encore de nommer n'avait laissé qu'une tache noire dans sa vie. Ce signe distinctif qui lui rappelait inévitablement ses origines. Quant à la thalidomide qui avait anesthésié la peine de sa mère, elle lui avait coûté un bras.

Jérôme regardait sa mère et pensait confusément à Brigitte Leclerc et à l'erreur de jeunesse qu'elle avait commise, pour ensuite chercher à se racheter. Il revoyait aussi Sonia Ruff, lors de leur rencontre, un peu plus tôt ce jour-là. Il avait dû insister pour qu'elle lui parle de la demande de pardon. En lui refilant les documents toutefois, la greffière avait donné raison à Brigitte, qualifiant d'impardonnable le comportement du juge. Lorsqu'ils s'étaient quittés, il l'avait prise dans ses bras, dans son unique bras, et l'avait serrée contre lui. Sonia s'était abandonnée et il avait senti monter l'émotion. Entre les sentiments et l'impardonnable, tout s'entremêlait dans son esprit. Peut-être avait-il été trop dur avec sa mère. Mais Florence s'en remettrait. Ce n'était pas la première fois qu'ils en venaient aux mots en parlant de son père. C'était un sujet tabou, une frontière qu'il ne fallait pas franchir. Il le savait, mais il lui arrivait parfois de l'oublier.

— J'ai vraiment une journée d'enfer, maman.

— Tu dis toujours ça.

— Il faut que tu essaies de penser à autre chose. Cette histoire va te rendre malade. Si tu me promets de faire un effort, je viendrai te voir en fin de semaine. Dimanche, est-ce que ça t'irait ? Je pourrais venir vers midi.

Florence se leva en défroissant son orgueil, hocha bravement la tête et reprit le livre du docteur Lenz. Le marché lui convenait. Elle reverrait son fils plus tôt que prévu. D'ici là, elle trouverait peut-être de nouveaux arguments pour le convaincre.

Les rapports

Le temps filait et la colère gagnait Jérôme. Plus il pensait à l'enquêteure Blanchet et aux manigances de Lynda, plus il rageait. Bien qu'elle l'ait propulsé à la tête des homicides, la patronne ne lui avait jamais vraiment accordé sa confiance. Elle lui avait menti. Menti de façon éhontée en prétendant communiquer avec lui depuis une île lointaine, entre des pédicures et des traitements de massothérapie. Elle s'était payé sa tête et Jérôme avait été trop bête pour s'en apercevoir. En quittant les galeries du métro Berri-UQÀM, il se rappela des échanges qu'ils avaient eus depuis son départ et se reprocha encore une fois sa crédulité. Une mourante l'avait mystifié depuis son lit d'hôpital et il n'y avait vu que du feu.

Jérôme aurait dû filer vers l'ouest, regagner les Cours Mont-Royal et s'enfermer dans son condo pour réfléchir, mais il fit tout le contraire. Après avoir acheté un journal dont il ne lut que les grands titres – et un entrefilet seulement sur la fusillade du palais de justice –, il erra longuement dans la foule, puis emprunta un métro qui se dirigeait vers le nord. Quelques minutes plus tard, il descendait à la station Jarry. Il aurait été plus judicieux qu'il passe par le poste de redistribution d'Hydro-Québec, pour se rendre au logement de la rue Lajeunesse, mais c'était un risque qu'il ne voulait pas prendre. Tony, la Belette, se serait fait un plaisir de répéter que pour une troisième fois en autant de jours, Marceau s'était rendu chez Carl Leclerc. Comme il ne savait pas vraiment ce qu'il allait faire là-bas, la discrétion était de mise.

La pluie tombait dru dans la ruelle derrière Lajeunesse. Le temps chaud avait relégué le verglas aux oubliettes, et la neige qui avait un moment étouffé la ville n'était plus qu'une longue traînée d'eau dans les caniveaux. Les pieds dans la gadoue, Jérôme traversa la cour arrière du 8203, ouvrit la porte de la cuisine avec son passe-partout et se glissa à l'intérieur. Sans s'attarder, il passa au sous-sol, entra dans la chaufferie, chercha le loquet en haut du mur, près du tuyau de ventilation, et ouvrit la porte dérobée. Pour des raisons qui lui échappaient, il avait besoin de jeter un dernier coup d'œil à cette cache avant de rédiger son rapport.

Rien n'avait bougé dans la petite pièce. Il referma derrière lui, posa sa sacoche sur la table, près du livre de comptabilité, et détailla l'imposant coffre-fort. L'odeur de l'argent s'échappait du coffre entrouvert. Le parfum poussiéreux des vieux billets de banque le fit éternuer. En passant le revers de la main sur sa bouche, il s'attarda sur deux panneaux noirs, de chaque côté du coffre. À sa dernière visite, il avait cru que c'étaient des éléments décoratifs, mais il s'agissait en fait de rangements. Il suffisait de les faire coulisser dans le mur pour découvrir d'un côté un petit téléviseur et de l'autre, un bar avec quelques bouteilles, des pistaches et des croustilles. Il se servit une bière et revint vers la table en se demandant toujours ce qu'il était venu faire là. Le livre des comptes lui donna une première réponse.

— Le 10 juin, dit-il à voix haute. Commençons par le 10 juin.

Jérôme tourna les pages du livre en consultant les dates des entrées. L'avant-dernière, celle du 10 juin, était de mille deux cent cinquante dollars. Mais c'était le code attribué à ce montant qui l'intéressait. À son dernier passage dans cet endroit, il avait tenté de déchiffrer le système comptable de Carl Leclerc sans succès. Grâce à la découverte d'O'Leary dans le condo de maître Brown, tout devenait limpide. Les lettres BWN étaient accolées au montant en question. Tout portait à croire que l'argent retiré du coffre était bel et bien destiné à Denis Brown. C'était le même topo pour le 10 mai. Et encore pour le 10 avril, et aussi pour le 10 mars. Depuis deux ans, BWN recevait de l'argent de Carl Leclerc et le faisait passer dans le compte de sa fille Brigitte. Il en avait doublement la preuve.

Jérôme referma le livre de comptes, se frotta longuement les yeux et décida d'écrire son rapport sur place. L'inspiration lui viendrait peut-être plus facilement. Il brancha son ordinateur, ajusta l'écran et tira la chaise. Faire de l'ordre dans cette affaire ne serait pas une mince tâche, mais il avait un plan. Un plan qui ne l'obligerait pas à mentir. Avant de se lancer dans cette entreprise toutefois, il lui fallait assurer ses arrières.

Avalant une gorgée de bière, il prit son téléphone et composa le numéro de Lynda Léveillée. Elle répondit presque aussitôt.

— Est-ce que je te dérange ? hasarda-t-il. Est-ce qu'on peut parler maintenant ou tu préfères demain ?

— Maintenant !

Jérôme croyait l'avoir fait attendre tout l'après-midi, mais en réalité elle venait tout juste de se réveiller. Il avait un marché à lui proposer, et pour ne pas la contrarier davantage, il choisit précautionneusement ses mots :

— Je vais te l'écrire, ton rapport intérimaire. Et il va s'arrêter à la fusillade. Ne t'en fais pas, je vais écrire ce que tu veux : une forcenée a abattu quatre personnes au palais de justice, dont un juge. L'enquête se poursuit.

— Bien, fit Lynda d'une voix à peine audible.

— Mais ce n'est pas tout. Je vais aussi écrire le rapport final. Un rapport détaillé où je vais exposer le mobile de l'assassinat. Mais celui-là, il est pour plus tard. Tu le rendras public lorsque tu sortiras de l'hôpital. Je suis prêt à attendre le temps qu'il faudra, parce que tu vas t'en sortir, merde !

Il s'était étranglé en prononçant ces derniers mots. Sa voix s'était cassée. L'émotion avait surgi sans crier gare. Il l'imaginait étendue dans son lit d'hôpital, regardant la mort en face. Il la savait mal en point, presque désespérée. Il aurait voulu la soulager, mais il était incapable de renoncer à ce rapport. C'était pour lui une question de rigueur et d'honnêteté. Il ne cherchait pas à jouer les durs, mais il tenait à lui prouver qu'il n'était pas une marionnette qu'elle pouvait trahir à sa guise. Malgré son état de santé, elle s'était immiscée dans cette enquête qui n'était pas la sienne. Il avait le droit de riposter.

— Je t'écris les deux rapports, mais je veux quelque chose en échange.

Lynda en eut le souffle coupé. Il entendit une éructation suivie d'un long soupir.

— En échange de quoi ? C'est ton boulot ! Et de toute façon, je ne te demande pas d'écrire deux rapports. Qu'est-ce que c'est que ce chantage ridicule !

— Je veux qu'elle obtienne son pardon.

— De quoi parles-tu, Jérôme ? Quel pardon ?

— Celui de Brigitte Leclerc. Celui que le juge Rochette gardait avec lui plutôt que de le déposer au tribunal administratif.

— Tu es complètement cinglé ! On ne va pas se mettre à fausser les éléments de la preuve.

— C'est ça ou rien, Lynda. Et je veux que ce soit Blanchet qui s'en charge. Qu'elle fasse suivre la demande au tribunal administratif, qu'elle obtienne une signature et qu'elle me fasse parvenir le tout.

— C'est dément ! Elle est morte ! À quoi veux-tu que ça lui serve ?

— Elle aurait dû obtenir ce pardon il y a deux ans. Elle y avait droit. Mais le juge Rochette s'est moqué d'elle. Il la faisait chanter.

— C'est par orgueil que tu fais ça, Jérôme ? Tu veux absolument avoir le dernier mot ?

Il n'eut pas le temps de répondre, Lynda s'était mise à tousser. Une quinte épouvantable qui mit un long moment à se calmer. Loin de baisser les bras, il lui réitéra sa demande alors qu'elle retrouvait une respiration normale :

— Lorsque Blanchet aura obtenu la signature du tribunal administratif, je veux qu'elle m'en envoie une copie en PDF et qu'une copie manuscrite soit livrée au 8203, Lajeunesse avant demain matin, neuf heures.

— Il n'en est pas question, fit Lynda. Et je ne veux même pas en discuter !

— J'avais également l'intention d'écrire un troisième rapport… À remettre au service des crimes économiques.

— Qu'est-ce que la GRC a à voir là-dedans ?

— Carl Leclerc était un fraudeur de première classe. Il avait monté une affaire de fausses cartes de crédit plutôt lucrative. Comme il travaillait en *cash*, il a laissé beaucoup d'argent derrière lui. Quelques millions au bas mot, que les compagnies de cartes de crédit seraient certainement intéressées à récupérer. Je sais où se trouve l'argent, et je suis prêt à tout mettre par écrit et à envoyer le dossier aux crimes économiques dès demain à dix heures.

— On enterre le juge Rochette demain à dix heures.

— Je le sais.

Il y eut un silence interminable. Si Jérôme n'avait pas entendu le sifflement de sa respiration, il aurait cru qu'elle était morte. Mais Lynda calculait. La proposition était habile. Le rapport intérimaire conclurait pour l'instant qu'une forcenée, dans un élan de furie, avait ouvert le feu au palais de justice, entraînant la mort du juge Rochette et de trois autres personnes. En revanche, l'enquête menée par le service des homicides avait aussi permis de dévoiler une fraude fort ingénieuse. Pendant qu'on mettrait le juge en terre, l'équipe des crimes économiques exhiberait les fausses cartes, les identités volées et l'argent retrouvé. Les journalistes auraient quelque chose à se mettre sous la dent et plus tard, beaucoup plus tard, on apprendrait qu'Adrien Rochette avait en quelque sorte été l'artisan de son propre malheur.

— C'est totalement malhonnête, ce que tu me proposes, finit-elle par dire.

— Peut-être, mais c'est comme ça. Le pardon de Brigitte et je te fais ces trois rapports, même si je dois y travailler toute la nuit.

Lynda réfléchissait toujours. Trois rapports pour le prix d'un. La proposition méritait qu'on la considère. Elle protesta tout de même pour la forme :

— Ne sais-tu pas, Jérôme, que le pardon, c'est le talon d'Achille de l'humanité ?

— Dans ce cas-ci, je crois plutôt que le pardon était une tyrannie ! lui renvoya-t-il du tac au tac.

C'est Florence qui, une heure plus tôt, lui avait soufflé cette idée. Il l'avait retenue, mais de toute évidence elle n'avait aucun effet sur Lynda.

— Où es-tu présentement ?

— En déplacement. Alors, qu'est-ce que tu décides ? Il faut que je les écrive, ces rapports.

Le chantage auquel il la soumettait était le résultat d'une erreur tactique. Son erreur. Et elle le savait. Faire surveiller le chef intérimaire par une nouvelle recrue parachutée du SCS alors qu'elle croupissait à l'hôpital était impensable. Jérôme lui en faisait payer le prix.

— Très bien, se résigna Lynda. Je vais demander à Blanchet de faire le nécessaire. Tu auras le document demain matin. Mais tu m'écris ces rapports !

— Demain à dix heures, sans faute !

Épuisée par leur échange, Lynda ne prit pas la peine de le saluer. Il y eut un clic, et la voix éteinte de la patronne fit place au silence. Jérôme lui donna quand même raison sur un point. Elle ne se trompait pas lorsqu'elle affirmait que c'était une affaire d'orgueil. Il ne s'agissait pas de son orgueil à lui, toutefois. Mais bien de celui de Brigitte. Un orgueil posthume dont il n'était que le passeur. Ce même orgueil qui l'avait amenée à presser cinq fois sur la détente dans une salle d'audience, trois jours plus tôt.

* * *

Il était trois heures du matin lorsque Jérôme termina la rédaction du dernier rapport – celui qui était destiné à la GRC –, dans le sous-sol du logement de la rue Lajeunesse. Il avait bu les quatre bières qui se trouvaient dans le petit bar, avait dévoré tout ce qui lui était tombé sous la main dans le garde-manger et avait parlé deux fois avec O'Leary. Habituellement prompt à défendre son territoire, l'Irlandais avait fait preuve d'une étonnante ouverture lorsque Jérôme lui avait demandé de lui confier les documents retrouvés chez maître Brown. Était-il au courant du marché qu'il avait conclu avec Lynda ? Tout portait à le croire, mais il s'était bien gardé de le dire.

À leur deuxième conversation, trois heures plus tard, ils avaient évoqué la réunion du lendemain, prévue pour onze heures. Sans ambages, O'Leary lui avait annoncé que Blanchet n'y serait pas. Sa mission étant terminée aux homicides, la petite nouvelle au passé irréprochable était retournée au SCS. Un problème de moins à régler, pensa Jérôme, qui était à présent persuadé que l'Irlandais était au courant de tout, même s'il n'en disait rien.

Malgré l'heure tardive, il aurait pu rentrer chez lui, une fois les rapports bouclés, mais il n'en fit rien. Il était trop fatigué. Il déplaça la table et tira sur la couchette encastrée dans le mur. C'est là que devait dormir Carl Leclerc pour veiller sur son butin. Après avoir jeté un coup d'œil à ses messages sur son portable, Jérôme enleva ses souliers, défit la ceinture de son pantalon et sombra dans un sommeil profond dès que sa tête toucha l'oreiller.

La nuit, ou ce qu'il en restait, passa en un instant. Une nuit sans rêves et sans cauchemars qui lui permit de se remettre sur pied. Dans la chaleur moite de cette cache, ni bruit ni lumière ne filtraient de l'extérieur. Pas le moindre indice du temps qui passe non plus. La planque de Carl Leclerc était un véritable sas entre la vie et la mort.

C'est pourtant un bruit de pas qui ramena Jérôme à la vie. Toujours dans les limbes du sommeil, il crut entendre quelqu'un marcher à l'étage au-dessus de lui. Des pas prudents qui allaient et venaient au rez-de-chaussée. Le temps d'ouvrir un œil et de consulter sa montre, le silence était revenu. Il s'assit sur le bord du lit, se massa le visage et tendit l'oreille. Il avait dû rêver. Il n'y avait personne.

Quelques minutes s'écoulèrent avant qu'il ne consulte sa montre. Il était huit heures cinquante. Même lorsqu'il se couchait à des heures indues, Jérôme était debout bien avant. S'extirpant de sa torpeur, il referma le lit encastré, replaça la table et fit un ménage sommaire dans la petite pièce. Penché au-dessus du lavabo, il s'aspergea le visage, puis se tourna vers son ordinateur, qu'il brancha au module de son téléphone. C'était l'heure d'envoyer les trois rapports. Surprise, il y avait un courriel de Blanchet. Il l'ouvrit et trouva une copie en PDF de la pièce à conviction P-64. La demande de pardon de Brigitte avait été signée la veille par le juge Benoît Préfontaine, du tribunal administratif.

Il avait réussi. Jérôme avait obtenu ce qui avait si cruellement échappé à Brigitte Leclerc. Tout à coup agité, il rattacha sa ceinture, enfila ses chaussures et rassembla ses affaires. Il n'avait qu'une idée en tête. Monter à l'étage pour voir si on avait livré la copie papier du document. Mais il fallait d'abord envoyer ces fichus rapports.

Les trois documents partirent à l'heure dite. Jérôme remit les bouteilles de bière vides dans le garde-manger, passa un linge sur la table, mais se garda bien de refermer le coffre-fort. Ouvrant la porte dérobée, il jeta un dernier coup d'œil avant de sortir. Il était content de s'être réfugié dans cet endroit pour la nuit. On trouverait évidemment ses empreintes dans la cache, mais il avait écrit une note à cet effet dans le rapport destiné à la GRC.

En mettant le pied à l'étage, il eut l'impression qu'il y avait quelqu'un dans le logement. Ce sentiment se dissipa aussitôt lorsqu'il aperçut une enveloppe sur le plancher, devant la porte. On l'avait glissée par la fente du courrier. Voilà sans doute ce qu'il avait entendu en se réveillant. Il s'approcha pour l'examiner de plus près. C'était bien une copie papier de la demande de pardon. On pouvait voir, en adresse de retour, le logo du palais de justice. Lynda avait donc tenu parole. Il se garda bien de toucher l'enveloppe cependant. Lorsque les enquêteurs de la GRC se présenteraient au 8203, Lajeunesse, un peu plus tard dans la journée, ce serait la première chose qu'ils trouveraient.

Le pardon

Le ciel était gris et il pleuvait toujours lorsque Jérôme se retrouva dans la ruelle, derrière le logement de Carl Leclerc. À ses yeux, c'était une journée magnifique, mais au lendemain d'une telle tempête, peu de gens devaient penser comme lui. Brigitte était sur la table du médecin légiste, en pleine autopsie. Le juge Rochette était en route vers le cimetière. Il n'y avait pas de quoi se réjouir, mais Jérôme avait le cœur léger. Il était habité par le sentiment du travail accompli. Même si Lynda lui avait refusé sa confiance, il avait maintenu le cap et tiré son épingle du jeu.

Étrangement, une fois encore, il eut l'impression d'une présence, comme si on le suivait. Après les pas entendus au-dessus de lui à son réveil, il avait le sentiment qu'on l'observait, qu'on l'épiait. Il fit volte-face, scruta les environs mais ne vit rien. Pas l'ombre d'un chat. La pluie, en revanche, aurait tôt fait de le tremper jusqu'aux os. Il décida donc de passer par le poste de redistribution d'Hydro-Québec pour rejoindre le métro Jarry. Ce serait plus rapide, et si quelqu'un le suivait, il le sèmerait aisément. Il repéra la porte dérobée du complexe et s'en approcha en fouillant dans son sac en cuir. Il mit la main sur sa collection de cartes magnétisées, trouva celle lui permettait d'accéder aux installations d'Hydro-Québec et regarda à nouveau par-dessus son épaule. Il n'y avait toujours personne, mais son geste lui rappela Lynda. C'était une manie, chez elle, de garder à vue tout ce qui bougeait. Dans une pièce, elle avait toujours le dos collé à un mur, et lorsqu'elle s'absentait, elle laissait chaque fois des yeux et des oreilles derrière elle pour assurer son autorité. N'avait-il pas lui-même joué ce rôle lorsqu'il était devenu son adjoint ? N'avait-il pas été sa taupe, lui aussi, chargé de surveiller et de lui rapporter les moindres gestes d'O'Leary et de Corriveau ? Il s'en voulait, il aurait dû prévoir qu'elle lui flanquerait quelqu'un sur les talons. Il soupira un bon coup. À cette heure, Lynda s'était sans doute remise de son traitement de la veille. Mais son cas demeurait critique, une transplantation de moelle osseuse était indispensable. Elle mettrait des mois à s'en remettre. Le rapport final sur l'assassinat d'Adrien Rochette mettrait peut-être une année avant d'être rendu public. Un sursis que le juge ne méritait pas, mais que sa veuve avait obtenu. La justice sait se faire attendre, se dit-il pour se consoler. Mais la vérité finit toujours par éclater.

Jérôme glissa la carte magnétisée dans le lecteur de la porte en cherchant à se convaincre que c'était mieux ainsi. Chacun aurait le temps de soigner ses blessures avant que la réalité ne le rattrape. Il balaya une dernière fois la ruelle du regard, toujours sans rien voir, et passa à l'intérieur. En dévalant les marches de l'escalier de métal, il eut une pensée pour O'Leary. L'Irlandais, auquel il s'était d'abord heurté, était devenu un allié au cours de cette enquête. Et il le deviendrait encore davantage dans les jours à venir, avec le départ de Blanchet. Alors qu'il atteignait la dernière marche, il sentit une présence tapie dans l'ombre. Il allait s'annoncer lorsqu'il reçut un coup en plein visage. Stupéfait, il s'accrocha à la rampe de métal en se demandant ce qui lui arrivait. Il n'y avait personne dans son champ de vision, et il tombait sans être capable de se retenir.

Jérôme chercha à toucher sa blessure pour voir s'il y avait du sang ou si c'était grave, mais sa main gauche refusa de bouger. Sa chute lui semblait interminable. Il cherchait à se ressaisir, à s'accrocher à quelque chose. Des images jaillirent soudain dans sa tête. Rien de compréhensible au début. On aurait dit un film qui passait à reculons, une histoire qui remontait le temps. Les scènes passaient trop vite pour qu'il les reconnaisse, pour qu'il s'y retrouve. C'étaient de vieux souvenirs, que sa mémoire lui recrachait pêle-mêle. Plus troublant encore, lorsque sa tête heurta le sol, il ne ressentit pas la moindre douleur. Des images continuaient de l'assaillir, l'extirpant en quelque sorte du réel. Malgré ses efforts, pourtant, il ne parvenait pas à leur donner un sens. Lorsque le film qui s'entêtait à passer à reculons s'arrêta enfin, il se revit à dix ans.

* * *

Il est debout dans l'entrée de la maison de sa mère, à Duvernay, une banlieue nord de la ville. Il reconnaît le bungalow de son enfance à cette porte si particulière devant laquelle il se trouve. Une porte dotée d'une vitre bosselée. La silhouette informe de l'homme qui attend debout derrière lui fait peur. Florence lui sourit, rajuste le veston qu'il a mis pour l'occasion et ouvre. Justal Jeanty est un homme imposant. Sourire aux lèvres lui aussi, il a deux rangées de dents presque trop blanches pour être vraies, mais ce qui étonne davantage Jérôme, c'est la couleur de sa peau. Elle est noire comme l'ébène.

— Jérôme, je te présente ton père.

Justal Jeanty lui tend la main mais se souvient tout à coup que son fils n'a pas de main droite. Gêné, il reste là à attendre que Jérôme lui présente sa main gauche. Le malaise est palpable.

— Comment vas-tu, mon fils?

L'enfant n'a pas le temps de répondre que Florence prend les devants. Elle l'invite à entrer et lui offre un café. Justal est venu à Montréal pour assister à une conférence économique. Il fait partie d'une délégation en provenance d'Haïti, son pays. Le pays où il est retourné peu après la naissance de son fils. Son père a été ministre sous la dictature de Duvalier père. Le régime haïtien a payé ses études à Montréal à condition qu'il revienne ensuite au pays. Une place enviable lui était réservée dans l'administration de Port-au-Prince, sa ville natale. Entre deux petits-fours et un morceau de sucre à la crème, Florence se réjouit d'apprendre qu'il va bien, qu'il a un bon emploi et qu'il est près des siens. Elle n'ose lui demander s'il a une épouse et des enfants. Le contraire serait étonnant. Tout est dans le non-dit. Jérôme n'arrive pas à comprendre l'histoire qu'il entend. Son histoire, en fait.

De toute évidence, Florence n'en veut pas à Justal. Plus maintenant, du moins. Elle en a pris son parti. Ils se sont connus au début des années soixante aux HEC. Justal avait une dette envers son pays, envers la dictature de Papa Doc. S'il n'était pas rentré une fois son diplôme en poche, les Tontons Macoutes se seraient chargés de faire connaître leur mécontentement à sa famille. De toute façon, il n'a jamais été question qu'il reste à Montréal avec Florence. Elle le savait à ce moment-là. Et elle le sait toujours. Mais il y a eu cet « accident ». Florence et Justal ont un sourire entendu lorsqu'ils prononcent ce mot. Une erreur de jeunesse. Voilà comment ils parlent de Jérôme. Une erreur de jeunesse qu'ils ont fini par se pardonner. Après le départ de Justal, Florence s'est trouvé un poste de direction dans l'administration publique. Elle ne lui a pas demandé d'aide. Elle s'est débrouillée toute seule et elle en est fière.

Une tasse de café à la main, Justal parle du président de son pays. Jamais il ne prononce le mot « dictature », jamais il ne dit que la peur est rampante dans les rues de la capitale. Il hésite même à prononcer le nom de Duvalier, au cas où l'on rapporterait ses paroles. Il évoque plutôt les conditions de vie précaires, l'ordre qu'on impose à coups de bâton et la longue plainte qui monte des bidonvilles : les Haïtiens hurlent qu'ils ont grand goût ! Florence voit enfin quelque chose de positif dans les doléances que Justal murmure. Les Haïtiens ont du goût. Mais elle n'a rien compris. Avoir « grand goût » en créole, c'est avoir faim.

Gênée par ce discours et par le fait que Justal ne fasse rien pour arranger les choses, Florence change de sujet. Pour sa part, elle s'en sort plutôt bien. Malgré l'«accident», elle a su tirer son épingle du jeu. Ce qui l'agace, en fait, c'est que malgré tout ce qu'il dit Justal demeure un duvaliériste. Il défend son président sans pour autant être capable de prononcer son nom. Jérôme le voit bien, lui aussi. Il ne comprend rien à la politique, mais il entend la peur dans la voix de son père. D'instinct, il sait que cet homme ne connaît pas le courage. Qu'il n'en a jamais eu.

— Et toi, mon garçon, en quelle année es-tu, maintenant? lui demande-t-il alors que Florence passe à la cuisine préparer le repas.

— En cinquième.

Ce sont les premiers mots qu'il adresse à son fils depuis qu'il est là. Justal Jeanty et Florence n'ont cessé de bavarder, de se relancer en se rappelant des souvenirs. Jérôme, lui, n'en a que pour la couleur de sa peau. Il est si noir, et lui si pâle en comparaison. Il est tellement africain, et lui si peu. En fait, ils ne se ressemblent pas du tout. À quoi bon avoir un père?

— Je crois que nous avons fait le bon choix, finit-il par dire à Florence de façon laconique.

Jérôme ignore de quel choix il parle. Cet homme ne s'exprime pas clairement. Il préfère qu'on le devine. Sauf que Jérôme n'y parvient pas.

— Je n'ai rien choisi, moi.

Ces mots font rire son père. Il regarde le petit bras de Jérôme et semble dire: «Effectivement, tu n'as rien choisi, petit.» Mais il ne le dit pas. Il cache le fond de sa pensée. Il est profondément gêné, en fait, devant ce fils infirme. Dans son pays, Jérôme n'aurait pas survécu. Ou on l'aurait marginalisé. Il tente quand même de se justifier :

— Je n'ai pas eu le choix. Il fallait que je retourne là-bas, sinon il y aurait eu des conséquences. J'avais pris des engagements. Mais toi, tu es resté ici, et c'est très bien. Tu vois, tu as même la couleur de ton pays.

Justal Jeanty s'esclaffe. Il n'a de gentil que le nom. Ces mots sont blessants et pourtant il rit. Il rit si fort que Florence revient de la cuisine et les regarde, l'air amusé.

— Vous avez l'air de bien vous entendre, tous les deux.

Le père acquiesce en lui passant une main dans les cheveux, mais Jérôme a un mouvement de recul. Non seulement cet homme ne le fait pas rigoler, mais il ment à sa mère. Ils ne s'entendent pas bien du tout, ils ne se comprennent même pas. Et Justal d'ajouter :

— Avec une peau de cette couleur-là, il doit passer inaperçu ici.

Une fois encore, Jérôme n'est pas certain de comprendre. Pourtant, ces paroles s'impriment à jamais dans sa mémoire. Aujourd'hui encore, elles l'attristent. Il est le fils inaperçu de Justal Jeanty. Voilà ce qu'il est. Ces mots s'accompagnent d'une émotion qu'il a du mal à cerner, à définir. La première émotion qu'il ait ressentie de sa vie, peut-être. La toute première fois que son âme a vibré. Mais pourquoi ce souvenir lui revient-il maintenant ? Pourquoi ce film défile-t-il dans sa tête, pourquoi ces souvenirs l'assaillent-ils alors qu'il a l'impression de sombrer, de s'évanouir ? Il se dit que c'est sans doute parce qu'il ne pardonnera jamais à son père et qu'à dix ans il le sait déjà.

Le visage de Justal Jeanty disparaît, remplacé par d'autres images, d'autres scènes. L'histoire va dans le bon sens maintenant. Le film roule et même si Jérôme est dans les limbes, il comprend ce qui se passe. Il vit à son tour l'expérience de la mort imminente. Cela n'a rien à voir avec ce que sa mère lui en a raconté. Il n'y a pas de tunnel ni de lumière tout au bout. C'est autre chose. C'est le seul moment de sa vie où le mensonge n'existe pas. Où il est impossible de se mentir à soi-même. Le passé remonte brusquement à la surface, implacable, sans aucune possibilité de l'améliorer, de l'enjoliver. C'est le jugement dernier, celui qu'on porte sur soi-même parce qu'on est seul, parce que les autres ne sont plus là et qu'il n'y a pas de raison de fausser la vérité. L'autre jugement dernier, celui de Dieu, de son fils et de ses anges, est une supercherie. Une légende venue de la nuit des temps. Dans un monde où l'on ment comme on respire, la condamnation ne vient ni du ciel ni de l'enfer. Le châtiment est un soubresaut de l'esprit. Une leçon de la mémoire. La trouvaille est fabuleuse. Jérôme voudrait le dire, il voudrait le crier à l'humanité tout entière pour que l'expérience serve, mais il en est incapable. Il a perdu la parole. Comme bien d'autres avant lui, il va mourir avec son secret.

Pendant ce temps, le film continue d'avancer. Il continue de rouler, mais un peu trop vite. Beaucoup trop vite, même. Si vite qu'il ne s'arrête plus. Jérôme croit se reconnaître à vingt ans, mais l'instant suivant il en a déjà vingt-cinq. Et toujours pas d'arrêt sur image. Il comprend soudain ce qui se passe. Florence était pourtant catégorique. Avant de rendre l'âme, on voit la vie défiler. Sauf que dans son cas, elle défile sans s'arrêter. Ce n'est pas comme cela qu'il avait imaginé les choses. En fait, son existence tourne en roue libre. Il se voit à trente-cinq ans, cette fois, et les images déboulent toujours. Il s'en est pourtant passé des choses, dans sa vie ! Il a fait l'école de police, il est devenu enquêteur à la SCS, mais tout cela n'a laissé aucune trace. Son histoire court comme si sa mémoire n'avait rien retenu.

Mais Jérôme se trompe. Alors qu'il ne s'y attend pas, il y a un deuxième arrêt sur image.

À quarante ans bien comptés, il vient d'être promu du SCS à la section des homicides. Il refait surface après avoir passé quinze ans dans les souterrains de la ville. Pour se familiariser avec ses nouvelles fonctions, il a passé quelques semaines au Centre opérationnel du SPVM, rue Guy.

Ce jour-là, il est en pleine session de travail avec un collègue. Alors qu'ils passent en revue les homicides survenus au cours de la dernière année, il y a un appel d'urgence. Un braquage est en cours dans un dépanneur voisin. Terrorisé, le propriétaire du commerce s'est réfugié dans un frigo à bière pour appeler au secours. Tous les agents du Centre opérationnel sont en patrouille, Jérôme se porte donc volontaire. Il emprunte une arme de service et demande au répartiteur de lui indiquer où est le dépanneur en question. Il fonce dehors.

Jérôme se retrouve dans la ruelle derrière le poste. Quelqu'un tire dans la porte arrière du dépanneur pour l'ouvrir et prendre la fuite. Il pointe son arme et l'attend. La porte s'ouvre enfin et une jeune femme apparaît. Une enfant plutôt. Elle a seize ans tout au plus et ne fait pas cinquante kilos. D'abord surpris, Jérôme croit qu'il y a erreur sur la personne. Mais la jeune fille tient bel et bien un fusil de chasse au canon scié dans ses mains. Il lui crie :

— Les mains en l'air ! Ne bouge plus !

Catastrophée, la jeune fille fait la grimace, mais elle obtempère. D'un geste rageur, elle jette son arme à ses pieds en bégayant :

— Je... je m'excuse...

Pendant un court instant, Jérôme éprouve de la pitié pour elle. Il y a tant de vulnérabilité dans son regard, tant de peur qui s'exprime dans son corps tremblant. Elle semble regretter sincèrement son geste. Mais il se ressaisit et refuse de s'émouvoir davantage. De son pied gauche, il écarte la carabine encore fumante tandis que la jeune fille balbutie :

— Je vous demande pardon. S'il vous plaît. Je vous demande pardon.

Jérôme ne l'écoute pas. Il a un travail à faire. Il doit la neutraliser, lui passer les menottes et rédiger un rapport sur l'événement. Il a fait ce genre d'intervention des centaines de fois au SCS, mais sans que personne lui demande jamais pardon. Il est vrai qu'il n'a jamais arrêté une braqueuse de seize ans. Elle le regarde d'un air suppliant. Il lui suffirait de baisser son arme et de lui faire un signe de la tête. Elle prendrait ses jambes à son cou et disparaîtrait pour de bon. Au lieu de cela, il lui demande de se retourner et de plaquer ses deux mains contre le mur. Il doit la fouiller, s'assurer qu'elle ne cache pas une autre arme. Pendant qu'il palpe ce corps si menu, il lui demande, comme s'il parlait à une enfant :

— Comment t'appelles-tu ?

— Brigitte, répond-elle. Brigitte Leclerc.

L'image fond au noir. Jérôme se demande où est passé le reste de sa vie. Dans ce film qui s'est déroulé à la vitesse de l'éclair, il n'a eu droit qu'à deux scènes. L'unique rencontre avec son père, alors qu'il avait dix ans, et l'arrestation de Brigitte Leclerc, trente ans plus tard. Entre les deux, rien. Un trou noir dont il voudrait s'extirper, ou alors s'abandonner à jamais. Mais il reste coincé au beau milieu. Puis la voix d'O'Leary se fait entendre :

— Aileron ! Dis quelque chose ! Dis-moi que t'es pas mort !

L'Irlandais criait très fort en épongeant le sang qui coulait sur son visage. Jérôme chercha à ouvrir les yeux, sans succès. Il se sentait en état d'apesanteur, il n'avait pas envie de bouger, mais quelqu'un s'acharnait sur lui, le secouait en l'interpellant violemment. Jérôme ouvrit un œil et se rendit compte qu'O'Leary était à genoux près de lui. C'était bien l'Irlandais qui détachait les boutons de sa chemise en examinant son visage tuméfié.

— Ne t'en va pas, Jérôme ! L'ambulance arrive ! Elle va être là dans deux minutes !

Jérôme était étendu sur le sol du poste de redistribution et avait le visage en feu. O'Leary et Tony, l'agent de sécurité, étaient penchés au-dessus de lui, affichant un air horrifié. Il n'avait donc pas rêvé lorsqu'il avait entendu des pas dans le logement de Carl Leclerc un peu plus tôt. Ces bruits qui l'avaient réveillé, c'était l'Irlandais ! C'était sans doute lui qui le suivait dans la ruelle.

— C'est un agent de sécurité qui t'a assommé, dit-il. C'est un accident. Mais ça va aller !

Jamais Jérôme n'avait vu O'Leary dans cet état. Le visage défait, il enleva son veston et le replia pour en faire un oreiller qu'il glissa sous sa tête. Il ne cessait de parler, de le mitrailler de paroles pour le garder en éveil.

— L'ambulance s'en vient. J'entends la sirène.

— Je suis vraiment désolé, répétait la Belette derrière lui. Je ne pouvais pas savoir.

— Qu'est-ce qui s'est passé ? finit par demander Jérôme avec peine.

O'Leary soupira en l'entendant. Jérôme réagissait enfin.

— C'est la Belette. Il a frappé un coup de circuit !

L'agent de sécurité, qui tenait toujours le bâton de baseball dans ses mains, se confondait en excuses :

— Je croyais que c'était encore des rôdeurs. Les malfaisants qui sont venus faire du grabuge, hier.

Au-dessus, on frappa à grands coups dans la porte. Les ambulanciers étaient arrivés. Tony courut leur ouvrir. Dans la voix des secouristes, amplifiées par l'écho des murs de béton, on sentait la gravité de la situation. L'un d'eux s'agenouilla pour examiner les blessures de Jérôme.

— Commotion cérébrale, nez cassé et joue gauche sérieusement entaillée, annonça-t-il. Il faut rester avec nous, monsieur. Il faut rester éveillé.

Avec d'infinies précautions, on transféra Jérôme sur la civière. Le secouriste qui l'avait sommairement examiné était inquiet. Il ne cessait de répéter :

— Ne partez pas ! Restez avec nous !

Jérôme s'accrocha au regard d'O'Leary, qui s'était planté entre les deux ambulanciers. Les mots lui venaient par à-coups, mais il finit par dire :

— Eh, l'Irlandais… Qu'est-ce que tu fais ici ?

Malgré son affolement, celui-ci parvint à sourire.

— Je voulais voir cette cache avant que la GRC ne mette la main dessus. Mais je n'ai rien trouvé.

Jérôme aurait voulu lui parler de la porte dérobée, dans la chaufferie, et du loquet près des tuyaux de ventilation, mais il n'en trouva pas la force.

— Tu es fort, Jérôme. Tu es très fort!

Parlait-il de la façon dont il avait mené l'enquête ou de sa force physique? Disait-il cela pour l'encourager, pour lui rappeler, comme il le faisait depuis quelques minutes, qu'il survivrait à cet incident malheureux?

— On va te sauver, répétait-il. T'inquiète pas, on va te sauver.

— Personne ne sauve personne, O'Leary. C'est de l'orgueil que de penser ça.

Ces mots arrachèrent un sourire à l'Irlandais. Pendant que les ambulanciers resserraient les courroies de la civière pour qu'il reste bien en place pendant la remontée des escaliers, il lui renvoya :

— T'as la tête dure, Aileron. Ce n'est pas un coup sur le museau qui va t'emporter.

O'Leary avait prononcé le sobriquet à la manière de Lynda, avec une pointe d'affection. Malgré l'émoi qui régnait autour de lui, Jérôme entendit clairement la nuance. Il avait mis près de cinquante ans à se faire un ami, mais il y était enfin arrivé. Celui qui le traitait de tête dure était lui-même une tête de cochon impénitente, et c'était très bien ainsi. Il n'allait pas faire la fine bouche. Il se permit tout de même de lui rappeler :

— Je m'appelle Jérôme, O'Leary! Essaie de t'en souvenir, dorénavant…

Agnez Hall

Suivez les Éditions Libre Expression sur le Web :
www.edlibreexpression.com

Cet ouvrage a été composé en Adobe Caslon Pro 12,25/15,3
et achevé d'imprimer en mars 2012 sur
les presses de Imprimerie Lebonfon Inc., à Val-d'Or.

certifié   procédé   100% post-   archives   énergie
    sans chlore   consommation   permanentes   biogaz

Imprimé sur du papier 100% postconsommation,
traité sans chlore, accrédité Éco-Logo et fait à partir de biogaz.

ENDNOTES

[38]The latest statistics on internet use can be tracked at the web site: http://www.nua.ie/surveys/how_many_online/world.html.

[39]Kraut, R., M. Patterson, V. Lundmark, S. Kiesler, T. Mukopadhyay, and W. Scherlis. 1 998. "Internet Paradox: A Social Technology that Reduces Social Involvement and Psychological Well-being." *American Psychologist*, 53, 1017-1031.

[40]Kraut, R., M. Patterson, V. Lundmark, S. Kiesler, T. Mukopadhyay, and W. Scherlis. 1 998. "Internet Paradox: A Social Technology that Reduces Social Involvement and Psychological Well-being." *American Psychologist*, 53, 1017-1031.

[41]Reeves, B., & Nass, C. (1996). *The media equation: How people treat computers, television, and new media like real people and places*. Cambridge: Cambridge University Press.

[42]Zimbardo, P.G., Ebbesen, E.B. & Maslach, C. (1977). *Influencing Attitudes and changing behavior.* Reading, MA: Addison-Wesley.

[43]Lefcourt, H.M., Martin, R.A., & Saleh, W.E. (1984). "Locus of Control and Social Support: Interactive Moderators of Stress." *Journal of Personality and Social Psychology*, *47*, 378-389.

[44]Richins, M.L., & Dawson, S. (1992). "A Consumer Values Orientation for Materialism and its measurement: Scale Development and Validation." *Journal of Consumer Research, 19*, 303-316.

[45]Sirgy, J. (1998). "Materialism and Quality of Life." *Social Indicators Research, 43,* 227-260.

[46]Schroeder, J.E., & Dugal, S.S. (1995). "Psychological Correlates of the Materialism Construct." *Journal of Social Behavior & Personality, 10*, 243-253.

[47]Rindfleisch, A., Burroughs, J.E., & Denton, F. (1997). "Family Structure, Materialism, and Compulsive Consumption." *Journal of Consumer Research, 23*, 312-325.

[48]An, C., Haveman, R., & Wolfe, B. (1993). "Teen Out-of-Wedlock Births and Welfare Receipt: The Role of Childhood Events and Economic Circumstances. *Review of Economics and Statistics, 75,* 195-208.

[49]Rindfleisch, A., Burroughs, J.E., & Denton, F. (1997). "Family Structure, Materialism, and Compulsive Consumption." *Journal of Consumer Research, 23*, 312-325.

[50]Rindfleisch, A., Burroughs, J.E., & Denton, F. (1997). "Family Structure, Materialism, and Compulsive Consumption." *Journal of Consumer Research, 23*, 312-325.

[51]Johnson, D.W. (1997). *Reaching Out: Interpersonal Effectiveness and Self-actualization.* Boston, MA.: Allyn and Bacon.

[52]Robinson, J.P., & Godbey, G. (1997). *Time for Life: The Surprising Ways Americans Use Their Time*. University Park, PA: Pennsylvania State University Press.

[53]Shi, D.E. (1985). *The Simple Life: Plain Living and High Thinking in American Culture*. New York: Oxford University Press.

[54]Chiu, R.K., & Kosinski, F.A. Jr. (1999). "The Role of Affective Dispositions in Job Satisfaction and Work Strain. Comparing Collectivist and Individualist Societies." *International Journal of Psychology, 34*, 19-28.

[55]Coombs, R H., & Fawzy, F.I. (1982). "The Effect of Marital Status on Stress in Medical School." *American Journal of Psychiatry, 139(11)*, 1490-1493.

[56]http://www.hsph.harvard.edu/digest/social.html.

[57]Myers, D.G. (1999). Close relationships and quality of life in D. Kahneman & E. Diener (Eds.). *Well-being: The Foundations of Hedonic Psychology* (pp. 374-391). New York, NY: Russell Sage.

[58]Dohrenwend, B., Pearlin, L., Clayton, P., Hamburg, B., Dohrenwend, B.P., Riley, M., and

ort on stress and life events. In G.R. Elliott and C. Eisdorfer (Eds.), *Stress* *nalysis and implications of research* (A study by the Institute of Medicine/ ...., of Sciences). New York: Springer-Verlag.

[59]Kaprio, J., Koskenvuo, M., and Rita, H. (1987). "Mortality after Bereavement: A Prospective Study of 95,647 Widowed Persons." *American Journal of Public Health, 77,* 283-287.

[60]Colon, E.A., Callies, A.L., Popkin, M.K., and McGlave, P.B. (1991). "Depressed Mood and Other Variables Related to Bone Marrow Transplantation Survival in Acute Leukemia." *Psychosomatics, 32,* 420-25.

[61]Case, R.B., Moss, A.J., Case, N., McDermott, M., and Eberly, S. (1992). "Living Alone after Myocardial Infarction: Impact on Prognosis." *Journal of the American Medical Association, 267,* 515-19; Williams, R.B., Barefoot, J.C., Califf, R.M., Haney, T.L., Saunders, W.B., Pryor, D.B., Hlatky, M.A., Siegler, I.C., and Mark, D.B. (1992). "Prognostic Importance of Social and Economic Resources among Medically Treated Patients with Angiographically Documented Coronary Artery Disease." *Journal of the American Medical Association, 267,* 520-24.

[62]Nouwen, Henri (1997). *Bread or the Journey.* San Francisco, CA: Harper Collins.

[63]E. Mavis Hetherington and John Kelly. *For Better or For Worse: Divorce Reconsidered* (2002) New York: W.W. Norton.

[65]Kennedy, R.J.J. (1943). "Premarital Residential Propinquity and Ethnic Endogamy." *The American Journal of Sociology,* 48(5), 580-584.

[66]Bossard, J. H.S. (1932). "Residential Propinquity as a Factor in Marriage Selection." The *American Journal of Sociology,* 38(2), 219-224.

[67]Rosenfeld, M.J. (2007). "American Couples: How Couples Meet, and Whether They Stay Together." Accessed on line on 4-14-08: http://www.stanford.edu/~mrosenfe/concept%20sheet,%20how%20couples%20meet.pdf.

[68]Oishi, S., Lun, J., & Sherman, G. D. (2007). "Residential Mobility, Self-concept, and Positive Affect in Social Interactions." *Journal of Personality and Social Psychology,* 93, 131-141.

[69]McPherson, M., Smith-Lovin, L., & Brashears, M.E. (2006). *American Sociological Review,* 71, 353-375.

[70]"Average Home Has More TVs than People." Accessed on-line on 4-14-08: http://www.usatoday.com/life/television/news/2006-09-21-homes-tv_x.htm.

[71]Baumeister, R.F., & Leary, M.R. (1995). "The Need to Belong: Desire for Interpersonal Attachments as a Fundamental Human Motivation. *Psychological Bulletin,* 117, 497-529.

[72]University of California, Los Angeles (2007, September 17). "Loneliness Is a Molecule." *Science Daily.* Retrieved April 26, 2008, from http://www.sciencedaily.com/ releases/2007/09/070913081048.htm.